MAGNUS CHASE
e os DEUSES de ASGARD

RICK RIORDAN

MAGNUS CHASE
e os DEUSES de ASGARD

I

A ESPADA DO VERÃO

Tradução de Regiane Winarski

intrínseca

Copyright © 2015 by Rick Riordan
Edição em português negociada por intermédio de Nancy Gallt Literary
Agency e Sandra Bruna Agencia Literaria, SL.

TÍTULO ORIGINAL
The Sword of Summer

PREPARAÇÃO
Marcela de Oliveira

REVISÃO
Juliana Werneck
Viviane Maurey

DIAGRAMAÇÃO
editoriarte

ILUSTRAÇÕES DAS RUNAS
Michelle Gengaro-Kokmen

ADAPTAÇÃO DE CAPA
Julio Moreira

ARTE DE CAPA
SJI Associates, Inc.

ILUSTRAÇÃO DE CAPA
© 2015 John Rocco

CIP-BRASIL. CATALOGAÇÃO NA PUBLICAÇÃO
SINDICATO NACIONAL DOS EDITORES DE LIVROS, RJ

R452e

Riordan, Rick, 1964-
    A espada do verão / Rick Riordan ; tradução Regiane Winarski.
– 1. ed. – Rio de Janeiro : Intrínseca, 2015.

    448 p. ; 23 cm. (Magnus Chase e os deuses de Asgard ; 1)

    Tradução de: The Sword of Summer
    ISBN 978-85-8057-795-2

1. Ficção infantojuvenil americana. I. Winarski, Regiane.
II. Título. III. Série.

15-25306   CDD: 028.5
                                                                  CDU: 087.5

[2015]

Todos os direitos desta edição reservados à
EDITORA INTRÍNSECA LTDA.
Av. das Américas, 500, bloco 12, sala 303
22640-904 – Barra da Tijuca
Rio de Janeiro – RJ
Tel./Fax: (21) 3206-7400
www.intrinseca.com.br

Para Cassandra Clare
Obrigado por me deixar compartilhar o excelente nome Magnus

SUMÁRIO

1. Bom dia! Você vai morrer — 11
2. O homem com sutiã de metal — 18
3. Não aceite carona de parentes estranhos — 24
4. Sério, o cara não sabe dirigir — 29
5. Eu sempre quis destruir uma ponte — 34
6. Abra caminho para os patos, senão vai levar um pescotapa — 40
7. Você fica ótimo sem nariz, sério mesmo — 45
8. Cuidado com o abismo, e também com o cara barbudo com o machado — 50
9. Você vai querer a chave do frigobar — 56
10. Meu quarto não é uma droga — 60
11. Prazer em conhecê-lo. Agora, vou esmagar sua traqueia — 68
12. Pelo menos não sou eu quem precisa perseguir a cabra — 74
13. Phil, a batata, enfrenta seu destino — 80
14. Quatro milhões de canais e não tem nada passando além da Visão das Valquírias — 86
15. Meu vídeo pagando mico se torna viral — 91
16. Nornas. Por que tinham que ser as Nornas? — 95
17. Eu não pedi bíceps — 99
18. Eu compro uma briga contra o café da manhã — 105
19. Não me chame de Zé-Ninguém. Tipo, *nunca* — 113
20. Venha para o lado negro. Temos jujubas — 120
21. Gunilla queima o nariz e isso não tem graça. Talvez só um pouquinho — 126
22. Meus amigos caem de uma árvore — 136
23. Eu me reciclo — 143

24.	Vocês só tinham um trabalho	147
25.	Meu agente funerário me veste de um jeito engraçado	154
26.	Oi, sei que você está morto, mas, se der, me liga	161
27.	Vamos jogar frisbee com armas afiadas!	166
28.	Fale com a cabeça, porque ele praticamente só tem isso	172
29.	Nosso falafel é sequestrado por uma águia	182
30.	Uma maçã por dia vai acabar matando você	190
31.	A mais fedida e não se fala mais nisso	195
32.	Meus anos jogando *Bassmasters 2000* compensaram	200
33.	O irmão de Sam acorda meio mal-humorado	208
34.	Minha espada quase vai parar no eBay	214
35.	Não farás cocô na cabeça da Arte	221
36.	Patos!	230
37.	Sou insultado por um esquilo	235
38.	Caí em um Volkswagen	240
39.	Freya é bonita! Ela tem gatos!	247
40.	Meu amigo evoluiu de um…Não. Não posso dizer	256
41.	Blitz faz um mau negócio	263
42.	Temos uma festinha de pré-decapitação com rolinhos primavera	269
43.	Que comece a elaboração de patinhos decorativos de metal	275
44.	Júnior ganha um saco de lágrimas	283
45.	Tenho a oportunidade de conhecer Jacques	290
46.	A bordo do bom e velho navio *Unha do Pé*	297
47.	Dou uma de terapeuta para um bode	304
48.	Hearthstone desmaia ainda mais do que Jason Grace (embora eu não faça ideia de quem seja esse cara)	309
49.	Ah, já sei qual é seu problema. Tem uma espada enfiada no seu nariz	316
50.	Nada de spoilers. Thor está *muito* atrasado nas suas séries preferidas	321
51.	Temos a conversa sobre se transformar em mosca	329
52.	Estou com o cavalo bem aqui. O nome dele é Stanley	334
53.	Como matar gigantes delicadamente	341
54.	Por que não se deve usar uma faca como trampolim	345
55.	Sou levado para a batalha pela Primeira Divisão Aérea Anã	352

56.	Nunca peçam a um anão para correr mais rápido	358
57.	Sam aperta o botão de EJETAR	363
58.	Quem diabos é Hel?	371
59.	O terror que é o ensino fundamental	376
60.	Um lindo cruzeiro homicida ao pôr do sol	381
61.	Urze é minha nova flor menos preferida	385
62.	O lobinho mau	390
63.	Odeio assinar minha própria sentença de morte	396
64.	De quem foi a ideia de tornar esse Lobo imortal?	401
65.	Odeio essa parte	406
66.	Sacrifícios	410
67.	Mais uma vez, por um amigo	414
68.	Não seja um mané, cara	417
69.	Ah... Então foi *esse* o cheiro que Fenrir sentiu no capítulo sessenta e três	422
70.	Somos sujeitados ao PowerPoint dos infernos	425
71.	Queimamos um pedalinho, e tenho certeza de que isso é ilegal	430
72.	Eu perco uma aposta	434
	Epílogo	437
	Glossário	441

UM

Bom dia!
Você vai morrer

É, EU SEI. VOCÊS VÃO ler sobre minha morte agonizante e vão pensar: "Uau! Que maneiro, Magnus! Posso ter uma morte agonizante também?"

Não. Tipo, não.

Não saiam por aí pulando de telhados. Não corram entre os carros nem taquem fogo no próprio corpo. Não é assim que funciona. Vocês não vão para o mesmo lugar que eu.

Além do mais, vocês não gostariam de se ver na minha situação. A não ser que tenham o desejo insano de ver guerreiros mortos-vivos fazendo picadinho uns dos outros, espadas enfiadas na narina de gigantes e elfos negros em roupas sofisticadas, nem *pensem* em procurar os portões com cabeças de lobo.

Meu nome é Magnus Chase. Tenho dezesseis anos. Esta é a história de como minha vida seguiu ladeira abaixo depois que eu morri.

Meu dia até que começou bem normal. Eu estava dormindo debaixo de uma ponte no Public Garden, em Boston, quando um cara me acordou com um chute e disse:

— Tem gente atrás de você.

A propósito, eu moro na rua faz dois anos.

Alguns de vocês podem pensar: *Puxa, que triste.* Outros talvez pensem: *Bem-feito, vagabundo!* Mas, se me vissem na rua, tenho noventa e nove por cento de certeza de que passariam direto por mim como se eu fosse invisível, torceriam para que eu não me aproximasse pedindo dinheiro e se perguntariam se sou mais velho do que pareço, porque, obviamente, nenhum adolescente andaria pelas ruas de Boston enrolado em um saco de dormir fedido no meio do inverno. *Alguém ajude aquele pobre garoto!*

E continuariam andando.

Tudo bem. Não preciso da solidariedade de vocês. Estou acostumado a zombarias. E estou acostumado a ser ignorado. Vamos em frente.

O mendigo que me acordou foi um cara chamado Blitz. Como sempre, parecia ter acabado de atravessar correndo um furacão de imundície. Seu cabelo preto e crespo vivia cheio de pedaços de papel e fragmentos de galhos. Seu rosto era tostado como couro curtido, todo salpicado de gelo. Sua barba áspera se abria em todas as direções. A barra de seu sobretudo surrado estava coberta de neve, pois se arrastava no chão (Blitz tinha mais ou menos um metro e sessenta de altura), e suas pupilas estavam tão dilatadas que mal se via a íris. Graças aos olhos esbugalhados, ele parecia prestes a gritar a qualquer segundo.

Pisquei repetidas vezes, tentando afastar o sono. Eu sentia gosto de hambúrguer velho na boca. Meu saco de dormir estava quentinho, e eu realmente não queria sair dali.

— Quem está atrás de mim?

— Sei lá. — Blitz esfregou o nariz, que, depois de tantas vezes quebrado, formava um zigue-zague que nem um raio. — Tem um pessoal aí distribuindo panfletos com o seu nome e uma foto sua.

Soltei um palavrão. Se fosse um policial ou um segurança, tudo bem. Assistentes sociais, voluntários de serviço comunitário, universitários bêbados, viciados a fim de espancar alguém pequeno e fraco: encarar qualquer um desses logo cedo seria mole como acordar com café da manhã na cama.

Mas alguém que sabia meu nome e conhecia meu rosto... isso era mau sinal. Significava que estavam procurando especificamente por mim. Talvez a galera do abrigo estivesse com raiva por eu ter quebrado o aparelho de som deles. (Aquelas cantigas de Natal eram de enlouquecer.) Talvez uma câmera de segurança pública tivesse flagrado o último furto que eu cometera na área do Theater District. (Ei, eu precisava de dinheiro para uma pizza.) Ou talvez, por mais improvável que parecesse, a polícia ainda estivesse na minha cola, querendo fazer perguntas sobre o assassinato da minha mãe...

Recolhi minhas coisas, o que levou uns três segundos. Enrolei o saco de dormir bem apertado para caber na mochila, junto com a escova de dentes e algumas meias e cuecas. Além da roupa do corpo, isso era tudo o que eu tinha. Com a mochila no ombro e o capuz do casaco cobrindo a cabeça, eu conseguia facilmente me misturar à multidão de pedestres. Boston é cheia de universitários. Alguns ainda mais desgrenhados e aparentando ser ainda mais jovens que eu.

Eu me virei para Blitz.

— Onde você viu essas pessoas com panfletos?

— Na rua Beacon. Estão vindo para cá. Um coroa branquelo e uma garota. Deve ser filha dele.

Franzi a testa.

— Isso não faz sentido. Quem...?

— Não sei, garoto, mas eu tenho que ir.

Blitz observou com olhos semicerrados o nascer do sol, que tingia de laranja as janelas dos arranha-céus. Por motivos que nunca entendi direito, ele detestava a luz do dia. Talvez fosse o vampiro sem-teto mais baixo e corpulento do mundo.

— Você devia ir encontrar o Hearth. Ele está na praça Copley.

Tentei conter a irritação. O pessoal da rua brincava dizendo que Hearth e Blitz eram minha mãe e meu pai, porque eu tinha sempre um ou outro perto de mim.

— Agradeço — falei. — Mas vou ficar bem.

Blitz começou a roer a unha.

— Sei não, garoto. Hoje, não. Você tem que tomar muito cuidado.

— Por quê?

Ele olhou de relance por cima do meu ombro.

— Eles estão vindo.

Não vi ninguém atrás de mim. Quando me virei de volta, Blitz tinha sumido. Eu odiava quando ele fazia isso. De repente... *puf*. O cara era um ninja. Um vampiro-ninja sem-teto.

Agora, eu precisava escolher: ir até a praça Copley e ficar com Hearth ou ir até a rua Beacon para tentar ver quem eram as pessoas que estavam me procurando.

A descrição que Blitz fez delas me deixou curioso. Um coroa branco e uma garota me procurando logo cedo em uma manhã de inverno. Por quê? Quem seriam eles?

Discretamente, contornei o laguinho. Quase ninguém pega a trilha que passa sob a ponte, então, se eu seguisse pela lateral da colina, conseguiria ver qualquer um que se aproximasse pela outra trilha sem que me vissem.

Uma camada de neve cobria o chão. O céu estava de um azul de doer os olhos. Os galhos nus das árvores pareciam feitos de vidro. O vento cortante atravessava as camadas de roupas, mas o frio não me incomodava. Minha mãe sempre dizia que eu era quase um urso-polar.

Droga, Magnus, pensei, repreendendo a mim mesmo.

Depois de dois anos, minhas lembranças dela ainda eram um campo minado. Era só eu tropeçar em uma que meu equilíbrio explodia em pedacinhos.

Tentei me concentrar.

Vi o homem e a garota vindo na minha direção. O cabelo louro dele cobria a gola do casaco — não em um estilo intencional, mas como se ele não pudesse se dar ao trabalho de ir cortar. Sua expressão de perplexidade era como a de um professor substituto: *Sei que fui atingido por uma bolinha de papel, mas não faço ideia de quem a jogou*. Ele usava sapatos sociais, uma escolha totalmente equivocada para o inverno de Boston. Cada meia era de um tom diferente de marrom. O nó da gravata parecia ter sido feito enquanto ele rodopiava na mais completa escuridão.

A garota era filha dele, com certeza. Tinha o cabelo farto e ondulado como o do homem, só que em um tom mais claro. Estava vestida de forma mais sensata: botas de neve, calça jeans e uma parca, além de uma camisa laranja aparecendo na altura do pescoço. Sua expressão era mais determinada, zangada. Ela segurava a pilha de panfletos como se fossem cópias de uma redação em que recebera uma nota baixa injustamente.

Se ela estava me procurando, eu não queria ser encontrado. A garota era assustadora.

Não a reconheci, nem ao pai dela, mas alguma coisa pipocou no fundo da minha mente... como um ímã tentando puxar uma lembrança muito antiga.

Pai e filha pararam no ponto em que o caminho bifurcava. Os dois olharam ao redor, como se só então percebessem que estavam no meio de um parque deserto em um horário cruel em pleno inverno.

— Inacreditável — disse a garota. — Dá vontade de estrangulá-lo.

Supondo que ela estivesse falando de mim, me abaixei um pouco mais.

O pai suspirou.

— Acho que não é uma boa ideia. Ele ainda é seu tio.

— Mas *dois anos*? Pai, como ele pôde ficar *dois anos* sem contar para a gente?

— Não sei explicar as decisões de Randolph. Nunca soube, Annabeth.

Inspirei com tanta força que tive medo de eles ouvirem. Uma ferida se abriu no meu cérebro, expondo dolorosas lembranças de quando eu tinha seis anos.

Annabeth. Ou seja, o homem louro era... *tio Frederick*?

Então minhas lembranças me levaram ao último Dia de Ação de Graças que havíamos passado juntos: Annabeth e eu escondidos na biblioteca da casa do tio Randolph, brincando com peças de dominó enquanto os adultos gritavam uns com os outros no andar de baixo.

Você tem sorte de morar com a sua mãe. Annabeth colocou mais um dominó na miniconstrução. Uma construção incrivelmente boa, com colunas na frente, como um templo. *Vou fugir de casa.*

Eu não tinha dúvida de que era sério. A confiança dela me impressionava.

Foi quando tio Frederick apareceu à porta com os punhos cerrados, sua expressão sombria contrastando com as renas sorridentes em seu suéter. *Annabeth, vamos embora.*

Ela olhou para mim. Seus olhos cinzentos eram intensos demais para uma menina da idade dela. *Se cuida, Magnus.*

Com um peteleco, derrubou o templo de dominó que havia construído.

Foi a última vez que a vi.

Depois, minha mãe foi inflexível: *Vamos ficar longe de seus tios. Principalmente do Randolph. Não vou fazer o que ele quer. Jamais.*

Ela não explicou o que Randolph queria, nem sobre o que tinha discutido com os irmãos.

Você precisa confiar em mim, Magnus. Ficar perto deles... é perigoso demais.

Eu confiava em minha mãe. Mesmo após a morte dela, não tive mais qualquer contato com meus tios.

Agora, do nada, eles estavam me procurando.

Randolph morava na cidade, mas, até onde eu sabia, Frederick e Annabeth ainda moravam na Virginia. No entanto, ali estavam eles, distribuindo panfletos com meu nome e minha foto. *Onde* tinham conseguido uma foto minha?

Eu estava tão confuso que perdi uma parte da conversa.

— ... encontrar Magnus — dizia tio Frederick. Ele olhou para o celular. — Randolph está no abrigo da cidade, no South End. Disse que não encontrou nenhuma pista. Vamos tentar a sorte no abrigo para menores do outro lado do parque.

— Se é que Magnus ainda está vivo... — disse Annabeth, com tristeza. — Desaparecido há *dois anos*! Ele pode ter morrido congelado em uma sarjeta qualquer!

Fiquei tentado a sair do meu esconderijo e gritar: *SURPRESAAA!*

Embora fizesse dez anos desde a última vez que eu vira Annabeth, não gostei de vê-la preocupada. Mas, depois de tanto tempo nas ruas, eu tinha aprendido do jeito mais difícil: nunca se meta em uma situação sem antes entender o que está acontecendo.

— Randolph tem certeza de que Magnus está vivo — afirmou tio Frederick. — Em algum lugar de Boston. Se a vida dele estiver mesmo em perigo...

Eles seguiram na direção da rua Charles, suas vozes sendo levadas pelo vento.

Eu estava tremendo agora, mas não era de frio. Queria correr atrás de Frederick e exigir uma explicação sobre o que estava acontecendo. Como Randolph sabia que eu ainda estava na cidade? Por que estavam me procurando? Por que só agora minha vida estava correndo perigo?

Mas não fui atrás deles.

Eu me lembrei da última coisa que minha mãe me disse. Estava relutando em fugir pela escada de incêndio, relutando em deixá-la, mas ela me segurou pelos braços e me obrigou a encará-la. *Magnus, fuja. Vá se esconder. Não confie em ninguém. Eu vou encontrar você. Aconteça o que acontecer, não peça ajuda a Randolph.*

Então, antes de eu chegar à janela, a porta do nosso apartamento foi arrebentada e um par de brilhantes olhos azuis surgiram da escuridão...

Afastei a lembrança e observei tio Frederick e Annabeth indo embora, na direção do parque Boston Common.

Tio Randolph... Por algum motivo, ele havia entrado em contato com Frederick e Annabeth e os convencido a vir até Boston. Durante todo aquele tempo, Frederick e Annabeth não sabiam que eu estava desaparecido. Parecia impossível, mas, se fosse verdade, por que Randolph teria decidido lhes contar isso agora?

Eu só conseguia pensar em um jeito de obter as respostas sem confrontá-lo diretamente. Ele morava em Back Bay, aonde dava para ir a pé. De acordo com Frederick, Randolph não estava em casa, e sim em alguma parte do South End, me procurando.

Como não há nada melhor para começar o dia do que uma boa invasão domiciliar, decidi fazer uma visitinha à casa dele.

DOIS

O homem com sutiã de metal

A MANSÃO DA FAMÍLIA ERA HORRÍVEL.

Ah, claro, *vocês* não achariam. Apenas veriam uma enorme casa de tijolos marrons de seis andares com enfeites de gárgulas, os vitrais acima das portas e janelas, os degraus de mármore na entrada e todos os detalhes do blá-blá-blá de gente rica e se perguntariam por que estou morando nas ruas.

A resposta: *tio Randolph.*

Aquela casa era *dele.* Como filho mais velho, ele a herdou dos meus avós, que morreram antes de eu nascer. Eu nunca soube os detalhes do drama familiar, mas havia muito ressentimento entre os três filhos: Randolph, Frederick e minha mãe. Depois da Grande Cisão no Dia de Ação de Graças, nunca mais visitamos o antigo lar da família. Nosso apartamento ficava a poucos metros de distância, mas daria no mesmo se Randolph morasse em Marte.

Minha mãe só tocava no nome dele se por acaso passássemos de carro pela mansão. Ela apontava da mesma forma que apontaria para um penhasco perigoso. *Está vendo aquela casa? Evite ir até lá.*

Depois que comecei a morar nas ruas, às vezes passava por lá à noite. Eu olhava pelas janelas e via vitrines de vidro iluminadas exibindo espadas e machados antigos, elmos apavorantes com máscaras me encarando das paredes e estátuas delineadas nas janelas do andar de cima, como fantasmas petrificados.

Pensei várias vezes em invadir a casa para xeretar, mas nunca fiquei tentado a bater à porta. *Por favor, tio Randolph, sei que você odiava minha mãe e não me vê há dez anos; sei que você liga mais para sua coleção enferrujada do que para a própria família; mas posso morar na sua linda casa e comer os farelos do seu pão?*

Não, obrigado. Eu preferia ficar na rua, comendo falafel do dia anterior da praça de alimentação.

Ainda assim... parecia bem simples entrar, dar uma olhada e ver se conseguia encontrar respostas sobre o que estava acontecendo. E talvez, enquanto estivesse lá, pudesse pegar alguma coisa para penhorar.

Lamento se ofendo seu senso de honestidade.

Ah, espere. Não, não lamento nem um pouco.

Eu não roubo de qualquer um. Escolho imbecis antipáticos que já têm coisas demais. Se você dirige uma BMW novinha e estaciona na vaga de deficiente sem ter o adesivo, não vejo problema em arrombar sua janela e levar umas moedas esquecidas no porta-copos. Se você sai da Barneys com a sacola cheia de lenços de seda e está tão ocupado falando ao celular e empurrando as pessoas para passar que nem presta atenção, eu estou lá, pronto para furtar sua carteira. Se alguém pode gastar cinco mil dólares só para assoar o nariz, também pode pagar o meu jantar.

Sou juiz, júri e ladrão. E, no que diz respeito a imbecis antipáticos, achei que não podia existir ninguém pior do que tio Randolph.

A entrada da casa dava para a avenida Commonwealth. Segui para os fundos, para a poeticamente batizada travessa Pública 429. A vaga de Randolph estava vazia. Uma escada levava a uma entrada pelo porão. Se havia um sistema de segurança, não consegui ver. A porta tinha apenas uma fechadura simples, nada de tranca. *O que é isso, Randolph? Eu esperava um desafio.*

Dois minutos depois, eu estava lá dentro.

Na cozinha, me servi de peito de peru, torradas e leite direto da caixa. Nada de falafel. Droga. Agora eu fiquei com desejo, mas encontrei uma barra de chocolate e a guardei no bolso do casaco. (Chocolate precisa ser saboreado, não comido às pressas.) Então subi as escadas até um mausoléu de mobília de mogno, tapetes orientais, pinturas a óleo, piso de mármore e candelabros de cristal... Era constrangedor. Quem vivia assim?

Eu não tinha noção do quanto tudo aquilo era caro quando tinha seis anos, mas minha impressão geral da mansão continuava a mesma: escura, opressiva e apavorante. Era difícil imaginar minha mãe passando a infância ali. Era fácil entender por que ela gostava tanto da natureza.

Nosso apartamento em cima da churrascaria coreana em Allston era bem aconchegante, mas mamãe não gostava de ficar dentro de casa. Ela sempre dizia que seu verdadeiro lar era Blue Hills. Fazíamos trilhas e acampávamos por lá fizesse chuva ou sol; o ar era fresco, não havia paredes nem teto e nenhuma companhia além de patos, gansos e esquilos.

Em comparação, a mansão parecia uma prisão. Enquanto estava sozinho no saguão, senti um arrepio, como se pequenos besouros invisíveis rastejassem pela minha pele.

Fui para o segundo andar. A biblioteca tinha cheiro de couro e cera com aroma de limão, como eu lembrava. Perto da parede, uma vitrine com os elmos vikings enferrujados e os machados corroídos de Randolph. Minha mãe me disse uma vez que Randolph dava aula de história em Harvard antes de alguma grande desgraça fazer com que fosse demitido. Ela não quis entrar em detalhes, mas o cara ainda era doido por artefatos.

Você é mais inteligente do que seus dois tios, Magnus, minha mãe me disse certa vez. *Com suas notas, poderia entrar em Harvard se quisesse.*

Isso foi quando ela ainda estava viva, eu ainda estava na escola e pensar no futuro ia além de como conseguir a próxima refeição.

Em um canto do escritório de Randolph, havia um grande pedaço de pedra que parecia uma lápide, com a frente entalhada e pintada com desenhos vermelhos elegantes e intrincados. No centro, havia um desenho rudimentar de uma fera rosnando, talvez um leão ou um lobo.

Tremi. Não vamos começar a pensar em *lobos*.

Eu me aproximei da escrivaninha de Randolph. Estava torcendo para encontrar um computador ou um bloco cheio de informações úteis, qualquer coisa que explicasse por que eles estavam me procurando. Mas, em vez disso, espalhados sobre a mesa havia pedaços de pergaminho finos como casca de cebola. Pareciam mapas que um estudante da época medieval tinha feito para a aula de estudos sociais: desenhos desbotados de uma costa, com vários pontos sinalizados em um alfabeto que eu não conhecia. Em cima deles, como peso de papel, estava uma bolsinha de couro.

Prendi a respiração. Eu conhecia aquela bolsinha. Desamarrei a corda e peguei uma das peças do dominó... Só que não era um dominó. Meu eu de seis anos supôs que Annabeth e eu brincávamos com dominós. Ao longo dos anos, a lembrança foi reforçando a si mesma. Mas, em vez de pontos, aquelas pedras tinham símbolos vermelhos pintados.

A que eu segurava tinha a forma de um galho de árvore ou de um *F* torto:

Meu coração disparou. Não sabia bem por quê. Perguntei-me se ir até ali fora mesmo uma boa ideia. As paredes pareciam estar se fechando ao meu redor. Na grande pedra no canto, o desenho do animal parecia rosnar para mim, com o contorno vermelho brilhando como sangue fresco.

Fui até a janela. Achei que olhar a rua talvez ajudasse. Entre as avenidas ficava o Commonwealth Mall, um parque comprido coberto de neve. As árvores sem folhas estavam decoradas com luzes brancas de Natal. No final da quadra, dentro de uma cerca de ferro, havia a estátua de bronze de Leif Erikson sobre um pedestal, uma das mãos rente à testa. Leif olhava na direção do viaduto Charlesgate como se dizendo: *Vejam só, descobri uma rodovia!*

Minha mãe e eu gostávamos de fazer piada com Leif. A armadura dele era leve: uma saia curta e um peitoral que parecia um sutiã viking.

Eu não sabia por que aquela estátua estava no meio de Boston, mas achei que não podia ser coincidência tio Randolph estudar vikings. Ele morou ali a vida toda. Devia olhar para Leif todos os dias pela janela. Talvez, quando criança, Randolph tenha pensado: *Um dia, quero estudar os vikings. Homens que usam sutiã de metal são demais!*

Meus olhos seguiram para a base da estátua. Alguém estava em pé ali... olhando para mim.

Sabe quando você vê uma pessoa fora do contexto e demora um segundo para reconhecê-la? Na sombra de Leif Erikson, havia um homem alto e pálido com uma jaqueta preta de couro, calça preta de motoqueiro e botas de bico fino. O cabelo curto e espetado era tão louro que parecia branco. A única cor vinha de um cachecol listrado de vermelho e branco amarrado no pescoço e caindo sobre os ombros como um doce de Natal derretido.

Se eu não o conhecesse, podia achar que estava fantasiado de algum personagem de anime. Mas eu o conhecia. Era Hearth, meu companheiro sem-teto e "mãe" emprestada.

Fiquei um pouco assustado e ofendido. Ele me viu na rua e me seguiu? Eu não precisava de uma fada madrinha perseguidora cuidando de mim.

Abri os braços: *O que você está fazendo aqui?*

Hearth fez um gesto como se estivesse tirando uma coisa da mão em concha e jogando longe. Depois de dois anos andando com ele, eu estava ficando bom em ler linguagem de sinais.

Significava *SAIA*.

Hearth não parecia alarmado, mas era difícil decifrá-lo. Ele nunca demonstrava muita emoção. Sempre que andávamos juntos, só me olhava com aqueles olhos cinza-claros, como se a qualquer momento eu fosse explodir.

Perdi segundos valiosos tentando entender o que ele queria dizer, por que ele estava aqui quando devia estar na praça Copley.

Hearth fez outro gesto: as duas mãos apontando para fora com dois dedos, se movendo para cima e para baixo duas vezes. *Ande logo.*

— Por quê? — perguntei em voz alta.

Atrás de mim, uma voz grave disse:

— Olá, Magnus.

Tomei um susto daqueles. Na porta da biblioteca havia um homem com peito largo, barba branca bem aparada e cabelo grisalho cortado curto. Usava um sobretudo de caxemira bege por cima de um terno de lã preto. As mãos enluvadas seguravam o cabo de uma bengala de madeira polida com ponta de ferro. Na última vez que o vi, o cabelo dele era preto, mas o reconheci pela voz.

— Randolph.

Ele inclinou a cabeça um milímetro.

— Que surpresa agradável. Estou feliz em encontrá-lo aqui. — Ele não parecia nem surpreso nem feliz. — Não temos muito tempo.

A comida e o leite começaram a se agitar no meu estômago.

— M-Muito tempo... para quê?

Randolph franziu a testa. O nariz se enrugou como se ele estivesse sentindo um cheiro desagradável.

— Você faz dezesseis anos hoje, não é? Eles estão vindo matar você.

TRÊS

Não aceite carona de parentes estranhos

Bem, feliz aniversário para mim!

Já era dia 13 de janeiro? Sinceramente, eu não fazia ideia. O tempo voa quando se dorme debaixo de pontes e se come o que consegue encontrar no lixo.

Então eu tinha dezesseis anos. O meu presente foi ser encurralado pelo tio Bizarro, que anunciou que eu estava marcado para morrer.

— Quem… — comecei a perguntar. — Quer saber? Deixa pra lá. Foi bom ver você, Randolph. Vou embora agora.

Randolph ficou parado na frente da porta, bloqueando minha passagem. Ele apontou a bengala para mim. Juro que consegui sentir a ponta de ferro cutucando meu peito do outro lado da sala.

— Magnus, precisamos conversar. Não quero que eles peguem você. Não depois do que aconteceu com sua mãe…

Um soco na cara teria sido menos doloroso.

Lembranças daquela noite surgiram em minha mente como um caleidoscópio doentio: nosso prédio estremecendo, um grito vindo do andar de baixo, minha mãe, que naquele dia estava tensa e paranoica, me arrastando para a escada de incêndio, me mandando fugir. A porta arrebentada e caída. Do corredor, dois animais surgiram, com pelagem da cor de neve suja, olhos azuis brilhando. Meus dedos escorregaram no corrimão da escada de incêndio e eu caí em uma pilha de sacos de lixo no beco abaixo. Momentos depois, as janelas do nosso apartamento explodiram em labaredas.

Minha mãe me mandou fugir. Eu fugi. Ela prometeu que me encontraria. Mas nunca me encontrou. Mais tarde, no noticiário, eu soube que o corpo dela fora encontrado nos escombros do incêndio. A polícia estava me procurando. Eles tinham perguntas: sinais de incêndio criminoso, meu registro de problemas disciplinares na escola, os relatos dos vizinhos de gritos e um estrondo alto vindo do nosso apartamento logo antes da explosão, o fato de eu ter fugido do local. Nenhum dos relatos mencionava lobos com olhos brilhantes.

Desde aquela noite, eu me escondo, vivo incógnito, ocupado demais em sobreviver para ficar de luto pela minha mãe, me perguntando se imaginei aqueles lobos... mas eu sabia que não.

Agora, depois de tanto tempo, tio Randolph queria me ajudar.

Segurei a pedrinha de dominó com tanta força que machuquei a palma da minha mão.

— Você não sabe o que aconteceu com a minha mãe. Nunca ligou para a gente.

Randolph baixou a bengala. Apoiou-se pesadamente nela e olhou para o tapete. Quase consegui acreditar que eu tinha magoado os sentimentos dele.

— Eu implorei à sua mãe — disse ele. — Queria que ela trouxesse você para cá, para ficar onde eu pudesse protegê-lo. Ela se recusou. Depois que ela morreu... — Ele balançou a cabeça. — Magnus, você não faz ideia de há quanto tempo eu estou procurando por você e nem do tamanho do perigo que o cerca.

— Eu estou ótimo — falei com rispidez, apesar de meu coração estar martelando contra minhas costelas. — Consegui me virar muito bem sozinho todos esses anos.

— Talvez, mas esses dias acabaram. — A certeza na voz de Randolph me fez sentir um arrepio. — Você tem dezesseis anos agora, já é um homem. Escapou deles uma vez, na noite em que sua mãe morreu. Eles não vão deixar você escapar de novo. Essa é nossa última chance. Se não me deixar ajudá-lo, você não sobreviverá até o fim do dia.

A luz fraca de inverno se deslocou pelo vitral acima da janela e banhou o rosto de Randolph com diversas cores, como um camaleão.

Eu não devia ter ido lá. Idiota, idiota, idiota. Repetidamente, minha mãe me passou uma mensagem clara: *Fique longe de Randolph*. Mas lá estava eu.

Quanto mais o ouvia, mais apavorado ficava, e mais desesperadamente queria ouvir o que ele tinha a dizer.

— Não preciso da sua ajuda. — Coloquei a pecinha estranha de dominó na mesa. — Não quero...

— Eu sei sobre os lobos.

Isso me fez parar.

— Sei o que você viu — prosseguiu ele. — Sei quem mandou as criaturas. Independentemente do que a polícia possa pensar, sei como sua mãe realmente morreu.

— Como...

— Magnus, tem tanta coisa que preciso contar para você sobre seus pais, sobre seu legado... Sobre seu pai.

Um arrepio gelado desceu pela minha espinha.

— Você conheceu meu pai?

Eu não queria dar nenhuma vantagem a Randolph. Viver na rua me ensinou o quanto qualquer vantagem podia ser perigosa. Mas ele me fisgou. Eu *precisava* ouvir sobre aquilo. E a julgar pelo brilho que vi nos olhos dele, ele já sabia.

— Conheci, Magnus. Sei a identidade do seu pai, sei sobre o assassinato de sua mãe, sei o motivo de ela ter recusado minha ajuda... está tudo ligado. — Ele indicou a vitrine de artigos vikings. — Durante toda a minha vida, venho trabalhando com um único objetivo. Estou tentando solucionar um mistério histórico. Até pouco tempo atrás, eu não via como tudo se conectava. Agora, vejo. Tudo levava a *este* dia, seu décimo sexto aniversário.

Recuei alguns passos, até minhas costas baterem na janela, o mais longe que consegui ficar de tio Randolph.

— Olhe, não entendo noventa por cento do que você está falando, mas se você pode me contar sobre meu pai...

A casa tremeu, como se uma série de canhões tivesse sido disparada ao longe; foi um *ribombar* tão grave que senti nos dentes.

— Eles vão chegar aqui logo — avisou Randolph. — Estamos ficando sem tempo.

— Quem são *eles*?

Randolph se aproximou mancando, se apoiando na bengala. O joelho direito não parecia dobrar.

— Sei que estou pedindo muito, Magnus. Você não tem motivo para confiar em mim. Mas precisa vir comigo *agora*. Sei onde está sua herança. — Ele apontou para os velhos mapas na mesa. — Juntos, podemos recuperar o que é seu por direito. É a única coisa que pode proteger você.

Olhei por cima do ombro, pela janela. No Commonwealth Mall, Hearth havia desaparecido. Eu devia ter feito o mesmo. Encarei tio Randolph e tentei ver alguma semelhança com minha mãe, qualquer coisa que pudesse me inspirar a confiar nele. Não encontrei nada. A estatura imponente, os olhos escuros intensos, o rosto sério e o jeito rígido... ele era o exato oposto de minha mãe.

— Meu carro está estacionado lá atrás — disse ele.

— T-Talvez devêssemos esperar Annabeth e tio Frederick.

Randolph fez uma careta.

— Eles não acreditam em mim. *Nunca* acreditaram. Por desespero, como último recurso, eu os trouxe a Boston para me ajudarem a procurar você, mas agora que você está aqui...

A mansão tremeu de novo. Desta vez, a origem do tremor pareceu estar mais perto e mais forte. Eu queria acreditar que era de uma construção ou de uma cerimônia militar, ou de qualquer coisa facilmente explicável. Mas meus instintos me diziam outra coisa. O barulho parecia o pisar de um pé gigantesco, como o estrondo que sacudiu nosso apartamento dois anos antes.

— Por favor, Magnus. — A voz de Randolph tremeu. — Eu perdi a *minha* família para esses monstros. Perdi minha esposa, minhas filhas.

— Você... você tinha família? Minha mãe nunca disse nada...

— Não, ela nunca diria. Mas sua mãe... Natalie era minha única irmã. Eu a amava. Odiei perdê-la. Não posso perder você também. Venha comigo. Seu pai deixou uma coisa para você, algo que vai mudar o destino dos mundos.

Perguntas demais surgiram em meu cérebro. Não gostei do brilho de loucura nos olhos de Randolph. Não gostei da forma como meu tio disse *mundos*, no plural. E não acreditei que ele estava tentando me encontrar desde que minha mãe morreu. Eu tinha ficado de olho. Se Randolph estivesse perguntando por mim, um dos meus amigos da rua teria me avisado, como Blitz fez naquela manhã com Annabeth e Frederick.

Alguma coisa tinha acontecido, algo que fez Randolph decidir que valia a pena me procurar.

— E se eu fugir? — perguntei. — Você vai tentar me impedir?

— Se você fugir, eles vão encontrar você. Vão matar você.

Minha garganta parecia cheia de bolas de algodão. Eu não confiava em Randolph. Infelizmente, acreditava que ele estava sendo sincero quanto a haver gente querendo me matar. A voz dele parecia sincera.

— Muito bem, então — concordei —, vamos dar uma volta.

QUATRO

Sério, o cara não sabe dirigir

Vocês já ouviram falar dos péssimos motoristas de Boston? Conheçam meu tio Randolph.

O cara ligou a BMW 528i (claro que tinha que ser uma BMW) e disparou pela avenida Commonwealth, ignorando os sinais, buzinando para os outros carros, costurando aleatoriamente de uma pista para a outra.

— Você errou um pedestre — falei. — Quer voltar para atropelá-lo?

Randolph estava distraído demais para responder. Ficava olhando para o céu como se procurasse nuvens de tempestade. E acelerou pelo cruzamento com a Exeter.

— E aí, para onde estamos indo? — perguntei.

— Para a ponte.

Como se isso explicasse tudo. Havia umas vinte pontes em Boston.

Passei a mão pelo banco de couro aquecido. Fazia uns seis meses que eu não andava de carro. A última vez foi no Toyota de uma assistente social. Antes disso, em uma viatura de polícia. Nos dois casos, usei um nome falso. Nos dois casos, consegui fugir, mas, nos últimos dois anos, passei a associar carros a celas. Eu não sabia se minha sorte tinha mudado hoje.

Esperei que Randolph respondesse algumas das perguntinhas irritantes que eu tinha para fazer, como, ah: Quem é meu pai? Quem matou minha mãe? Como você perdeu sua esposa e suas filhas? Você está tendo uma alucinação? Precisava mesmo passar essa colônia com cheiro de cravo?

Mas ele estava ocupado demais tumultuando o trânsito.

Enfim, só para jogar conversa fora, perguntei:

— E então, quem está tentando me matar?

Ele virou na Arlington. Contornamos o Public Garden, passamos pela estátua de George Washington montado em seu cavalo, pelas fileiras de postes e cercas-vivas cobertas de neve. Tive vontade de pular do carro, correr para o lago dos cisnes e me esconder no meu saco de dormir.

— Magnus — disse Randolph —, meu projeto de vida foi estudar a exploração nórdica na América do Norte.

— Uau, obrigado. Era exatamente o que eu queria saber.

De repente, Randolph lembrou *mesmo* minha mãe. Ele me lançou aquele olhar por cima dos óculos, a expressão exasperada, como se dissesse: *Por favor, garoto, sem sarcasmo*. A similaridade fez meu peito doer.

— Tudo bem — falei. — Continue. Exploração nórdica. Você está falando dos vikings.

Randolph fez uma careta.

— Bem... *viking* quer dizer *invasor*. É mais uma descrição da função. Nem todos os nórdicos eram vikings. Mas sim, estou falando deles.

— A estátua de Leif Erikson... Isso quer dizer que os vikings, quer dizer, os nórdicos, descobriram Boston? Achei que tivessem sido os peregrinos.

— Eu poderia discursar sobre esse assunto por umas três horas.

— Por favor, não.

— Basta dizer que os nórdicos exploraram a América do Norte e até construíram vilarejos por volta do ano 1000, quase quinhentos anos antes de Cristóvão Colombo. Os acadêmicos concordam quanto a isso.

— Que alívio. Odeio quando acadêmicos discordam.

— Mas ninguém sabe ao certo quão longe ao sul os nórdicos navegaram. Chegaram ao que hoje são os Estados Unidos? Aquela estátua de Leif Erikson... Aquilo foi o projeto pessoal de um sonhador dos anos 1800, um homem chamado Eben Horsford. Ele estava convencido de que Boston era a colônia nórdica perdida de Norumbega, o ponto mais distante de exploração. Ele tinha um instinto, uma intuição, mas nenhuma prova real. A maioria dos historiadores o considerava louco.

Ele olhou para mim com seriedade.

— Deixa eu adivinhar... você não acha que ele era louco. — Me segurei para não dizer: *Só um louco para acreditar em outro*.

— Aqueles mapas na minha mesa — disse Randolph. — *Eles* são a prova. Meus colegas chamam de falsificações, mas não são. Apostei minha reputação neles!

E por isso foi demitido de Harvard, pensei.

— Os exploradores nórdicos chegaram muito longe — prosseguiu. — Estavam procurando alguma coisa... e encontraram aqui. Um dos navios afundou nas proximidades. Por anos, achei que o naufrágio havia ocorrido na baía de Massachusetts. Coloquei tudo em jogo para encontrá-lo. Levei meu próprio barco, minha esposa, minhas filhas nas expedições. Na última vez... — A voz dele falhou. — A tempestade veio do nada, o fogo...

Ele não pareceu ansioso para contar o resto, mas captei a ideia geral: meu tio perdeu a família no mar. Ele *tinha* mesmo apostado tudo naquela teoria maluca sobre vikings em Boston.

Eu me sentia mal pelo sujeito, claro. Mas também não queria ser a próxima perda dele.

Paramos na esquina da Boylston com a Charles.

— Acho que vou descer aqui.

Tentei a maçaneta. A porta estava trancada pelo lado do motorista.

— Magnus, escute. Não foi por acidente que você nasceu em Boston. Seu pai queria que você achasse o que ele perdeu há dois mil anos.

Comecei a mexer os pés, agitado.

— Você acabou de dizer... dois mil anos?

— Aproximadamente.

Pensei em gritar e bater na janela. Será que alguém me ajudaria? Se conseguisse sair do carro, talvez eu encontrasse tio Frederick e Annabeth, supondo que eles fossem menos malucos do que Randolph.

Entramos na rua Charles e seguimos entre o Public Garden e o Common. Randolph podia estar me levando para qualquer lugar: Cambridge, North End ou algum local deserto para se livrar do meu corpo.

Tentei ficar calmo.

— Dois mil anos... bem, é uma expectativa de vida maior do que a de pais normais.

O rosto de Randolph me lembrava o do Homem da Lua dos desenhos antigos em preto e branco: pálido e redondo, com crateras e cicatrizes e um sorriso misterioso que não era muito amigável.

— Magnus, o que você sabe sobre mitologia nórdica?

Isso só melhora, pensei.

— Hã, não muito. Minha mãe tinha um livro ilustrado que lia para mim quando eu era pequeno. E não saíram uns filmes sobre o Thor?

Randolph balançou a cabeça com desprezo.

— Aqueles filmes... ridiculamente imprecisos. Os verdadeiros deuses de Asgard, Thor, Loki, Odin e o resto, são muito mais poderosos, muito mais apavorantes do que qualquer coisa que Hollywood poderia inventar.

— Mas... são mitos. Não são reais.

Randolph olhou para mim como se estivesse com pena.

— Mitos nada mais são do que histórias sobre verdades que esquecemos.

— Olha, acabei de lembrar que tenho um compromisso lá na rua...

— Um milênio atrás, os exploradores nórdicos vieram para esta terra.

Randolph passou pelo bar Cheers na rua Beacon, onde turistas encasacados tiravam fotos na frente do letreiro. Vi um panfleto amassado voando na calçada: havia a palavra DESAPARECIDO e uma foto minha antiga. Um dos turistas pisou nele.

— O capitão desses exploradores — continuou Randolph — era filho do deus Skírnir.

— O filho de um deus. Sério, qualquer lugar por aqui está bom. Posso ir andando.

— Esse homem carregava um item muito especial — disse Randolph —, uma coisa que já pertenceu a seu pai. Quando o navio afundou em uma tempestade, esse objeto se perdeu. Mas você... Você tem a capacidade de encontrá-lo.

Tentei a porta de novo. Ainda trancada.

Sabe qual era a pior parte disso? Quanto mais Randolph falava, menos convencido eu ficava de que ele era louco. A história fluía para a minha mente... tempestades, lobos, deuses, Asgard. As palavras se encaixavam como peças de um quebra-cabeça que nunca tive coragem de completar. Eu estava começando a acreditar no meu tio, e isso me deixava apavorado.

Randolph pegou o acesso para a Storrow Drive. Estacionou em frente a um parquímetro na rua Cambridge. Ao norte, depois dos trilhos elevados da estação Mass General T, ficavam as torres de pedra da ponte Longfellow.

— É para lá que vamos? — perguntei.

Randolph procurou moedas de vinte e cinco centavos no porta-copos.

— Todos esses anos, estava bem mais perto do que eu imaginava. Eu só precisava de *você*!

— Quanto amor.

— Você está fazendo dezesseis anos hoje. — Os olhos de Randolph dançaram de empolgação. — É o dia perfeito para recuperar sua herança. Mas também é o que seus inimigos estavam esperando. Temos que encontrá-la primeiro.

— Mas...

— Confie em mim só por mais um momento, Magnus. Quando estivermos com a arma...

— Arma? Agora minha herança é uma *arma*?

— Quando estiver com ela, você estará bem mais seguro. Posso explicar tudo. Posso ajudá-lo a treinar para o que está por vir.

Ele abriu a porta do carro. Antes que pudesse sair, eu segurei seu pulso.

Normalmente, evito tocar as pessoas. Contato físico me deixa apavorado. Mas precisava da total atenção dele.

— Quero uma resposta — exigi. — Uma resposta *clara*, sem enrolação e sem aulas de história. Você disse que conhece meu pai. Quem ele é?

Randolph colocou a mão na minha, e isso fez meu corpo se contorcer. A palma da mão dele era áspera e calejada demais para um professor de história.

— Pela minha vida, Magnus, juro que esta é a verdade: seu pai é um deus nórdico. Agora, vamos. Só podemos ficar vinte minutos estacionados aqui. Não quero levar uma multa.

CINCO

Eu sempre quis destruir uma ponte

— Você não pode soltar uma bomba dessas e ir embora! — gritei quando Randolph saiu andando.

Apesar da bengala e do joelho ruim, o cara andava bem rápido. Ele parecia um medalhista de ouro olímpico em mancar. Avançando depressa, subiu na calçada da ponte Longfellow enquanto eu corria atrás dele, o vento gritando nos meus ouvidos.

Como era manhã, os trabalhadores estavam chegando de Cambridge. Uma fila única de carros ocupava a ponte inteira, quase parada. Era de se imaginar que meu tio e eu fôssemos os únicos burros o bastante para atravessar uma ponte a pé em temperaturas abaixo de zero, mas, como estávamos em Boston, havia uns corredores se exercitando, parecendo focas magrelas nos macacões de lycra. Uma mulher com dois filhos agasalhados dentro de um carrinho andava na calçada oposta. Os filhos dela pareciam quase tão felizes quanto eu.

Meu tio ainda estava uns cinco metros à frente.

— Randolph! — gritei. — Estou falando com você!

— O curso do rio — murmurou ele. — O aterro das margens... permitindo mil anos de padrões de marés instáveis...

— Ei! — Segurei a manga do casaco de caxemira dele. — Volte para a parte sobre meu pai ser um deus nórdico.

Randolph olhou ao redor. Tínhamos parado em uma das principais torres da ponte, um cone de granito projetando-se quinze metros acima de nós. Diziam que as torres pareciam saleiros gigantescos, mas sempre achei que lembravam Daleks do *Doctor Who*. (Sou nerd, sim, e daí? Me processe. Pois é, até garotos de rua veem TV às vezes, em salas de recreação de abrigos, em computadores de bibliotecas públicas... Damos nosso jeito.)

Trinta metros abaixo, o rio Charles brilhava em um tom cinza-chumbo, a superfície sarapintada de neve e gelo, como a pele de um píton enorme.

Randolph se inclinou tanto sobre a amurada que fiquei nervoso.

— Que ironia — murmurou. — Logo aqui, dentre todos os lugares...

— Mas então, sobre meu pai...

Randolph segurou meu ombro.

— Olhe lá embaixo, Magnus. O que você vê?

Olhei com cuidado pela amurada.

— Água.

— Não, a ornamentação entalhada logo embaixo de nós.

Olhei de novo. Mas ou menos na metade da lateral do píer, um bloco de granito se projetava da ponte como um camarote de teatro com uma extremidade pontuda.

— Parece um nariz.

— Não, é... Bem, deste ângulo parece *mesmo*. Mas é a proa de um barco viking. Está vendo? O outro lado também tem. O nome da ponte é uma homenagem ao poeta Longfellow, que era fascinado pelos nórdicos e até escreveu poemas sobre os deuses deles. Assim como Eben Horsford, ele acreditava que os vikings haviam explorado Boston. O que explica essa ornamentação.

— Você devia ser guia de turismo — falei. — Todos os fãs fervorosos de Longfellow pagariam uma nota.

— Você não vê? — Randolph ainda estava com a mão no meu ombro, o que só me deixava mais ansioso. — Tantas pessoas ao longo dos séculos sabiam. Elas *sentiram* instintivamente, apesar de não terem prova. Essa área não só foi *visitada* pelos vikings. Ela era *sagrada* para eles! Bem abaixo de nós, em algum lugar perto desses barcos decorativos, estão as ruínas de um barco viking *de verdade*, com uma carga de valor incalculável.

— Continuo só vendo água. E continuo querendo saber sobre meu pai.

— Magnus, os exploradores nórdicos vieram aqui procurando os eixos dos mundos, o tronco da árvore. E encontraram...

Uma explosão ecoou do outro lado do rio. A ponte tremeu. A uns dois quilômetros de distância, em meio às chaminés e torres de Back Bay, ergueu-se uma coluna de fumaça preta oleosa.

Eu me segurei à amurada.

— Hum, aquilo ali não foi perto da sua casa?

A expressão de Randolph se fechou. A barba por fazer brilhou, prateada, ao sol.

— Nosso tempo está acabando. Magnus, estique a mão sobre a água. A espada está lá embaixo. Chame-a. Concentre-se nela como se fosse a coisa mais importante do mundo, a coisa que você mais quer.

— Uma espada? Eu... olha, Randolph, sei que você está tendo um dia difícil, mas...

— ESTENDA A MÃO!

Eu me encolhi diante da severidade em sua voz. Randolph *só podia* estar louco, falando de deuses e espadas e naufrágios antigos. Mas a coluna de fumaça em Back Bay era bem real. Sirenes soaram ao longe. Na ponte, motoristas colocaram a cabeça para fora da janela para olhar, tirando fotos com os celulares.

E, por mais que eu quisesse negar, as palavras de Randolph mexeram comigo. Pela primeira vez, senti como se meu corpo estivesse zumbindo na frequência certa, como se eu finalmente estivesse em sintonia com a trilha sonora ruim da minha vida.

Estiquei a mão sobre o rio.

Nada aconteceu.

É claro que nada aconteceu, repreendi a mim mesmo. *O que você estava esperando?*

A ponte tremeu com mais violência. Na calçada, um corredor tropeçou. Por trás de mim veio o estrondo de um carro batendo na traseira de outro. Buzinas soaram.

Acima dos telhados de Back Bay, vi uma segunda coluna de fumaça. Cinzas e fagulhas cor de laranja foram cuspidas do chão, como uma explosão vulcânica.

— Aquilo... aquilo foi bem mais perto — comentei. — Parece que alguma coisa está seguindo a gente.

Eu esperava mesmo que Randolph fosse dizer: *Não, claro que não. Não seja bobo!*

Ele pareceu envelhecer diante dos meus olhos. As rugas ficaram mais aparentes. Os ombros murcharam. Ele se apoiou pesadamente na bengala.

— Por favor, de novo, não — murmurou, baixinho. — Não como da última vez.

— *Última* vez?

Nesse momento, lembrei o que ele tinha dito sobre perder a esposa e as filhas: uma tempestade que veio do nada, fogo.

Randolph olhou nos meus olhos.

— Tente de novo, Magnus. Por favor.

Estiquei a mão na direção do rio. Imaginei que estava chamando minha mãe, tentando puxá-la do passado... tentando salvá-la dos lobos e do apartamento em chamas. Supliquei por respostas que explicassem por que a perdi, por que minha vida inteira desde então não passou de uma espiral de *coisas ruins*.

Logo abaixo de mim, a superfície da água começou a fumegar. O gelo derreteu e a neve evaporou, deixando um buraco na forma de mão, da *minha* mão, mas vinte vezes maior.

Eu não sabia o que estava fazendo. Tivera a mesma sensação quando minha mãe me ensinou a andar de bicicleta. *Não pense no que está fazendo, Magnus. Não hesite, senão vai cair. Apenas siga em frente.*

Movi a mão de um lado para o outro. Trinta metros abaixo, a mão fumegante espelhou meus movimentos, limpando a superfície do rio Charles. De repente, parei. Uma pontada de calor surgiu no centro da palma da minha mão, como se eu tivesse interceptado um raio de sol.

Havia alguma coisa lá embaixo... uma fonte de calor enterrada na lama gelada do fundo do rio. Fechei os dedos e puxei.

Um domo de água cresceu e estourou como uma nuvem de gelo-seco. Um objeto parecido com um cano foi arremessado para cima e veio parar na minha mão.

Não se parecia nem um pouco com uma espada. Segurei-a pela ponta, mas não havia cabo. Se aquilo teve uma extremidade pontuda ou afiada, já se passou muito tempo. A coisa era do tamanho de uma espada, mas estava tão esburacada e corroída, coberta de craca e brilhando com lama e limo, que não dava para ter certeza nem de que era de metal. Resumindo, era o lixo mais infeliz, sem graça e nojento que já tirei magicamente de um rio.

— Finalmente!

Randolph olhou para os céus. Tive a sensação de que, se não fosse o joelho ruim, ele se ajoelharia no chão e faria uma oração para os deuses nórdicos inexistentes.

— É. — Ergui meu novo prêmio. — Já me sinto mais seguro.

— Você pode renová-la! — disse Randolph. — Experimente!

Eu virei a espada. Estava surpreso por ela ainda não ter se desintegrado na minha mão.

— Não sei, Randolph. Acho que essa coisa já passou *faz tempo* do ponto de renovação. Não sei nem se dá para ser reciclada.

Se pareço pouco impressionado ou ingrato, não me entendam mal. O jeito como tirei a espada do rio foi tão legal que pirei um pouco. Sempre quis um superpoder. Só não esperava que o meu envolveria tirar lixo do fundo do rio. Os voluntários do serviço comunitário adorariam.

— Concentre-se, Magnus! — ordenou Randolph. — Rápido, antes que...

A quinze metros, o centro da ponte explodiu em chamas. A onda de choque me empurrou contra a amurada. O lado direito do meu rosto parecia queimado de sol. Pedestres gritaram. Carros desviaram e bateram uns nos outros.

Por algum motivo idiota, corri na direção da explosão. Foi como se eu não conseguisse me controlar. Randolph foi atrás de mim, gritando meu nome, mas a voz dele parecia distante, sem importância.

Fogo dançava no teto dos carros. Janelas explodiram com o calor, e choveu vidro no asfalto. Motoristas saíram às pressas dos veículos e fugiram.

Parecia que um meteoro havia atingido a ponte. Um círculo de asfalto de três metros de diâmetro estava chamuscado e fumegava. No centro da zona de impacto, havia uma figura de tamanho humano: um homem negro em um terno escuro.

Quando digo negro, quero dizer que a pele era do tom mais puro e lindo de preto que já vi. Tinta de lula à meia-noite não teria sido tão preta. As roupas dele também: paletó e calça feitos sob medida, uma camisa de botão e gravata, tudo feito do tecido de uma estrela de nêutrons. O rosto era sobrenaturalmente bonito, como se talhado em obsidiana. O cabelo comprido estava penteado para trás e imaculadamente arrumado com gel. As pupilas brilhavam como pequenos anéis de lava.

Pensei: Se Satanás fosse real, seria como esse sujeito.

Depois pensei melhor: Não, Satanás seria considerado desleixado perto dele. Esse cara é tipo o consultor de moda do Satanás.

Ele fixou os olhos vermelhos em mim.

— Magnus Chase. — A voz era grave e ressonante, com sotaque vagamente alemão ou escandinavo. — Você me trouxe um presente.

Havia um Toyota Corolla abandonado entre nós. O consultor de moda do Satanás atravessou o carro para abrir caminho, derretendo o chassi como se fosse de cera.

As metades fumegantes do Corolla desabaram atrás dele. Os pneus derretidos viraram poças no chão.

— Também vou lhe dar um presente. — O homem negro estendeu a mão. Fumaça saía da manga e dos dedos de ébano. — Se me der a espada agora pouparei sua vida.

SEIS

Abra caminho para os patos, senão vai levar um pescotapa

Eu já tinha visto coisas estranhas na vida.

Uma vez, vi um grupo de pessoas usando apenas roupas de praia e gorros de Papai Noel correndo por Boylston no meio do inverno. Conheci um cara que tocava gaita com o nariz, bateria com os pés, guitarra com as mãos e xilofone com a bunda, tudo ao mesmo tempo. Conheci uma mulher que adotou um carrinho de compras e o batizou de Clarence. E havia o cara que dizia ser do sistema de Alfa Centauro e gostava de bater papos filosóficos com gansos.

Portanto, um modelo satânico bem-vestido que era capaz de derreter carros... por que não? Meu cérebro meio que se adaptou para acomodar a esquisitice.

O homem negro ficou parado com a mão esticada. O ar ao redor dele ondulava de calor.

Uns trinta metros à frente, o trem da Red Line parou de repente. A condutora ficou olhando, boquiaberta, para o caos diante dela. Dois corredores tentavam tirar um cara de um Prius parcialmente esmagado. A mulher soltava as crianças que choravam do carrinho de bebê, cujas rodinhas estavam meio derretidas e ovais. Ao lado dela, em vez de ajudar, um idiota segurava um celular e tentava filmar a destruição. A mão dele tremia tanto que eu duvidava que ele estivesse conseguindo uma boa imagem.

Às minhas costas, Randolph disse:

— A espada, Magnus. Use-a!

Tive a leve impressão de que meu tio corpulento estava se escondendo atrás de mim.

O homem negro riu.

— Professor Chase... admiro sua persistência. Achei que nosso último encontro o tivesse feito desistir. Mas aqui está você, pronto para sacrificar mais um membro da família!

— Cale a boca, Surt! — A voz de Randolph estava aguda. — Magnus está com a espada! Volte para o fogo donde veio.

Surt não pareceu intimidado, embora eu achasse a palavra *donde* muito intimidante.

O Cara do Fogo me observou como se eu estivesse tão coberto de craca quanto a espada.

— Me entregue a arma, garoto, senão vou mostrar a você o poder de Muspell. Vou incinerar esta ponte e todo mundo nela!

Surt levantou os braços. Chamas deslizaram por entre seus dedos. Sob os pés dele, o asfalto borbulhou. Mais para-brisas se estilhaçaram. Os trilhos do trem rangeram. A condutora da Red Line gritava freneticamente no walkie-talkie. O pedestre com o celular desmaiou. A mãe desabou em cima do carrinho, com as crianças ainda chorando lá dentro. Randolph grunhiu e cambaleou para trás.

O calor de Surt não me fez desmaiar. Só me deixou zangado. Eu não sabia quem era aquele babaca esquentadinho, mas reconhecia um valentão quando encontrava um. Primeira regra das ruas: nunca deixe um valentão roubar suas coisas.

Apontei o que já podia ter sido uma espada para Surt.

— Calma aí. Tenho um pedaço de metal corroído e não tenho medo de usar.

— Assim como seu pai, você não é um guerreiro — debochou Surt.

Eu trinquei os dentes. *Tudo bem*, pensei, *está na hora de estragar a roupa desse sujeito*.

Mas, antes que eu pudesse agir, alguma coisa passou voando ao lado da minha cabeça e bateu na testa de Surt.

Se fosse uma flecha *de verdade*, Surt estaria encrencado. Felizmente para ele, era um projétil de plástico com um coração cor-de-rosa na ponta, um artigo de dia dos namorados, talvez. Acertou Surt entre os olhos com um estalo, caiu aos pés dele e derreteu na mesma hora.

Surt piscou. Parecia tão confuso quanto eu.

Atrás de mim, uma voz familiar gritou:

— Fuja, garoto!

Meus amigos Blitz e Hearth avançaram pela ponte. Bem... eu disse *avançaram*. Isso indica que foi impressionante. Mas não foi. Por algum motivo, Blitz tinha acrescentado um chapéu de aba larga e óculos de sol ao sobretudo preto, então parecia um padre italiano sujo e baixinho. Nas mãos enluvadas, ele segurava uma haste de madeira apavorante com uma placa amarela de trânsito que dizia: ABRA CAMINHO PARA OS PATOS.

O cachecol listrado de vermelho e branco de Hearth voava atrás dele como asas esfarrapadas. Ele armou outra flecha no arco de plástico cor-de-rosa de Cupido e a disparou contra Surt.

Abençoados fossem os coraçõezinhos dementes deles. Eu entendi onde eles conseguiram as armas ridículas: na loja de brinquedos na rua Charles. Eu mendigava na frente da loja algumas vezes e vi aquelas coisas na vitrine. De alguma forma, Blitz e Hearth deviam ter me seguido até ali. Na pressa, pegaram os objetos mortais mais próximos. Sendo mendigos meio malucos, eles não escolheram muito bem.

Foi estúpido e inútil? Pode apostar. Mas aqueceu meu coração eles quererem cuidar de mim.

— Vamos lhe dar cobertura! — Blitz passou correndo por mim. — Fuja!

Surt não esperava um ataque de mendigos. Então ficou parado enquanto Blitz o acertava na cabeça com a placa de ABRA CAMINHO PARA OS PATOS. A flecha seguinte de Hearth desviou e me acertou na bunda.

— Ei! — reclamei.

Como era surdo, Hearth não conseguiu me ouvir. Ele passou correndo por mim e entrou na batalha, acertando Surt no peito com o arco de plástico.

Tio Randolph segurou meu braço. A respiração dele era um chiado alto.

— Magnus, temos que ir. AGORA!

Talvez eu devesse ter saído correndo, mas fiquei paralisado, vendo meus dois únicos amigos atacarem o senhor do fogo com brinquedos de plástico.

Finalmente, Surt se cansou da brincadeira. Deu um tapa em Hearth e o jogou longe de encontro ao asfalto. Chutou Blitz no peito com tanta força que o homenzinho cambaleou para trás e caiu de bunda bem na minha frente.

— Chega! — Surt esticou o braço. Da mão aberta, o fogo espiralou e se alongou até ele estar segurando uma espada curva feita de chamas brancas. — Estou irritado agora. Vou matar todos vocês.

— Galochas dos deuses! — gaguejou Blitz. — Não é um gigante do fogo qualquer. É o Negro!

Tipo, o contrário do Amarelo?, tive vontade de perguntar, mas a visão da espada flamejante sufocou minha vontade de fazer piada.

As chamas começaram a rodopiar ao redor de Surt. A tempestade de fogo se espalhou, derretendo carros até virarem pilhas fumegantes, liquefazendo o asfalto, estourando rebites da ponte como se fossem rolhas de garrafas de champanhe.

E eu achando que estava quente antes. Agora, Surt estava mesmo colocando tudo para ferver.

Hearth se apoiou na amurada a uns dez metros de distância. Os pedestres inconscientes e os motoristas presos nos carros também não durariam muito. Mesmo que as chamas não os tocassem, eles morreriam de asfixia ou insolação. Mas, por algum motivo, o calor não me incomodava.

Randolph cambaleou e se apoiou no meu braço com todo o seu peso.

— Eu... eu... hã, humm...

— Blitz — disse —, tire meu tio daqui. Arraste-o se precisar.

Os óculos de sol de Blitz estavam soltando fumaça. A aba do chapéu estava começando a fumegar.

— Garoto, você não tem como lutar com aquele cara. Aquele é Surt, o Negro!

— Você já disse isso.

— Mas Hearth e eu... nós é que deveríamos proteger *você*!

Tive vontade de gritar: *E estão fazendo um ótimo trabalho com a placa de ABRA CAMINHO PARA OS PATOS!* Mas o que eu podia esperar de dois sem-teto? Eles não eram soldados. Eram apenas meus amigos. E não os deixaria morrer me defendendo. Quanto a tio Randolph... eu nem o conhecia direito. Não gostava muito dele. Mas era da família. Disse que não suportaria perder outro membro da família. É, nem eu. Desta vez, eu não fugiria.

— Vá — disse para Blitz. — Vou pegar Hearth.

De alguma forma, Blitz conseguiu carregar meu tio. Juntos, eles se afastaram cambaleando.

Surt riu.

— A espada será minha, garoto. Você não pode mudar o destino. Vou reduzir seu mundo a cinzas!

Eu me virei para encará-lo.

— Você está começando a me irritar. Vou ter que matar você agora.

E andei em direção à parede de chamas.

SETE

Você fica ótimo sem nariz, sério mesmo

Uau, Magnus, vocês devem estar pensando. *Isso foi... burrice!*

Obrigado. Tenho meus momentos.

Não costumo sair andando em direção a paredes de fogo. Mas daquela vez tive a sensação de que não ia me machucar. Sei que parece estranho, mas até o momento eu não tinha desmaiado. O calor não era assim tão ruim, apesar de o asfalto estar virando lama sob meus pés.

Temperaturas extremas nunca me incomodaram. Não sei por quê. Algumas pessoas são hiperflexíveis. Outras conseguem mexer as orelhas. Eu consigo dormir ao ar livre no inverno sem morrer congelado e passar a mão por cima de fósforos sem me queimar. Isso já me fez ganhar algumas apostas nos abrigos, mas nunca pensei na minha tolerância como algo especial tipo... *magia*. Eu nunca tinha testado os limites.

Atravessei a cortina de fogo e acertei a cabeça de Surt com minha espada enferrujada. Porque, vocês sabem, sempre tento cumprir minhas promessas.

A lâmina não pareceu machucá-lo, mas as chamas sumiram. Surt me olhou por um milissegundo, chocado, e me deu um soco na barriga.

Eu já tinha levado socos antes, mas não de um cara peso-pesado flamejante conhecido como "o Negro".

Eu me contraí como uma cadeira dobrável. Vi tudo embaçado e triplicado. Quando recuperei o fôlego, estava de joelhos, olhando para uma poça de leite regurgitado misturado com peito de peru e torradas fumegando no asfalto.

Surt poderia ter arrancado minha cabeça com sua espada flamejante, mas deve ter achado que não valia a pena. Ficou andando na minha frente, estalando a língua.

— Franzino — disse ele. — Você é muito mole. Me entregue a espada por vontade própria, cria de vanir. Prometo uma morte rápida.

Cria de vanir?

Eu conhecia muitos insultos bons, mas nunca tinha ouvido esse.

A espada corroída ainda estava na minha mão. Senti minha pulsação no metal como se a própria espada tivesse desenvolvido batimentos. Ressoando pela lâmina até meus ouvidos havia um zumbido leve, como um motor de carro girando.

Você pode renová-la!, dissera Randolph.

Eu estava quase convencido de que aquela arma velha estava pulsando, acordando. Mas não daria tempo. Surt me chutou nas costelas e me jogou longe.

Caí de costas e fiquei olhando para o céu enfumaçado de inverno. Acho que Surt me chutou com bastante força, porque comecei a ter alucinações. Trinta metros acima, vi uma garota feita de névoa; ela usava uma armadura e estava montada em um cavalo, sobrevoando a batalha como um abutre. Segurava uma lança feita de pura luz. A cota de malha brilhava como vidro espelhado. Ela usava um elmo cônico de aço por cima de uma espécie de capuz verde, como um cavaleiro medieval. O rosto era bonito e severo. Nossos olhares se encontraram por uma fração de segundo.

Se você é real, pensei, *me ajude.*

Ela se dissolveu.

— A espada — ordenou Surt, o rosto de obsidiana aparecendo acima de mim. — Ela valerá mais se for entregue por vontade própria, mas, se for preciso, arranco dos seus dedos mortos.

Ao longe, sirenes soaram. Eu me perguntei por que as equipes de emergência ainda não tinham aparecido, mas então me lembrei das outras duas explosões gigantescas em Boston. Foram obras de Surt também? Ou ele havia levado alguns amigos flamejantes para ajudar?

Na extremidade da ponte, Hearth levantou-se, cambaleante. Alguns pedestres inconscientes tinham começado a se mexer. Eu não conseguia ver nem

Randolph nem Blitz em lugar algum. Com sorte, estariam fora de perigo àquela altura.

Se pudesse distrair o Homem em Chamas, talvez o resto das pessoas também tivesse tempo de fugir.

De alguma forma, consegui me levantar.

Olhei para a espada e... é, aquilo era mesmo uma alucinação.

Em vez de um pedaço de lixo corroído, eu estava segurando uma arma de verdade. O punho, revestido de couro, era quente e confortável. A empunhadura, em formato oval simples de aço polido, ajudava a equilibrar a lâmina de setenta e cinco centímetros, que tinha fio duplo e ponta arredondada: era mais para cortar do que para perfurar. No centro da lâmina, um sulco largo exibia um entalhe de runas vikings, do mesmo tipo que vi no escritório de Randolph. Brilhavam em um tom mais claro de prateado, como se tivessem sido incrustados quando a espada estava sendo forjada.

Naquele momento, a espada estava mesmo zumbindo, quase como um cantor tentando encontrar o tom certo.

Surt recuou. Os olhos de lava brilharam, nervosos.

— Você não sabe o que tem nas mãos, garoto. E não vai viver para descobrir.

Ele brandiu a espada flamejante.

Eu não tinha experiência com espadas, a menos que ter visto *A Princesa Prometida* vinte e seis vezes quando criança contasse. Surt teria me cortado ao meio, mas minha arma tinha outros planos.

Vocês já colocaram um pião na ponta do dedo? Dá para senti-lo rodando por conta própria, tombando em todas as direções. A espada era assim. Moveu-se para bloquear a lâmina de Surt. Em seguida, descreveu um arco, levando meu braço, e acertou a perna direita do gigante.

Ele gritou. O ferimento na coxa fumegou, incendiando sua calça. O sangue dele chiou e brilhou como a lava de um vulcão. A lâmina flamejante se dissipou.

Antes que ele pudesse se recuperar, minha espada saltou e cortou seu rosto. Com um grito, Surt cambaleou para trás com as mãos no nariz.

À minha esquerda, alguém gritou. Foi a mulher com os bebês.

Hearth estava tentando ajudá-la a tirar as crianças do carrinho, que soltava fumaça, prestes a entrar em combustão.

— Hearth! — gritei, antes de lembrar que não adiantaria.

Com Surt ainda distraído, manquei até Hearth e apontei para o fim da ponte.

— Vai logo! Tira as crianças daqui!

Ele conseguia ler lábios bem, mas não gostou do que eu disse. Balançou a cabeça com determinação e pegou uma das crianças.

A mãe estava aninhando a outra.

— Saiam agora — falei para ela. — Meu amigo vai ajudar você.

A mãe não hesitou. Hearth me lançou um último olhar: *Isso não é uma boa ideia.* Em seguida, foi atrás dela, a criancinha se contorcendo nos braços dele chorando sem parar.

Ainda havia vítimas na ponte: motoristas presos nos carros, pedestres atordoados caminhando a esmo, as roupas fumegando e a pele vermelha como a de lagostas. As sirenes estavam mais perto agora, mas eu não sabia como a polícia e os paramédicos poderiam ajudar com Surt ainda por ali, em chamas e tal.

— Garoto! — O Negro falava como se estivesse gargarejando com xarope.

Tirou as mãos do rosto, e eu entendi por quê. Minha espada independente havia cortado o nariz dele. Sangue derretido escorria pelas suas bochechas e respingava sobre o asfalto em gotas escaldantes. A calça do gigante estava queimada, deixando-o apenas com uma cueca vermelha com estampa de chamas alaranjadas. Considerando isso e o nariz recém-decepado, ele parecia uma versão diabólica do Gaguinho.

— Já tolerei você por tempo demais — gargarejou.

— Eu estava pensando o mesmo em relação a você. — Levantei a espada. — Você quer isto? Venha pegar.

Em retrospecto, foi uma coisa bem burra de se dizer.

Acima de mim, tive um vislumbre da esquisita aparição cinza, uma garota a cavalo, rondando como um abutre, observando.

Em vez de atacar, Surt se inclinou e pegou asfalto do chão com as mãos nuas. Amassou até formar uma esfera quente de gosma fumegante e a arremessou em mim como uma bola de beisebol.

Caramba, eu odeio beisebol. Sou péssimo. Girei a espada, torcendo para rebater o projétil. Errei. A bola de asfalto bateu direto na minha barriga... queimando, ardendo, destruindo.

Eu não conseguia respirar. A dor foi tão intensa que senti cada célula do corpo explodindo em uma reação em cadeia.

Apesar disso, uma calma estranha tomou conta de mim: eu estava morrendo. Não escaparia dessa. Parte de mim pensou: *Tudo bem. Faça isso valer a pena.*

Minha visão ficou turva. A espada zumbiu e puxou minha mão, mas eu mal conseguia sentir meus braços.

Surt me observou com um sorriso no rosto destruído.

Ele quer a espada, disse para mim mesmo. *Mas não vai conseguir pegá-la. Se vou morrer, vou levá-lo comigo.*

Apesar de estar muito fraco, levantei a mão livre. Fiz um gesto para ele que não era preciso saber a linguagem de sinais para entender.

Ele rugiu e atacou.

Quando me alcançou, minha espada saltou e o perfurou. Resisti com o que restava das minhas forças, e sua investida acabou nos jogando pela amurada.

— Não! — Ele lutou para se soltar, explodindo em chamas, chutando e tentando se segurar enquanto caíamos no rio Charles, mas eu não cedi, minha espada ainda cravada na barriga dele, meus próprios órgãos queimando por causa do piche derretido. O céu piscou e sumiu. Tive um vislumbre da aparição enevoada: a garota no cavalo galopava em minha direção, a mão esticada.

SPLASH!, bati na água.

Então morri. Fim.

OITO

Cuidado com o abismo, e também com o cara barbudo com o machado

NA ESCOLA, EU ADORAVA TERMINAR histórias assim.

É a conclusão perfeita, não é? *Billy foi à escola. Teve um dia lindo. Então morreu. Fim.*

Não deixa o leitor na expectativa. Não deixa pontas soltas.

Mas no meu caso, não.

Talvez vocês estejam pensando: *Ah, Magnus, você não morreu pra valer. Ou não estaria contando esta história. Foi por pouco. No último segundo, você foi milagrosamente resgatado, blá-blá-blá.*

Não. Eu morri mesmo. Cem por cento: barriga perfurada, órgãos vitais queimados, traumatismo craniano depois de uma queda de doze metros em um rio congelado, todos os ossos quebrados, pulmões cheios de água gelada.

O termo médico para isso é *morto*.

Nossa, Magnus, e como foi?

Doeu. Muito. Agradeço a preocupação.

Comecei a sonhar, o que foi estranho; não só porque eu estava morto, mas porque nunca sonho. As pessoas já tentaram argumentar comigo sobre isso. Disseram que todo mundo sonha, que eu só não lembrava dos meus. Mas afirmo: dormir para mim sempre foi como estar morto. Até eu *estar* mesmo morto. Aí, sonhei como uma pessoa normal.

Eu estava fazendo uma caminhada com minha mãe em Blue Hills. Devia ter uns dez anos. Era um dia quente de verão, com uma brisa fresca soprando dos pinheiros. Paramos no lago Houghton para jogar pedrinhas na água. Consegui fazer a minha quicar três vezes. Minha mãe conseguiu quatro. Ela sempre vencia, mas nenhum de nós ligava. Ela ria e me abraçava, e isso bastava para mim.

É difícil falar dela. Para realmente entender Natalie Chase, era preciso conhecê-la. Ela brincava que seu arquétipo era a Sininho, de *Peter Pan*. Se vocês conseguirem imaginar a Sininho com trinta e poucos anos e sem asas, usando camisa de flanela, calça jeans e botas, vão ter uma boa imagem da minha mãe. Era uma moça pequena com feições delicadas, cabelo louro curtinho e olhos verdes com um brilho alegre. Sempre que ela lia histórias para mim, eu ficava tentando contar as sardinhas no seu nariz.

Minha mãe irradiava alegria, não há outra forma de descrevê-la. Ela adorava a vida. Seu entusiasmo era contagiante. Era a pessoa mais gentil e tranquila que eu já conheci... até semanas antes de sua morte.

No sonho, ainda faltava muito para isso acontecer. Estávamos juntos no lago. Ela respirou fundo, inspirou o aroma de agulhas quentes de pinheiro e disse:

— Foi aqui que conheci seu pai. Em um dia de verão como este.

O comentário me surpreendeu. Ela raramente falava sobre meu pai. Eu não o conheci, nunca nem vi fotos. Isso pode parecer estranho, mas minha mãe não falava muito do relacionamento deles, então eu não perguntava.

Ela deixou claro que meu pai não tinha nos abandonado, apenas seguido em frente. Não havia ressentimentos. Restavam apenas boas lembranças do pouco tempo que ficaram juntos. Quando terminou, ela descobriu que estava grávida de mim e ficou feliz da vida. Desde então, éramos só nós dois. Nunca precisamos de mais ninguém.

— Você o conheceu no lago? — perguntei. — Ele era bom em arremessar pedras?

Ela riu.

— Ah, era. Ele me vencia de lavada. Naquele primeiro dia... foi perfeito. Bem, exceto por uma coisa. — Ela me puxou e beijou minha testa. — Eu não tinha *você* ainda, docinho.

Pois é, minha mãe me chamava de *docinho*. Podem rir. Conforme fui ficando mais velho, isso foi me deixando constrangido, mas só quando ela ainda estava viva. Agora, eu daria qualquer coisa para ouvi-la me chamar de docinho de novo.

— Como meu pai era? — perguntei. Foi estranho dizer *meu pai*. Como alguém que você nem conhece pode ser *seu*? — O que aconteceu com ele?

Minha mãe abriu os braços para a luz do sol.

— Foi por isso que eu trouxe você aqui, Magnus. Não consegue sentir? Ele está ao nosso redor.

Não entendi o que ela quis dizer. Normalmente, minha mãe não usava metáforas. Era tão literal e pé no chão quanto se podia imaginar.

Ela bagunçou meu cabelo.

— Venha, vamos apostar corrida até a praia.

Meu sonho mudou. Eu estava na biblioteca do tio Randolph. Na minha frente, deitado de lado na mesa, havia um homem que eu nunca tinha visto. Ele estava passando os dedos pela coleção de mapas antigos.

— A morte foi uma escolha interessante, Magnus.

O homem sorriu. Suas roupas pareciam novinhas em folha: tênis brancos reluzentes, calça jeans e camisa do Red Sox. O cabelo macio era uma mistura de ruivo, castanho e louro, despenteado de um jeito estiloso que dizia *acabei de sair da cama e já estou bonito*. O rosto era incrivelmente lindo. Ele poderia fazer comerciais de loção pós-barba, mas as cicatrizes arruinavam a perfeição. Pele queimada se esticava pelo nariz e bochechas, como linhas na superfície da lua. Também havia marcas ao redor da boca inteira, como buracos de piercing já cicatrizados. Mas por que alguém teria tantos piercings na boca?

Eu não sabia o que dizer para a alucinação cheia de cicatrizes, mas, como as palavras da minha mãe ainda ecoavam na minha cabeça, perguntei:

— Você é meu pai?

A alucinação ergueu as sobrancelhas. Então inclinou a cabeça para trás e riu.

— Ah, *gostei* de você! Vamos nos divertir. Não, Magnus Chase, não sou seu pai, mas pode ter certeza de que estou do seu lado. — Ele passou o dedo por debaixo do logotipo dos Red Sox na camisa. — Você vai conhecer *meu* filho em breve. Até lá, um conselhinho: as aparências enganam. Não confie nos motivos dos seus companheiros. Ah, e — ele se esticou na minha direção e agarrou meu pulso — diga ao Pai de Todos que eu mandei um oi.

Tentei me soltar. Sua mão parecia feita de aço. O sonho mudou. De repente, eu estava voando em meio a uma névoa cinza e fria.

— Pare de se contorcer! — disse uma voz feminina.

A garota que vi sobrevoando a ponte estava segurando meu pulso. Ela disparou galopando em seu cavalo de névoa, me puxando como se eu fosse um saco de roupa suja. A lança flamejante estava presa às suas costas. A armadura de cota de malha brilhava na luz cinzenta.

Ela me segurou com mais força.

— Você *quer* cair no Abismo?

Tive a sensação de que aquilo não era uma metáfora. Quando olhei para baixo, não vi nada, só um cinza infinito. Concluí que não queria cair ali.

Tentei falar. Não consegui. Balancei a cabeça, sem forças.

— Então pare de se mexer tanto — ordenou ela.

Por baixo do elmo, alguns fios de cabelo castanho escapavam do lenço verde. Os olhos dela eram da cor de tronco de sequoia.

— Não faça com que eu me arrependa disso — concluiu.

Perdi a consciência.

Acordei ofegante e assustado, com todos os músculos formigando.

Sentado, toquei minha barriga, esperando encontrar um buraco chamuscado onde antes ficavam meus intestinos. Não havia asfalto quente ali. Não sentia dor. A espada havia sumido. Minhas roupas pareciam estar em boas condições: nem molhadas, nem queimadas, nem rasgadas.

Na verdade, elas pareciam ser *novinhas em folha*. Fazia semanas que eu usava as mesmas roupas: minha única calça jeans, algumas camisas, minha jaqueta, mas elas agora não estavam fedendo. Era como se alguém tivesse lavado e secado as peças e me vestido outra vez enquanto eu estava inconsciente — o que era uma ideia perturbadora. Estavam até com aroma de limão, que me lembrava dos bons tempos em que minha mãe lavava minha roupa. Meus sapatos pareciam novos, tão brilhantes como na vez em que os peguei no lixão atrás da Marathon Sports.

Mais estranho ainda: *eu* estava limpo. Minhas mãos não estavam imundas. Parecia que eu havia acabado de tomar banho. Passei os dedos pelo cabelo e não encontrei nenhum nó, galho ou pedaço de lixo embolado nos fios.

Lentamente, me levantei. Eu não tinha nem um arranhão. Balancei o corpo. Sentia que era capaz de correr mais de um quilômetro. Inspirei o aroma de lenha queimando na lareira e de tempestade iminente. Quase ri de alívio. De alguma forma, sobrevivi!

Só que... não era possível.

Onde eu estava?

Aos poucos meus sentidos foram se expandindo. Eu estava no pátio de entrada de uma mansão opulenta, como as de Beacon Hill, com oito andares de calcário branco e mármore cinza imponentes se projetando ao céu de inverno. A porta dupla da frente era de madeira escura e pesada com rebites de ferro. No centro de cada uma havia uma aldrava de cabeça de lobo em tamanho real.

Lobos... isso já bastava para que eu odiasse o lugar.

Olhei em volta, procurando uma saída. Não havia nenhuma; o pátio era cercado por um muro de calcário branco de mais ou menos cinco metros. Como era possível não ter nenhum portão de entrada?

Eu não conseguia ver direito por cima do muro, mas ainda estava em Boston, obviamente. Reconheci alguns prédios ao redor. Ao longe, via as torres do Downtown Crossing. Eu devia estar na rua Beacon, em frente ao parque Boston Common. Mas como tinha chegado ali?

No canto do pátio havia uma bétula alta com tronco branco. Pensei em subir nela para pular o muro, mas não alcançava nem os galhos mais baixos. Então, percebi que a árvore estava cheia de folhas, o que não era possível no inverno. Além disso, as folhas brilhavam em um tom de dourado, como se alguém as tivesse folheado a ouro.

Ao lado da árvore, havia uma placa de bronze presa à parede. A princípio, eu nem tinha reparado, pois havia marcadores históricos em metade das construções de Boston, mas resolvi dar uma olhada. As inscrições estavam em duas línguas: uma no alfabeto nórdico que eu vira mais cedo, e a outra eu conseguia entender.

BEM-VINDO AO BOSQUE DE GLASIR.
PROIBIDO MENDIGAR. PROIBIDO VADIAR.
PARA ENTREGAS: USAR A ENTRADA DE NIFLHEIM.

Certo... eu já tinha estourado minha cota diária de bizarrice. Precisava sair dali. Precisava pular o muro, descobrir o que havia acontecido com Blitz e Hearth, e talvez até com tio Randolph, se eu estivesse sendo generoso, depois talvez pegar carona até a Guatemala. Já estava de *saco cheio* daquela cidade.

De repente, a porta dupla se abriu com um rangido, irradiando uma luz dourada ofuscante.

Um homem corpulento apareceu na entrada, usando uniforme de porteiro: cartola, luvas brancas e um paletó verde-escuro com cauda e as letras HV bordadas na lapela. Mas não era possível que aquele cara fosse mesmo um porteiro. O rosto cheio de verrugas estava manchado de cinzas. A barba não devia ser aparada havia décadas. Os olhos estavam injetados de sangue e com uma expressão assassina, e havia um machado de lâmina dupla ao lado dele. O crachá dizia: HUNDING, SAXÔNIA, MEMBRO ESTIMADO DA EQUIPE DESDE 749 EC.

— D-Desculpe — falei, gaguejando. — Eu devo... hã, casa errada.

O homem fez uma careta, aproximou-se e me cheirou. Ele mesmo cheirava a seiva de árvore e carne queimada.

— Casa errada? Acho que não. Você precisa fazer o check-in.

— Hã... o quê?

— Você está morto, não está? — disse o homem. — Venha. Vou levar você até a recepção.

NOVE

Você vai querer
a chave do frigobar

Vocês ficariam surpresos em descobrir que a mansão era maior por dentro?

Só o saguão podia ser considerado o maior chalé de caça do mundo, e era duas vezes maior do que a mansão vista de fora. O piso de madeira estava coberto com peles de animais exóticos: zebras, leões e um réptil de doze metros de comprimento que eu não teria gostado de encontrar quando vivo. Na parede da direita, fogo estalava em uma lareira do tamanho de um quarto. Na frente dela, alguns caras usando roupões verdes felpudos com idade para estar no ensino médio relaxavam em sofás de couro, rindo e bebendo em cálices prateados. Acima da lareira, havia uma cabeça de lobo empalhada.

Ah, que alegria, pensei, sentindo um arrepio. *Mais lobos*.

Colunas de madeira maciça sustentavam o teto, que tinha fileiras de lanças no lugar do caibro. Escudos polidos cobriam as paredes. De todos os lados parecia irradiar luz, um brilho dourado quente que fazia meus olhos doerem como uma tarde de verão depois de uma sessão de cinema.

No meio do saguão, um cavalete com um cartaz anunciava:

ATIVIDADES DE HOJE
LUTAR ATÉ A MORTE! – SALA OSLO, 10H
LUTAR EM EQUIPE ATÉ A MORTE! – SALA ESTOCOLMO, 11H
COMER ATÉ A MORTE! – SALÃO DE JANTAR, 12H
GUERREAR ATÉ A MORTE! – PÁTIO PRINCIPAL, 13H

PRATICAR BIKRAM YOGA ATÉ A MORTE! — SALA COPENHAGUE, LEVE SEU TAPETE, 16H

O porteiro Hunding disse alguma coisa, mas minha cabeça estava doendo tanto que não entendi.

— Desculpe — interrompi —, o que você disse?

— Bagagem — repetiu ele. — Você trouxe alguma?

— Hã... — Estiquei a mão para tocar meu ombro. É, aparentemente minha mochila não tinha ressuscitado comigo. — Não.

Hunding grunhiu.

— Ninguém mais traz bagagem. Não colocaram *nada* na sua pira funerária?

— Na minha o quê?

— Deixa pra lá. — Ele olhou com cara feia para o canto da sala, onde um barco virado servia de recepção. — Não adianta enrolar. Vamos.

O homem atrás do casco aparentemente ia ao mesmo barbeiro que Hunding. A barba dele era tão grande que tinha o próprio endereço. O cabelo parecia um abutre que deu de cara em um para-brisa. Ele estava vestido com um terno risca de giz verde-floresta. O crachá dizia: HELGI, GERENTE, GOTLÂNDIA ORIENTAL, MEMBRO ESTIMADO DA EQUIPE DESDE 749 EC.

— Bem-vindo! — Helgi ergueu o rosto da tela do computador. — Veio fazer o check-in?

— Hã...

— O check-in é a partir das três da tarde — disse ele. — Se você morre mais cedo, não posso garantir que o quarto esteja pronto.

— Eu não posso simplesmente voltar a ficar vivo — comentei.

— Não, não. — Ele digitou no teclado. — Ah, agora sim. — Ele sorriu e exibiu exatamente três dentes. — Fiz um upgrade na sua reserva, você vai para uma suíte.

Ao meu lado, Hunding murmurou:

— Todo mundo ganha upgrade para suíte. Nós só *temos* suítes.

— Hunding... — avisou o gerente.

— Desculpe, senhor.

— Você não vai querer que eu use a vara.

Hunding fez uma careta.

— Não, senhor.

Olhei de um para o outro e verifiquei os crachás deles.

— Vocês começaram a trabalhar aqui na mesma época — observei. — Foi em 749... o que é EC?

— Era Comum — explicou o gerente. — O que você poderia chamar de AD.

— Então por que vocês não dizem AD?

— Porque Anno Domini, *o ano do Senhor*, é ótimo para cristãos, mas Thor fica chateado. Ele ainda se ressente de Jesus não ter aparecido quando ele o desafiou para um duelo.

— Como é que é?

— Não importa — disse Helgi. — Quantas chaves você quer? Uma basta?

— Ainda não entendi onde estou. Se vocês estão aqui desde 749, isso já tem mais de mil anos.

— Nem me fale — resmungou Hunding.

— Mas isso é impossível. E... e você disse que estou morto? Não me sinto morto. Estou ótimo.

— Senhor — disse Helgi —, tudo vai ser explicado esta noite, durante o jantar. É quando os novos hóspedes são recepcionados formalmente.

— Valhala. — A palavra surgiu das profundezas do meu cérebro, a reminiscência de uma história que minha mãe leu para mim quando eu era pequeno. — O *HV* na sua lapela. O *V* é de *Valhala*?

Os olhos de Helgi deixaram claro que ele estava se esforçando para ser paciente.

— Sim, senhor. Hotel Valhala. Parabéns. Você foi escolhido para se juntar ao exército de Odin. Mal posso esperar para ouvir sobre seus feitos valorosos durante o jantar.

Minhas pernas ficaram bambas. Eu me apoiei no casco da recepção para não cair. Estava tentando me convencer de que aquilo era um erro, de que não passava de algum hotel temático onde fui confundido com um hóspede. Agora, eu não tinha tanta certeza.

— Morto — murmurei. — Você quer dizer que estou mesmo... estou mesmo...

— Aqui está a chave do quarto. — Helgi me entregou uma pedra com um único entalhe de runa viking, como as pedrinhas na biblioteca de Randolph. — Você quer a chave do frigobar?

— Hã...

— Ele quer a chave do frigobar — respondeu Hunding por mim. — Garoto, confie em mim, você vai querer a chave do frigobar. Vai ser uma longa estadia.

Minha boca estava com gosto de cobre.

— Quão longa?

— Para sempre — disse Helgi —, ou pelo menos até o Ragnarök. Hunding vai acompanhá-lo até seu quarto. Aprecie sua pós-vida. Próximo!

DEZ

Meu quarto não é uma droga

Eu estava totalmente disperso enquanto Hunding me levava pelo hotel. A sensação era de que haviam me girado cinquenta vezes e me largado no meio de um circo, dizendo: divirta-se.

Ali, um corredor parecia maior do que o outro. A maioria dos hóspedes devia estar no colégio, embora alguns talvez fossem um pouco mais velhos. Meninos e meninas se sentavam juntos em pequenos grupos, ficavam descansando em frente às lareiras, conversando em várias línguas, comendo besteira ou jogando xadrez e outros jogos de tabuleiro, incluindo um que envolvia adagas de verdade e um maçarico. Espiei as salas e vi mesas de sinuca, máquinas de pinball, um fliperama antigo e uma coisa que parecia uma donzela de ferro de uma câmara de tortura.

Funcionárias de camisa verde-escura circulavam entre os hóspedes, carregando travessas de comida e jarras de bebida. Pelo que entendi, todas eram guerreiras musculosas com escudos nas costas e espadas ou machados presos nos cintos, o que não é muito comum nesse ramo.

Uma garçonete completamente armada passou por mim com um prato fumegante de rolinhos primavera. Meu estômago roncou.

— Como posso sentir fome se estou morto? — perguntei a Hunding. — *Nenhuma* dessas pessoas parece morta.

Hunding deu de ombros.

— Ah, existem mortos e mortos. Pense em Valhala mais como... uma promoção. Você é um einherjar agora.

Ele pronunciou a palavra como in-RER-iar.

— Einherjar — repeti. — Parece que rola pela língua.

— É. O singular é einherji. — Ele pronunciou in-RER-i. — Somos os escolhidos de Odin, soldados em seu exército perpétuo. A palavra einherjar normalmente é traduzida como *guerreiros solitários*, mas essa expressão não capta totalmente o significado. É mais como... os *guerreiros de outrora*, os que lutaram bravamente na última vida e lutarão bravamente de novo no Dia do Juízo Final. Abaixe.

— No Dia do Juízo Final Abaixe?

— Não, abaixe-se!

Hunding me puxou para baixo quando uma lança passou voando e empalou um cara sentado no sofá ali perto, matando-o na hora. Bebidas, dados e dinheiro de Banco Imobiliário voaram para todo lado. As pessoas que estavam jogando com ele levantaram-se e olharam, um tanto irritadas, na direção de onde veio a lança.

— Eu vi isso, John Mão Vermelha! — gritou Hunding. — No saguão é *proibido empalar*!

Na sala de bilhar, alguém riu e respondeu em... sueco? E não soou muito arrependido.

— Enfim — retomou Hunding, andando como se nada tivesse acontecido. — Os elevadores ficam aqui.

— Espere — falei. — Aquele cara acabou de ser assassinado com uma lança. Você não vai *fazer* nada?

— Ah, os lobos vão limpar.

Minha pulsação disparou.

— Lobos?

Enquanto os outros jogadores de Banco Imobiliário separavam as peças, dois lobos cinzentos surgiram no saguão, pegaram o morto pelas pernas e o arrastaram para fora dali, a lança ainda cravada no peito. O rastro de sangue evaporou instantaneamente. O sofá perfurado se consertou.

Eu me escondi atrás do vaso de planta mais próximo. Não me importo com o que pensariam de mim. Meu medo falou mais alto. Aqueles lobos não tinham olhos azuis brilhantes como os que atacaram minha casa, mas ainda assim eu preferia uma vida após a morte em que a mascote fosse um porquinho-da-índia.

— Não há regras contra assassinato? — perguntei, baixinho.

Hunding ergueu a sobrancelha peluda.

— Foi só brincadeira, garoto. Ele vai estar ótimo no jantar. — Hunding me puxou do esconderijo. — Venha.

Antes que eu pudesse perguntar mais sobre a "diversão", chegamos a um elevador. A porta de grade era formada por lanças. A parede era toda de escudos dourados sobrepostos. O painel de controle era repleto de botões, de cima a baixo. O número mais alto era quinhentos e quarenta. Hunding apertou o dezenove.

— Como este lugar pode ter quinhentos e quarenta andares? — perguntei. — Seria o prédio mais alto do mundo.

— Se existisse em um único mundo, sim. Mas ele se conecta a todos os nove mundos. Você acabou de chegar pela entrada de Midgard, como a maioria dos mortais.

— Midgard...

Eu me lembrava vagamente de alguma coisa sobre os vikings acreditarem em nove mundos diferentes. Randolph também se referira a eles no plural. Mas fazia muito tempo que minha mãe tinha lido aquelas histórias de ninar nórdicas.

— Você quer dizer tipo o mundo dos humanos.

— Isso. — Hunding respirou fundo e recitou: — *Quinhentos e quarenta andares tem Valhala; quinhentos e quarenta portões conduzem aos nove mundos.* — Ele sorriu. — Nunca se sabe quando e onde vamos ter que marchar para a guerra.

— Quantas vezes isso já aconteceu?

— Bom, nunca. Mas mesmo assim... poderia acontecer a qualquer momento. Eu, por exemplo, mal posso esperar! Finalmente Helgi vai ter que parar de me punir.

— O gerente? Por que ele pune você?

Hunding fez cara de nojo.

— É uma longa história. Ele e eu...

A porta de lanças do elevador se abriu.

— Deixe isso pra lá. — Hunding me deu um tapinha nas costas. — Você vai gostar do décimo nono andar. Vai ter bons vizinhos de corredor!

Sempre imaginei que corredores de hotel fossem lugares escuros, deprimentes e claustrofóbicos. O décimo nono andar? Nem tanto. O teto abobadado tinha seis metros de altura, com — isso mesmo — mais lanças como caibro. Valhala devia ter conseguido um bom desconto no Armazém das Lanças por Atacado. Em candeeiros, tochas irradiavam uma luz quente e laranja, sem produzir fumaça, iluminando espadas, escudos e tapeçarias expostos nas paredes. O corredor era tão largo que poderia tranquilamente servir como um campo de futebol. O tapete, vermelho como sangue, tinha desenhos de galhos de árvore que se moviam, como se balançassem ao vento.

Separadas por uns quinze metros, cada porta era de carvalho rústico com dobradiças de ferro. Não vi maçanetas nem fechaduras. No centro de cada uma delas havia um nome escrito em um círculo de ferro do tamanho de um prato, cercado por runas vikings.

O primeiro dizia MESTIÇO GUNDERSON. Pela porta, ouvi gritos e metal estalando, como se dentro do quarto estivesse acontecendo uma luta de espadas.

O seguinte dizia MALLORY KEEN. Esse estava silencioso.

Depois: THOMAS JEFFERSON, JR. Estalos de tiros vinham de dentro, embora soassem mais como um videogame do que tiros de verdade. (Sim, já ouvi os dois.)

A quarta porta tinha apenas um X. Havia um carrinho de serviço de quarto parado em frente a ela, com a cabeça de um porco disposta em uma bandeja de prata. As orelhas e o nariz do animal pareciam meio mordidos.

Não sou crítico gastronômico, nem nada. Nem poderia, sendo morador de rua. Mas tenho meus critérios quando se trata de cabeças de porco.

Estávamos quase chegando ao cruzamento no fim do corredor, quando um pássaro preto e grande fez uma curva e passou voando por mim, quase cortando minha orelha. Vi o animal desaparecer corredor afora. Era um corvo, e carregava bloco e caneta nas garras.

— O que foi aquilo? — perguntei.

— Um corvo — respondeu Hunding, o que achei muito útil.

Finalmente, paramos em frente à porta onde estava escrito MAGNUS CHASE.

Ao ver meu nome gravado em ferro, rodeado de runas, comecei a tremer. Minhas últimas esperanças de que tudo aquilo fosse um erro, uma pegadinha de aniversário ou uma confusão cósmica evaporaram. O hotel estava me esperando. Tinham escrito meu nome corretamente e tudo.

Só para deixar claro, Magnus quer dizer *grandioso*. Minha mãe me deu esse nome porque nossa família descendia de reis suecos ou algo do tipo, um bilhão de anos antes. Além disso, ela falou que eu era a coisa mais incrível que já lhe aconteceu. Eu sei. Um, dois, três: *Ownnnnn*. Era um nome irritante. As pessoas costumavam escrever Mangus, que rima com Angus. Eu sempre corrigia: *Não, é Magnus, que rima com húmus*. E então, só ficavam olhando para mim sem entender nada.

De qualquer modo, ali estava meu nome gravado na porta. Quando entrasse, eu me tornaria um hóspede. De acordo com o gerente, eu teria uma nova casa até o dia do Juízo Final.

— Vá em frente.

Hunding apontou para a chave-runa na minha mão. O símbolo era ligeiramente semelhante ao do infinito ou a uma ampulheta de lado:

ᛞ

— É *dagaz* — disse Hunding. — Não precisa ter medo. Simboliza novos começos, transformações. Também abre sua porta. Só você tem acesso.

Engoli em seco.

— E se, por exemplo, os funcionários quiserem entrar?

— Ah, nós usamos a chave dos funcionários.

Hunding deu um tapinha no machado preso ao cinto. Não consegui entender se ele estava brincando.

Levantei a runa. Eu não queria testar, mas também não queria ficar no corredor esperando para ser atingido por uma lança aleatória ou atropelado por um corvo. Instintivamente, encostei a pedra na respectiva runa *dagaz* na porta. O anel de runas se acendeu em um tom de verde. A porta se abriu.

Entrei, e meu queixo caiu.

Nunca tinha morado nem visitado um lugar tão legal quanto aquela suíte. Nem mesmo a mansão do tio Randolph.

Maravilhado, fui até o meio do quarto, onde havia um átrio central a céu aberto. Meus sapatos afundaram na grama verde e densa. Quatro carvalhos grossos delimitavam o jardim, como pilares. Os galhos mais baixos se esticavam pelo teto do quarto, entremeando-se com o caibro. Os mais altos cresceram pela abertura do átrio, formando um toldo trançado. A luz do sol aqueceu meu rosto. Uma brisa agradável entrava no quarto, carregando um cheiro de jasmim.

— Como? — Olhei para Hunding. — Há centenas de andares acima de nós, mas estamos aqui a céu aberto. Em pleno inverno. Como pode estar ensolarado e quente?

Hunding deu de ombros.

— Não sei. Magia. Mas esta é a *sua* vida após a morte, garoto. Você ganhou certas vantagens, não é?

Ganhei? Não me sentia particularmente merecedor.

Girei lentamente. A suíte tinha forma de cruz, com quatro seções irradiando do átrio central. Cada ala era tão grande quanto meu apartamento antigo. Uma era o corredor de entrada por onde chegamos. Ao lado, havia um quarto com uma cama king size. Apesar do tamanho, ele era básico e simples: tinha um edredom bege e travesseiros macios na cama, paredes bege sem quadros nem espelhos e nenhuma decoração. Havia cortinas marrons pesadas para isolar a área.

Lembrei que, quando eu era criança, minha mãe deixava meu quarto com menos decoração possível. Eu só conseguia dormir em lugares totalmente escuros e sem nada que me distraísse. Vendo aquela suíte, tive a sensação de que alguém havia investigado em minha mente exatamente o que seria necessário para me deixar confortável.

A ala da esquerda era uma área de vestir e banheiro com azulejos pretos e bege, minhas cores favoritas. As vantagens que Hunding citou incluíam sauna, banheira de hidromassagem, closet, chuveiro e vaso sanitário enormes. (Esse último é brincadeira, mas *era mesmo* um trono elegante, apropriado para os mortos honrados.)

A quarta ala da suíte era a cozinha e a sala de estar. Em uma extremidade da sala, havia um grande sofá de couro em frente a uma TV de plasma com uns seis consoles de videogame diferentes empilhados em um gabinete. Do outro lado, duas poltronas reclináveis em frente à lareira acesa e uma parede de livros.

Sim, eu gosto de ler. Sou estranho. Mesmo depois de largar a escola, passei bastante tempo na Biblioteca Pública de Boston, aprendendo coisas aleatórias só para passar o tempo em um lugar quente e seguro. Durante dois anos, senti falta da minha velha coleção de livros. Nunca achei que teria outra.

Andei até lá para ver os títulos nas prateleiras. E então reparei no porta-retrato prateado sobre a lareira.

Alguma coisa como uma bolha de hélio subiu pelo meu esôfago.

— Não acredito...

Peguei a foto. Estávamos eu, aos oito anos, e a minha mãe no pico do monte Washington, em New Hampshire. Aquela havia sido uma das melhores viagens da minha vida. Tínhamos pedido a um guarda florestal para tirar a foto. Eu sorria (coisa que quase não faço mais), com duas janelinhas dos dentes da frente que tinham caído. Minha mãe estava ajoelhada atrás de mim me abraçando, os olhos verdes enrugando-se nos cantinhos, as sardas ressaltadas pelo sol, o cabelo louro bagunçado pelo vento.

— Isso é impossível — murmurei. — Só havia uma cópia dessa foto. E ela foi queimada no incêndio... — Eu me virei para Hunding, que estava secando os olhos. — Você está bem?

Ele pigarreou.

— Estou! Claro. O hotel gosta de oferecer souvenires, lembrancinhas da vida antiga. Fotografias... — Por baixo da barba dele, talvez a boca estivesse tremendo. — Quando eu morri, não existiam fotografias. Você tem sorte.

Havia muito tempo que ninguém dizia isso para mim. A ideia me despertou do torpor. Eu perdi minha mãe fazia dois anos. Estava morto, ou fui *promovido*, havia apenas algumas horas. Aquele porteiro da Saxônia estivera ali desde 749 EC. Como será que havia morrido e quem havia deixado para trás? Mil e duzentos anos depois, e aquilo ainda mexia com ele; era cruel ter que passar a eternidade assim.

Hunding se aprumou e limpou o nariz.

— Chega disso! Se tiver alguma dúvida, ligue para a recepção. Espero ansiosamente ouvir sobre suas explorações corajosas no jantar hoje à noite.

— Minhas... explorações corajosas?

— Não seja modesto. Você não teria sido escolhido se não tivesse feito alguma coisa heroica.

— Mas...

— Foi um prazer servir você, senhor, e seja bem-vindo ao Hotel Valhala.

Ele estendeu a mão. Demorei um segundo para perceber que ele queria gorjeta.

— Ah, hã...

Enfiei a mão nos bolsos da jaqueta, esperando encontrá-los vazios. Por um milagre, a barra de chocolate que eu havia roubado da casa do tio Randolph ainda estava ali, inteira apesar da viagem pelo Grande Além. Entreguei para Hunding.

— Desculpa, só tenho isso.

Os olhos dele se arregalaram.

— Deuses de Asgard! Obrigado, garoto! — Ele cheirou o chocolate e o ergueu como um cálice sagrado. — Uau! Tudo bem, se precisar de alguma coisa, é só falar comigo. Sua valquíria vem buscá-lo na hora do jantar. Uau!

— Minha valquíria? Espera aí. Eu não tenho nenhuma valquíria.

Hunding riu, sem tirar os olhos do chocolate.

— É, se eu tivesse a *sua* valquíria, diria a mesma coisa. Ela já criou muita confusão por aqui.

— Como assim?

— Vejo você mais tarde, garoto! — Hunding foi saindo. — Tenho coisas a comer, quer dizer, a *fazer*. Tente sobreviver até o jantar!

ONZE

Prazer em conhecê-lo. Agora, vou esmagar sua traqueia

DESABEI NA GRAMA.

Fiquei olhando os galhos da árvore com o céu azul ao fundo, senti dificuldade de respirar. Fazia anos que eu não tinha crise de asma, mas me lembrava das noites em que minha mãe me abraçava enquanto eu ofegava, sentindo como se um cinto invisível estivesse apertando meu peito. Talvez vocês estejam se perguntando por que minha mãe me levava para acampar e para subir montanhas se eu tinha asma, mas me fazia bem ficar ao ar livre.

Deitado no meio do átrio, inspirei o ar fresco e torci para que meus pulmões se acalmassem.

Infelizmente, eu tinha quase certeza de que aquilo não era asma, e sim um colapso nervoso. O problema não era só estar morto, preso em um pós-vida viking bizarro em que as pessoas pediam cabeça de porco no serviço de quarto e empalavam os amigos no saguão.

Pelo meu histórico de vida, aquilo era aceitável. É *claro* que eu acabaria em Valhala no meu décimo sexto aniversário. Era meu destino.

O que me abalou mesmo foi estar, pela primeira vez desde que minha mãe morreu, em um lugar confortável, sozinho e em segurança (pelo menos assim espero). Abrigos não contavam. Refeitórios populares, marquises e sacos de dormir debaixo da ponte também não. Eu sempre dormi com um olho aberto e outro fechado. Nunca relaxava. Agora, estava livre para pensar.

E pensar não era nada bom.

Não tive o luxo de sofrer a perda de minha mãe. Não tive tempo de me sentar e sentir pena de mim mesmo. De certa forma, isso foi tão útil para mim quanto as habilidades de sobrevivência que ela me ensinou: navegar, acampar, como fazer uma fogueira.

Todas aquelas viagens a parques, montanhas, lagos. Enquanto o Subaru velho dela funcionasse, passávamos todos os fins de semana fora, explorando a natureza.

De que estamos fugindo?, perguntei a ela numa sexta-feira, alguns meses antes de sua morte. Eu estava irritado. Queria dormir em casa uma vez na vida. Não entendia aquele desespero frenético de fazer as malas e partir.

Ela sorriu, mas pareceu mais preocupada do que de costume. *Temos que aproveitar o máximo possível, Magnus.*

Será que ela me preparou desse jeito de propósito? Era quase como se soubesse o que aconteceria... Mas não era possível. Se bem que ser filho de um deus nórdico também era bem improvável.

Minha respiração ainda estava abalada, mas me levantei e andei pelo novo quarto. Na foto sobre a lareira, o Magnus de oito anos exibia um sorriso com janelinhas e o cabelo embaraçado. Aquele garoto não tinha noção de nada, não dava valor para o que tinha.

Analisei as prateleiras. Ali estavam meus autores de fantasia e horror favoritos de uns anos atrás: Stephen King, Darren Shan, Neal Shusterman, Michael Grant, Joe Hill; minhas séries favoritas de quadrinhos: Scott Pilgrim, Sandman, Watchmen, Saga; além de um monte de livros que eu pretendia ler na biblioteca. (Dica de sem-teto profissional: bibliotecas públicas são abrigos seguros. Têm banheiros. Raramente expulsam crianças que estão lendo, a não ser que estejam fedendo ou arrumando confusão.)

Peguei o livro infantil ilustrado de mitos nórdicos que minha mãe lia para mim quando eu era pequeno. Dentro, havia imagens simplórias de deuses vikings sorridentes, arco-íris, flores e garotas louras bonitas. Além de frases como *Os deuses viviam em um reino maravilhoso e lindo!*. Não havia menção alguma a Surt, o Negro, colocando fogo em carrinhos de bebê e jogando asfalto derretido, nada sobre lobos assassinando a mãe dos outros e explodindo apartamentos. Isso me deixou irritado.

Na mesa de centro havia um caderno com capa de couro intitulado SERVIÇOS PARA HÓSPEDES. Dei uma folheada. O cardápio tinha umas dez páginas. A lista de canais de TV era quase tão longa, e o mapa do hotel, tão complicado, dividido em tantas subseções, que não consegui entender. Não havia indicação de portas de emergência informando: SAIA POR AQUI PARA VOLTAR PARA A VIDA ANTIGA!

Joguei o livro na lareira.

Enquanto ele queimava, outro apareceu na mesa de centro. O hotel mágico idiota não me deixava nem vandalizar as coisas direito.

Em um acesso de fúria, derrubei o sofá. Eu não esperava que fosse longe, mas saiu rolando pela sala e bateu na parede do outro lado.

Fiquei olhando para a trilha de almofadas espalhadas, para o sofá de cabeça para baixo, para o reboco rachado e as marcas de couro na parede. Como fiz aquilo?

O sofá ficou onde caiu, não voltou para o lugar num passe de mágica. A raiva foi passando. Acho que só arrumei mais trabalho para algum pobre funcionário como Hunding. Isso não foi justo.

Andei mais um pouco de um lado para o outro, lembrando do cara negro e flamejante na ponte e me perguntando por que ele queria a espada. Eu queria que Surt tivesse morrido também, e que a morte dele tivesse sido mais *permanente*, mas não estava otimista. Se pelo menos Blitz e Hearth tivessem se safado em segurança... (Ah, é. E Randolph também.)

E a espada... onde foi parar? No fundo do rio de novo? Valhala podia me ressuscitar com uma barra de chocolate no bolso, mas não com uma espada na mão. Isso era esquisito.

Nas velhas histórias, Valhala era o lugar de heróis que morreram em batalha. Eu me lembrava dessa parte. Não me sentia nem um pouco herói. Levei uma surra e uma bolada na barriga. Ao perfurar Surt e cair da ponte, falhei da forma mais produtiva possível. Morte honrada? Nem tanto.

Fiquei paralisado.

Uma ideia me atingiu com a força de um martelo.

Minha mãe... *Ela* sim havia morrido com honra. Para me proteger de...

Nessa hora, alguém bateu na porta.

A porta se abriu e uma garota entrou... a mesma que sobrevoava a batalha na ponte e me puxou pelo vazio cinzento.

Ela estava sem o elmo, a cota de malha e a lança brilhante. O lenço verde estava ao redor do pescoço, e o cabelo castanho comprido caía livremente pelos ombros.

O vestido branco tinha runas vikings bordadas ao redor da gola e dos punhos. Pendurados no cinto dourado havia um molho de chaves antigas e um machado de lâmina única. Parecia a dama de honra de um casamento do *Mortal Kombat*.

Ela olhou para o sofá caído.

— A mobília ofendeu você?

— Você é real — observei.

Ela bateu nos próprios braços.

— É, aparentemente.

— Minha mãe.

— Não — disse —, não sou sua mãe.

— Não, digo, ela está aqui em Valhala?

A garota ficou de boca aberta. Olhou por cima do meu ombro, como se elaborando a resposta.

— Desculpa. Natalie Chase não está entre os Escolhidos.

— Mas *ela* foi a corajosa. Ela se sacrificou por mim.

— Eu acredito em você. — A garota examinou o chaveiro. — Mas eu saberia se ela estivesse aqui. Nós, valquírias, não temos permissão de escolher todo mundo que morre bravamente. Há… muitos fatores, muitas vidas após a morte diferentes.

— Então onde ela está? Eu quero ir para lá. Eu não sou um herói!

A garota correu na minha direção e me empurrou contra a parede com a mesma facilidade com que virei o sofá. E pressionou o antebraço no meu pescoço.

— Não diga isso — sibilou. — NÃO DIGA ISSO! Principalmente não hoje à noite, no jantar.

O hálito dela tinha cheiro de menta. Os olhos eram ao mesmo tempo escuros e cintilantes. Lembravam um fóssil que minha mãe tinha, a concha de um animal marítimo semelhante ao náutilo chamado amonite. Parecia ter um brilho interno, como se tivesse absorvido milhões de anos de lembranças enquanto ficou enterrado. Os olhos da garota tinham o mesmo tipo de brilho.

— Você não entende — gemi. — Eu tenho que…

Ela apertou meu pescoço com mais força.

— O que você acha que não entendo? A dor pela perda de sua mãe? A injustiça? Estar em um lugar onde você não quer estar, sendo obrigado a lidar com gente que você preferia não ver?

Eu não sabia como responder, principalmente porque não conseguia respirar.

Ela se afastou. Enquanto eu tossia e engasgava, ela andou pelo saguão, olhando de cara feia para nada em particular. O machado e as chaves balançavam no cinto.

Massageei meu pescoço machucado.

Que burrice, Magnus, falei para mim mesmo. *Novo lugar, aprenda as regras.*

Eu não podia começar a choramingar e fazer exigências. Tinha que deixar a questão da minha mãe de lado. Se ela estivesse em algum lugar, eu descobriria depois. No momento, aquele hotel não era diferente de um abrigo para jovens, acampamento de beco ou refeitório comunitário da igreja. Cada lugar tinha suas regras. Eu precisava aprender a estrutura de poder, a ordem hierárquica, as proibições que me fariam ser perfurado ou atacado. Eu tinha que sobreviver... mesmo que já estivesse morto.

— Me desculpe — falei. Sentia como se tivesse engolido um roedor vivo cheio de garras. — Mas que importância tem para você se sou herói ou não?

Ela bateu na testa.

— Uau, tudo bem. Talvez porque tenha sido eu que *trouxe* você para cá? Talvez porque minha carreira esteja em jogo? Mais um escorregão e... — Ela se controlou. — Não importa. Quando você for apresentado, siga o que eu disser. Fique de boca fechada, concorde e tente parecer corajoso. Não faça com que eu me arrependa de ter trazido você.

— Tudo bem. Mas, só para lembrar, eu não pedi nada.

— Pelo Olho de Odin! Você estava *morrendo*! Suas outras opções eram Helheim ou Ginnungagap ou... — Ela estremeceu. — Só digo que existem lugares piores do que Valhala. Eu vi o que você fez na ponte. Por mais que não admita, você foi corajoso. Você se sacrificou para salvar muita gente.

As palavras dela soavam como um elogio. O tom como se ela estivesse me chamando de idiota.

A garota veio até mim e me cutucou no peito.

— Você tem potencial, Magnus Chase. *Não* prove que estou errada, senão...

Uma corneta soou tão alto nos alto-falantes das paredes que sacudiu a foto sobre a lareira.

— O que é isso? — perguntei. — Ataque aéreo?

— Jantar. — A garota se aprumou. Respirou fundo e estendeu a mão. — Vamos começar de novo. Oi, sou Samirah al-Abbas.

Eu pisquei.

— Não me leve a mal, mas esse nome não me parece muito viking.

Ela deu um sorriso tenso.

— Pode me chamar de Sam. Todo mundo me chama assim. Serei sua valquíria esta noite. É um prazer conhecer você propriamente.

Ela apertou minha mão com tanta força que meus dedos estalaram.

— Agora, vou acompanhá-lo ao jantar. — Deu um sorriso forçado. — Se me fizer passar vergonha, vou ser a primeira a matar você.

DOZE

Pelo menos não sou eu quem precisa perseguir a cabra

No corredor, meus vizinhos estavam começando a sair dos quartos. Thomas Jefferson Jr. parecia ter a minha idade. Tinha cabelo curto encaracolado, corpo magro e um rifle pendurado no ombro. O casaco azul de lã tinha botões de latão e divisas em forma de V nas mangas, o uniforme do exército americano na Guerra Civil, eu supus. Ele assentiu e sorriu.

— Como vai?

— Hã, morto, acho — respondi.

Ele riu.

— É, você vai se acostumar. Pode me chamar de T. J.

— Sou Magnus — falei.

— Vamos. — Sam me puxou.

Passamos por uma garota que devia ser Mallory Keen. Ela tinha cabelo ruivo crespo, olhos verdes e uma faca de caça, que estava sacudindo na cara de um sujeito de uns dois metros de altura em frente à porta marcada com um X.

— De novo a cabeça de porco? — Mallory falava com um leve sotaque irlandês. — X, você acha que quero ver uma cabeça de porco decepada toda vez que saio do quarto?

— Eu não consegui terminar de comer — resmungou X. — A cabeça do porco não cabe na geladeira.

Se fosse comigo, eu não teria criado caso com o sujeito. Ele tinha o tamanho de uma câmara de contenção de bombas. Se eu precisasse me livrar de uma granada sem pino, tinha certeza de que podia pedir para X engoli-la e o problema seria resolvido. A pele dele era da cor da barriga de um tubarão, cheia de músculos e verrugas. Havia tantas protuberâncias no rosto dele que era difícil saber onde ficava o nariz.

Passamos por eles, e X e Mallory estavam ocupados demais discutindo para prestarem atenção em nós.

Quando nos afastamos, perguntei a Sam:

— Qual é a do sujeito grande e cinza?

Sam levou o dedo aos lábios.

— X é meio troll. Ele é um tanto sensível quanto a isso.

— Meio troll. Isso existe mesmo?

— É claro — disse ela. — E ele merece estar aqui tanto quanto você.

— Ah, não tenho dúvidas. Só estava perguntando.

O tom defensivo dela me fez querer saber qual era a história por trás disso.

Quando passamos pela porta de MESTIÇO GUNDERSON, a lâmina de um machado partiu a madeira vinda de dentro do quarto. Ouvi gargalhadas abafadas.

Sam me apressou para o elevador. Ela empurrou vários outros einherjar que estavam tentando entrar.

— Esperem o próximo, pessoal.

A porta feita de lanças entrelaçadas se fechou. Sam inseriu uma chave em uma abertura no painel, apertou uma runa vermelha, e o elevador começou a descer.

— Vou levar você até o salão de jantar antes que as portas principais se abram. Assim, você pode analisar o território.

— Hã... claro. Obrigado.

Uma música calma nórdica começou a tocar, vinda do teto.

Parabéns, Magnus!, pensei. *Bem-vindo ao paraíso dos guerreiros, onde você pode ouvir Frank Sinatra em norueguês PARA SEMPRE!*

Tentei pensar em alguma coisa para dizer, preferivelmente alguma coisa que não fizesse Sam esmagar minha traqueia.

— Então... todo mundo do décimo nono andar parece ter mais ou menos a minha idade — comentei. — Ou... a nossa idade. Valhala só recebe adolescentes?

Samirah balançou a cabeça.

— Os einherjar são agrupados pela idade que tinham quando morreram. Você está na ala jovem, que vai até os dezenove anos. Na maior parte do tempo, você nem vai ver as outras alas, a dos adultos e dos idosos. É melhor assim. Os adultos... bem, eles não levam os adolescentes a sério, nem mesmo os que estão aqui há centenas de anos a mais do que eles.

— Típico — falei.

— Quanto aos guerreiros idosos, eles nem sempre se dão bem. Imagine uma casa de repouso muito violenta.

— Parece com alguns abrigos em que estive.

— Abrigos?

— Esqueça. Então você é uma valquíria. Você escolhe todas as pessoas que virão para o hotel?

— É — afirmou ela. — Eu escolhi pessoalmente todo mundo aqui.

— Ha-ha. Você entendeu o que eu quis dizer. Sua... irmandade ou sei lá.

— As valquírias são responsáveis por escolher os einherjar. Cada guerreiro aqui teve uma morte valorosa. Cada um tinha um apreço pela honra ou alguma outra ligação com os deuses nórdicos que os tornaram elegíveis para Valhala.

Pensei no que tio Randolph me contou, sobre a espada ser uma herança de meu pai.

— Uma ligação... como ser filho de um deus?

Fiquei com medo de Sam rir de mim, mas ela assentiu com seriedade.

— Muitos einherjar são semideuses. Outros são mortais comuns. Você foi escolhido para Valhala pela coragem e honra, não pela descendência. Ao menos, é assim que deveria ser...

Não consegui decidir se o tom dela era melancólico ou ressentido.

— E você? — perguntei. — Como se tornou valquíria? Teve uma morte valorosa?

Ela riu.

— Não. Eu ainda estou viva.

— E como isso funciona exatamente?

— Ah, eu levo uma vida dupla. Agora, vou acompanhar você ao jantar. Depois, tenho que voar para casa para terminar meu dever de cálculo.

— Você não está brincando, está?

— Eu nunca brinco sobre o dever de cálculo.

As portas do elevador se abriram. Nós entramos em um salão do tamanho de um estádio.

Meu queixo caiu.

— Caramba...

— Bem-vindo — disse Samirah — ao Salão de Banquete dos Mortos.

Fileiras de mesas e bancos compridos estavam dispostos como em um anfiteatro. No centro do aposento, em vez de uma arena, havia uma árvore mais alta do que a Estátua da Liberdade. Os galhos mais baixos deviam estar a trinta metros do chão. A copa cobria todo o salão, roçando o teto abobadado e passando por uma abertura enorme no alto. Acima, estrelas brilhavam no céu noturno.

Minha primeira pergunta não foi a mais importante:

— Por que tem uma cabra na árvore?

Na verdade, vários animais saltavam entre os galhos. Eu não conseguia identificar a maioria, mas oscilando em um dos galhos mais baixos estava uma cabra bem gorda e desgrenhada. As tetas inchadas jorravam leite como chuveiros vazando. Abaixo, no chão, uma equipe de quatro guerreiros corpulentos carregava uma tina grande e dourada em hastes apoiadas nos ombros. Eles iam de um lado para outro, tentando ficar debaixo da cabra para pegar os jorros de leite. A julgar pelo estado em que se encontravam, eles erravam muito.

— A cabra é Heidrún — explicou Sam. — O leite dela é fermentado para fazer o hidromel de Valhala. É bom. Você vai ver.

— E os caras correndo atrás dela?

— Pois é, é um trabalho ingrato. Se você não se comportar, pode acabar ficando com essa tarefa.

— Hã... eles não poderiam, sei lá, descer a cabra da árvore?

— Ela é uma cabra selvagem. O hidromel fica mais gostoso assim.

— Claro que fica — afirmei. — E... todos os outros animais? Estou vendo esquilos e gambás e...

— Petauros-do-açúcar e preguiças — disse Sam. — São fofos.

— Certo. Mas vocês jantam aqui? Não pode ser higiênico com as fezes dos animais.

— Os animais da Árvore de Laeradr são bem-comportados.

— A Árvore de... Lei-ra-dur. Até a árvore tem nome.

— Todas as coisas importantes têm nome. — Ela franziu a testa de novo. — Como é mesmo o seu?

— Engraçadinha.

— Alguns dos animais são imortais e têm tarefas específicas. Não consigo encontrá-lo agora, mas em algum lugar está um cervo chamado Eikthrymir. Nós o chamamos de Ike. Está vendo aquela cachoeira?

Era difícil não ver. De algum ponto da árvore, água escorria pelas reentrâncias no tronco e formava uma torrente poderosa que descia por um galho em uma cortina branca. A água se acumulava em um lago do tamanho de uma piscina olímpica, entre duas raízes da árvore.

— Dos chifres do cervo jorra água sem parar — disse Sam. — Ela flui pelos galhos até o lago. Dali, penetra o solo e alimenta todos os rios em todos os mundos.

— Então... *toda* água é produto do chifre de um cervo? Tenho quase certeza de que não foi isso que me ensinaram na aula de geografia.

— Não vem toda dos chifres de Ike. Também tem neve derretida, água da chuva, e poluentes, além de traços de fluoreto e cuspe de jötunn.

— *Jötunn?*

— Você sabe, gigantes.

Sam não parecia estar brincando, apesar de ser difícil ter certeza. O rosto dela era cheio de humor tenso, os olhos sempre em movimento e alertas, os lábios comprimidos como se ela estivesse sufocando uma gargalhada ou esperando um ataque. Eu conseguia imaginá-la fazendo comédia stand-up, mas talvez não com o machado no cinto. As feições me pareciam estranhamente familiares: a linha do nariz, a curva do maxilar, as mechas ruivas e aloiradas no cabelo castanho.

— Nós já nos conhecíamos? — perguntei. — Quer dizer, antes de você escolher minha alma para Valhala?

— Duvido — disse ela.

— Mas você é mortal, não é? Mora em Boston?

— Em Dorchester. Estou no primeiro ano do ensino médio na King Academy. Moro com meus avós e passo a maior parte do tempo inventando desculpas para encobrir minhas atividades de valquíria. Hoje, Jid e Bibi acham que estou dando aula particular de matemática para um grupo de alunos do ensino fundamental. Mais alguma pergunta?

Os olhos dela passaram a mensagem oposta: *Chega de perguntas pessoais.*

Eu me perguntei por que ela morava com os avós. Mas, aí, lembrei o que ela disse antes, sobre entender o que era sentir falta da mãe.

— Chega de perguntas — decidi. — Minha cabeça explodiria.

— Isso seria nojento — concordou Sam. — Vamos procurar um lugar para você antes que...

Por todo o salão, cem portas se abriram. O exército de Valhala entrou.

— O jantar está servido — disse Sam.

TREZE

Phil, a batata,
enfrenta seu destino

Somos pegos por um tsunami de guerreiros famintos. Os einherjar surgiram de todos os lados, empurrando, fazendo piadas e rindo enquanto seguiam para seus lugares.

— Se segure — disse Sam.

Ela agarrou meu pulso e saímos voando, estilo Peter Pan.

Dei um grito.

— Que tal um aviso?

— Eu *falei* para você se segurar.

Nós voamos acima das cabeças dos guerreiros. Ninguém prestou muita atenção em nós, exceto um cara que chutei no rosto sem querer. Outras valquírias também voavam ao redor, algumas escoltando guerreiros, outras carregando travessas de comida e jarras.

Seguimos na direção do que era claramente a mesa principal, onde o time da casa se sentaria se estivéssemos em um jogo dos Celtics. Doze caras de aparência sinistra estavam sentados na frente de pratos dourados e cálices incrustados com pedras preciosas. No lugar de honra havia um trono de madeira vazio com dois corvos empoleirados, cuidando das penas.

Sam aterrissou na mesa da esquerda. Mais doze pessoas se sentavam, duas garotas e quatro caras de roupas comuns, além de seis valquírias vestidas mais ou menos como Sam.

— Outros recém-chegados? — perguntei.

Sam assentiu, as sobrancelhas franzidas.

— Sete em uma única noite é muita coisa.

— Isso é bom ou ruim?

— Muitos heróis morrendo quer dizer que coisas ruins estão acontecendo no mundo. O que quer dizer... — Ela apertou os lábios. — Deixa pra lá. Vamos nos sentar.

Antes que tivéssemos a chance, uma valquíria entrou em nosso caminho.

— Samirah al-Abbas, o que você nos trouxe esta noite? Outro meio troll? Talvez um espião do seu pai?

A garota parecia ter uns dezoito anos. Era grande o bastante para ser jogadora de rugby, com cabelo louro quase branco preso em duas tranças caídas pelos ombros. Por cima do vestido verde, usava uma cartucheira cheia de martelos de bola, que me pareceram uma escolha estranha de arma. Talvez Valhala tivesse muitos pregos frouxos. Ao redor de seu pescoço havia um pingente dourado na forma de um martelo. Os olhos eram azul-claros e frios como um céu de inverno.

— Gunilla — a voz de Sam ficou tensa —, este é Magnus Chase.

Eu estiquei a mão.

— Gorila? É um prazer conhecer você.

As narinas da garota se inflaram.

— É *Gunilla*, sou a capitã das valquírias. E você, recém-chegado...

A corneta que ouvi antes ecoou pelo salão. Desta vez, consegui ver de onde vinha. Perto da base da árvore, dois caras seguravam um chifre preto e branco do tamanho de uma canoa enquanto um terceiro cara soprava.

Milhares de guerreiros tomaram seus lugares. Gorila me olhou de cara feia uma última vez, deu meia-volta e se dirigiu à mesa principal.

— Tome cuidado — avisou Sam. — Gunilla é poderosa.

— Também é chata pra caramba.

O canto da boca de Sam tremeu.

— Isso também.

Ela parecia abalada, os nós dos dedos estavam esbranquiçados no cabo do machado. Eu me perguntei o que Gunilla quis dizer com *espião do seu pai*, mas como meu pescoço ainda estava doendo desde a última vez que irritei Sam, decidi não perguntar.

Eu me sentei na ponta da mesa junto com Sam, então não pude conversar com os outros novatos. Enquanto isso, centenas de valquírias voavam pelo salão, distribuindo comidas e bebidas. Sempre que a jarra de uma valquíria ficava vazia, ela voava até a tina dourada, agora borbulhando acima de uma fogueira, enchia a jarra com o hidromel feito do leite da cabra e continuava servindo. O prato principal saiu de um forno de terra do outro lado do salão. Girando em um espeto de uns trinta metros estava a carcaça de um animal. Eu não sabia bem o que era quando estava vivo, mas tinha o tamanho de uma baleia-azul.

Uma valquíria voou por nós e depositou um prato de comida e um cálice na minha frente. Não consegui identificar o que eram as fatias de carne, mas o cheiro estava delicioso: cobertas de molho, com batatas de guarnição e fatias grossas de pão com manteiga. Fazia um tempo que eu não comia uma refeição quente, mas hesitei mesmo assim.

— Que animal é esse?

Sam limpou a boca com as costas da mão.

— Se chama Saehrímir.

— Tudo bem, primeiro de tudo, que tipo de pessoa batiza o jantar? Não quero saber o nome do que estou comendo. Essa batata, por acaso ela se chama Steve?

Ela revirou os olhos.

— Não, seu burro. Ela se chama Phil. O *pão* é Steve.

Eu a encarei.

— Estou brincando — disse ela. — Saehrímir é o animal mágico de Valhala. Todos os dias ele é morto e assado para o jantar. Todas as manhãs, ressuscita vivo e bem.

— Isso deve ser um saco. Mas é uma vaca ou um porco ou...

— É o que você quiser que seja. Minha porção é de carne de vaca. Partes diferentes do animal são frango ou porco. Eu não como carne de porco, mas algumas pessoas daqui adoram.

— E se eu for vegetariano? E se quiser falafel?

Sam ficou tensa.

— Isso é uma piada?

— Por que seria piada? Eu gosto de falafel.

Seus ombros relaxaram.

— Se você quiser falafel, peça pela anca esquerda. Essa parte é de tofu. Dá para temperar para que fique com gosto de qualquer coisa.

— Vocês têm um animal mágico cuja anca esquerda é feita de tofu.

— Aqui é Valhala, paraíso dos guerreiros a serviço de Odin. A comida vai ser perfeita, seja lá qual for.

Meu estômago estava ficando impaciente, então mergulhei com tudo. A carne tinha a mistura certa de sabor apimentado e adocicado. O pão parecia uma nuvem quente com casca amanteigada. Até Phil, a batata, estava gostosa.

Como eu não era um grande fã de leite de cabra selvagem, fiquei relutante em experimentar o hidromel, mas o líquido no meu cálice parecia mais sidra gasosa.

Tomei um gole. Doce, mas não doce demais. Fria e leve, com sabores sutis que não consegui identificar. Era amora? Ou mel? Ou baunilha? Bebi tudo de uma vez.

De repente, meus sentidos estavam pegando fogo. Não era como álcool (e sim, eu já experimentei bebidas alcoólicas, vomitei, experimentei bebidas alcoólicas de novo, vomitei de novo). O hidromel não me deixou tonto, bêbado ou enjoado. Parecia mais um *espresso* gelado sem o sabor amargo. Fez com que eu despertasse e me encheu de uma sensação calorosa de confiança, mas sem o nervosismo e o coração disparado.

— Isso é bom — admiti.

Uma valquíria apareceu, encheu meu copo e saiu voando.

Olhei para Sam, que estava tirando farelos de pão do lenço.

— Você também trabalha servindo?

— É claro. Nós nos revezamos. É uma honra servir os einherjar. — Ela não pareceu falar com sarcasmo.

— Quantas valquírias existem?

— Milhares.

— Quantos einherjar?

Sam inflou as bochechas.

— Dezenas de milhares? Como falei antes, este é só o primeiro jantar. Há dois outros turnos para os guerreiros mais velhos. Valhala tem quinhentos e quarenta portões. Cada um é grande o suficiente para acomodar oitocentos guerreiros avançando para batalha ao mesmo tempo. Isso significaria quatrocentos e trinta e dois mil einherjar.

— É muito tofu.

Ela deu de ombros.

— Pessoalmente, acho o número exagerado, mas só Odin sabe ao certo. Vamos precisar de um bom exército quando o Ragnarök chegar.

— Ragnarök?

— O Dia do Juízo Final — disse Sam. — Quando os nove mundos serão destruídos em uma grande conflagração e os exércitos dos deuses e gigantes se encontrarão para lutar uma última vez.

— Ah. *Esse* Ragnarök.

Observei o mar de guerreiros adolescentes. Eu me lembrei do primeiro dia de aula do ensino médio na escola pública em Allston, alguns meses antes de minha mãe morrer e minha vida virar um inferno. A escola tinha uns dois mil alunos. Entre as aulas, os corredores eram puro caos. O refeitório parecia um tanque de piranhas. Mas não era nada em comparação a Valhala.

Apontei para a mesa principal.

— E aqueles caras cheios de frescura? A maioria parece mais velha.

— Eu não os chamaria de *caras cheios de frescura* — aconselhou Sam. — Eles são os lordes de Valhala. Cada um foi convidado pessoalmente por Odin para se sentar à mesa dele.

— Então o trono vazio...

— É para Odin. Sim. Ele... bem, faz um tempo que não aparece para o jantar, mas os corvos dele veem tudo e relatam para ele.

As aves me deixaram nervoso com aqueles olhos pretos brilhantes. Tive a sensação de que estavam particularmente interessadas em mim.

Sam apontou para as cadeiras à direita do trono.

— Ali está Erik Machado Sangrento. E aquele é Erik, o Vermelho.

— São muitos Eriks.

— Ali está Leif Erikson.

— Opa... mas ele não está de sutiã de metal!

— Vou ignorar esse comentário. Ali está Snorri. E nossa encantadora amiga Gunilla. E lorde Nelson e Davy Crockett.

— Davy... espere, *é sério*?

— Na ponta está Helgi, o gerente do hotel. Você já deve tê-lo conhecido.

Helgi parecia estar se divertindo, rindo com Davy Crockett e bebendo hidromel. Atrás da cadeira dele, o porteiro Hunding estava de pé, com expressão infeliz, descascando uvas com cuidado e as entregando uma por uma para Helgi.

— Qual é a história entre o gerente e Hunding?

Sam fez uma careta.

— Uma briga ancestral quando eles estavam vivos. Quando morreram, os dois vieram para Valhala, mas Odin homenageou mais Helgi. Ele o colocou como gerente do hotel. A primeira ordem de Helgi foi fazer de seu inimigo, Hunding, seu servo por toda a eternidade.

— Isso não me parece o paraíso para Hunding.

Sam hesitou. Em voz baixa, ela disse:

— Mesmo em Valhala, há uma hierarquia. Você não vai querer estar por baixo. Lembre-se, quando a cerimônia começar...

Na mesa principal, os lordes começaram a bater com os cálices na mesa ao mesmo tempo. Por todo o salão, os einherjar se juntaram a eles, até o Salão dos Mortos inteiro trovejar com o retinir do metal.

Helgi se levantou e ergueu o cálice. O barulho cessou.

— Guerreiros! — A voz do gerente se espalhou pelo salão. Ele parecia tão nobre que era difícil acreditar que era o mesmo cara que poucas horas antes tinha me oferecido um upgrade de quarto e a chave do frigobar. — Sete novos guerreiros se juntaram a nós hoje! Isso já seria motivo suficiente para comemoração, mas temos um presente especial para vocês. Graças à capitã das valquírias, Gunilla, hoje, pela primeira vez, não vamos apenas *ouvir* sobre os feitos valorosos dos recém-chegados, mas vamos poder *vê-los*!

Ao meu lado, Sam pareceu engasgar.

— Não — murmurou ela. — Não, não, não...

— Que a apresentação dos mortos comece! — exclamou Helgi.

Dez mil guerreiros se viraram e olharam na minha direção com expectativa.

QUATORZE

Quatro milhões de canais e não tem nada passando além da Visão das Valquírias

PELO MENOS EU ERA O ÚLTIMO.

Fiquei aliviado quando as apresentações começaram com um einherji do outro lado da mesa... até eu ver o que os *outros* novatos fizeram para irem parar em Valhala.

Helgi exclamou:

— Lars Ahlstrom!

Um cara louro e parrudo se levantou com sua valquíria. Lars estava tão nervoso que derrubou o cálice e derramou hidromel mágico por toda a calça. Uma onda de gargalhadas se espalhou pelo salão.

Helgi sorriu.

— Como muitos já sabem, a capitã Gunilla anda testando novos equipamentos nos últimos meses. Ela colocou câmeras nas armaduras das valquírias para tomar conta de tudo... e, com sorte, *nos* distrair!

Os guerreiros gritaram e bateram os cálices nas mesas, afogando o som de Sam xingando ao meu lado.

Helgi ergueu o próprio cálice.

— Apresento a vocês a Visão das Valquírias!

Ao redor do tronco da árvore, um anel de telas holográficas gigantescas ganhou vida, flutuando no ar. O vídeo estava picotando, provavelmente por ter sido gravado por uma câmera no ombro da valquíria. Estávamos no alto, circulando acima da cena de uma balsa afundando em um mar cinzento. Muitos dos botes salva-vidas estavam pendurados pelos cabos, inúteis. Passageiros saltavam ao mar, alguns com coletes. A valquíria se aproximou. O foco do vídeo melhorou um pouco.

Lars Ahlstrom andou com dificuldade pelo convés inclinado segurando um extintor de incêndio. A porta para a área interna da balsa estava bloqueada por um contêiner grande de metal. O garoto tentou movê-lo, mas era pesado demais. Lá dentro, pelo menos umas dez pessoas estavam presas e batiam desesperadamente nas janelas.

Lars gritou alguma coisa para elas em... sueco? Norueguês? Mas o significado era claro: *PARA TRÁS!*

Assim que as pessoas recuaram, Lars bateu com o extintor na janela. Na terceira tentativa, o vidro se estilhaçou. Apesar do frio, o garoto tirou o casaco e o colocou em cima do vidro quebrado.

Lars ficou ao lado da janela até os últimos passageiros saírem em segurança. Eles correram para os botes salva-vidas que restaram. Lars pegou o extintor de incêndio de novo e foi atrás, mas o navio tremeu violentamente. Ele bateu com a cabeça na parede e deslizou, inconsciente.

O corpo dele começou a brilhar. O braço esticado da valquíria apareceu no vídeo. Uma aparição dourada cintilante saiu do corpo de Lars, a alma dele, eu imaginei. O Lars Dourado segurou a mão da valquíria, e a tela do vídeo ficou escura.

Por todo o salão de banquete, guerreiros festejaram.

Na mesa principal, os lordes entraram em debate. Eu estava perto o bastante para ouvir parte da discussão. Um cara (lorde Nelson?) questionou se um extintor de incêndio podia contar como arma.

Eu me inclinei na direção de Sam.

— Por que isso tem importância?

Ela cortou o pão em pedaços cada vez menores.

— Para entrar em Valhala, um guerreiro precisa morrer em batalha portando uma arma. É o único jeito.

— Então se qualquer um pegar uma espada e morrer vai acabar em Valhala?

Ela deu uma risada debochada.

— Claro que não. Não queremos que crianças peguem armas e morram de propósito. Não há nada de heroico no suicídio. O sacrifício, a bravura, não devem ser planejados, mas sim uma verdadeira reação heroica a uma crise. Tem que vir do coração, sem qualquer pensamento por recompensa.

— Então... e se os lordes decidirem que um novato não deveria ter sido escolhido? Ele volta a ficar vivo? — Tentei não ficar muito esperançoso.

Sam não olhou nos meus olhos.

— Quando alguém se torna um einherji, é para sempre. Talvez pegue os piores trabalhos. Talvez tenha dificuldade em conquistar respeito. Mas fica em Valhala. Se os lordes decidirem que a morte não foi valorosa... bem, a valquíria é punida.

— Ah.

De repente, entendi por que todas as valquírias na mesa pareciam meio tensas.

Os lordes fizeram uma votação. Todos concordaram com unanimidade que o extintor de incêndio podia contar como arma e que a morte de Lars podia ser vista como o desfecho de um combate.

— Não há inimigo pior do que o mar — afirmou Helgi. — Decidimos que Lars Ahlstrom é digno de Valhala!

Mais aplausos. Lars quase desmaiou. A valquíria dele o segurou enquanto sorria e acenava para a multidão.

Quando o barulho cessou, Helgi prosseguiu:

— Lars Ahlstrom, você sabe quem são seus pais?

— Eu... — A voz do novato falhou. — Eu não conheci meu pai.

Helgi assentiu.

— Isso é bem comum. Vamos consultar as runas, a não ser que o Pai de Todos deseje interceder.

Todo mundo se virou para o trono desocupado. Os corvos inflaram as penas e grasnaram. O trono permaneceu vazio.

Helgi não pareceu surpreso, mas os ombros penderam em decepção. Ele fez sinal na direção do forno de terra. Do meio de serventes e cozinheiros, uma mulher usando uma veste verde com capuz se adiantou. O rosto estava escondido pelo capuz, mas, a julgar pela postura e pelas mãos retorcidas, ela devia ser bem velha.

— Quem é a Bruxa Malvada? — murmurei para Sam.

— Uma *völva*. Uma vidente. Ela é capaz de fazer feitiços, ver o futuro e... outras coisas.

A völva se aproximou da nossa mesa. Parou na frente de Lars Ahlstrom e puxou uma bolsinha de couro das dobras da veste. Tirou de lá um punhado de runas como as que vi no escritório de tio Randolph.

— E as runas? — perguntei para Sam. — Para que servem?

— São o velho alfabeto viking — respondeu ela —, mas cada letra também simboliza um poder: um deus, um tipo de magia, uma força da natureza. São como o código genético do universo. A völva é capaz de interpretar as runas para ver seu destino. Os grandes feiticeiros, como Odin, nem precisam usar runas. Eles conseguem manipular a realidade só dizendo o nome da runa.

Nota mental: evitar Odin. Eu não precisava que minha realidade fosse ainda mais manipulada.

Em frente à nossa mesa, a völva disse alguma coisa baixinho e jogou as runas aos próprios pés. Elas caíram no chão de terra batida, algumas viradas para cima, algumas viradas para baixo. Uma runa em particular pareceu chamar a atenção de todo mundo. As telas holográficas projetavam a imagem para o salão.

ᚦ

A marca não significava nada para mim, mas centenas de guerreiros gritaram em aprovação.

— Thor! — gritaram eles. E começaram a cantarolar: — THOR, THOR, THOR!

Sam grunhiu.

— Como se precisássemos de outro filho de Thor.

— Por quê? Qual é o problema dos filhos de Thor?

— Nada. Eles são ótimos. A Gunilla... é filha de Thor.

— Ah.

A capitã das valquírias estava sorrindo, o que era ainda mais assustador do que sua expressão de desprezo.

Quando a gritaria diminuiu, a völva ergueu os braços enrugados.

— Lars, filho de Thor, regozije-se! As runas mostram que você lutará bem no Ragnarök. E amanhã, em seu primeiro combate, provará seu valor e será decapitado!

A audiência comemorou e riu. Lars ficou muito pálido de repente. Isso só fez os guerreiros rirem mais, como se decapitação fosse um ritual de passagem no mesmo nível do cuecão. A völva reuniu as runas e se afastou enquanto a valquíria de Lars o ajudava a se sentar novamente.

A cerimônia prosseguiu. A próxima foi uma novata chamada Dede. Ela tinha salvado um grupo de crianças na escola de seu vilarejo quando os soldados de uma milícia tentaram sequestrá-las. Ela flertou com um dos soldados, o enganou para que deixasse que ela segurasse o rifle dele e atirou contra os homens da milícia. Acabou sendo morta, mas o sacrifício altruísta deu tempo para as crianças fugirem. O vídeo era bem violento. Os vikings adoraram. Dede foi aplaudida de pé.

A völva leu as runas. Confirmou que os pais de Dede eram mortais comuns, mas ninguém pareceu se importar. De acordo com as runas, ela lutaria com dedicação no Ragnarök. Na semana seguinte, perderia os braços várias vezes em combate. Em cem anos, sentaria à mesa dos lordes.

— Ooooooh! — murmurou a multidão com apreciação.

Os outros quatro novatos eram igualmente impressionantes. Todos haviam salvado pessoas. Tinham sacrificado as vidas com bravura. Dois eram mortais. Um era filho de Odin, o que causou uma pequena comoção.

Sam se inclinou na minha direção.

— Como falei, Odin não é visto há algum tempo. Recebemos com alegria qualquer sinal de que ele ainda transita entre os mortais.

A última novata era uma filha de Heimdall. Eu não sabia quem era esse cara, mas os vikings pareceram impressionados.

Minha cabeça estava rodando com tanta informação. Meus sentidos estavam em chamas por causa do hidromel. Só percebi que tinha chegado a minha vez quando Helgi chamou meu nome.

— Magnus Chase! — gritou ele. — Levante-se e nos impressione com sua coragem!

QUINZE

Meu vídeo pagando mico se torna viral

Minha coragem não impressionou ninguém.

Eu me remexi na cadeira enquanto o vídeo passava. Os einherjar assistiram em silêncio, chocados. Depois, começaram os resmungos e sussurros, pontuados por explosões de gargalhadas incrédulas.

A Visão das Valquírias mostrou apenas partes do que aconteceu. Eu me vi na ponte, encarando Surt enquanto ele criava um tornado de fogo. A câmera se focou em mim quando eu o ameaçava com um pedaço corroído de metal. Em seguida, Hearth e Blitz apareceram. Blitz acertou o gigante com a placa de ABRA CAMINHO PARA OS PATOS. A flecha de plástico de Hearth me acertou na bunda. Surt me deu um soco. Surt me chutou nas costelas. Eu vomitei e me contorci de dor.

O vídeo cortou para mim no momento em que eu recuava contra a amurada da ponte. Surt arremessou a bola de asfalto quente. Tentei rebatê-la com a espada e errei. No salão de banquete, milhares de guerreiros grunhiram um "Oooooh!" quando o pedaço de asfalto me acertou na barriga. Surt atacou, e nós dois caímos por cima da amurada, lutando na queda.

Antes de atingirmos a água, a imagem congelou e se aproximou. A espada agora saía das entranhas de Surt, mas minhas mãos não estavam no cabo. Estavam ao redor do pescoço grosso do gigante.

Um burburinho se espalhou pelo salão.

— Não — falei. — Não, não foi assim… Alguém editou isso.

O rosto de Sam tinha virado pedra. Na mesa dos lordes, a capitã Gunilla sorriu. *As câmeras são dela*, pensei, *a edição também deve ser.*

Por algum motivo, Gunilla queria prejudicar Sam ao me fazer parecer idiota... o que não era uma tarefa difícil, na verdade.

Helgi baixou o cálice.

— Samirah al-Abbas... explique.

Sam tocou na ponta do lenço. Eu tinha a sensação de que ela queria esconder a cabeça e torcer para que o salão desaparecesse. Eu não podia culpá-la.

— Magnus Chase morreu bravamente — disse ela. — Enfrentou Surt sozinho.

Mais uma vez o burburinho inquietante.

Um dos lordes se levantou.

— Você afirma que aquele era Surt. Era um gigante do fogo, sem dúvida, mas se você está sugerindo que era o próprio lorde de Muspellheim...

— Eu sei o que vi, Erik Machado Sangrento. Ele — Sam apontou para mim como se eu fosse um prêmio — salvou muitas vidas naquela ponte. O vídeo não mostra a história inteira. Magnus Chase agiu como um herói. Merece estar entre os einherjar.

Outro lorde se levantou.

— Ele não morreu com a espada na mão.

— Lorde Ottar — a voz de Sam soou tensa —, os lordes já ignoraram esse tipo de tecnicalidade antes. Quer Magnus estivesse segurando ou não a espada no momento da morte, ele morreu bravamente em combate. Esse é o espírito da lei de Odin.

Lorde Ottar fungou.

— Obrigado, Samirah al-Abbas, filha de Loki, por nos ensinar o espírito da lei de Odin.

O nível de tensão no salão aumentou bastante. A mão de Sam desceu na direção do machado. Eu duvidava que qualquer outra pessoa além de mim conseguisse ver como os dedos dela tremiam.

Loki... Eu conhecia *esse* nome. Ele era o grande vilão da mitologia nórdica, nascido de gigantes. Era o arqui-inimigo dos deuses. Se Sam era filha dele, por que estava ali? Como tinha se tornado valquíria?

Por acaso, meus olhos encontraram os de Gunilla. A capitã estava adorando todo aquele drama. Mal conseguia segurar o sorriso. Se ela era filha de Thor, isso explicava por que odiava Sam. Nas antigas histórias, Thor e Loki nunca se deram muito bem.

Os lordes confabularam entre si.

Finalmente, o gerente Helgi falou:

— Samirah, não estamos vendo nenhum ato de heroísmo na morte desse garoto. Vemos um anão e um elfo com armas de brinquedo...

— Um anão e um elfo? — perguntei, mas Helgi me ignorou.

— ... vemos um gigante do fogo que caiu de uma ponte e levou o garoto junto. É uma situação incomum, um filho de Muspell em Midgard, mas já aconteceu antes.

— É verdade — murmurou um lorde com costeletas fartas. — Vocês deviam ter visto o grande jötunn de fogo que ajudou Santa Anna na batalha do Álamo. Tenho que dizer que...

— Sim, obrigado, lorde Crockett. — Helgi pigarreou. — Como eu estava dizendo, há poucas evidências de que Magnus Chase tenha sido uma escolha digna para Valhala.

— Meus lordes — Sam falou lenta e cuidadosamente, como se estivesse falando com crianças —, o vídeo não mostra tudo o que aconteceu.

Helgi riu.

— Você está sugerindo que não devíamos confiar em nossos próprios olhos?

— Estou sugerindo que você ouça a história do meu ponto de vista. Sempre foi nossa tradição *narrar* os feitos do herói.

Gunilla se levantou.

— Me perdoem, meus lordes, mas Samirah está certa. Talvez devamos deixar a filha de Loki falar.

A multidão começou a vaiar. Alguns berraram:

— Não! Não!

Helgi fez um gesto pedindo silêncio.

— Gunilla, você honra sua irmandade ao defender uma colega valquíria, mas Loki sempre foi mestre da lábia e da persuasão. Pessoalmente, prefiro acreditar no que vejo, não em ouvir a história *contada por Samirah* e uma explicação inventada.

Os guerreiros aplaudiram.

Gunilla deu de ombros como quem diz *Ah, eu tentei!* e voltou a se sentar.

— Magnus Chase! — gritou Helgi. — Você sabe quem são seus pais?

Eu contei até cinco. Minha primeira inclinação foi gritar: *Não, mas seu pai aparentemente era um babaca!*

— Eu não conheço meu pai — admiti. — Mas, olhe, sobre o vídeo...

— Talvez você tenha algum potencial que não estejamos reconhecendo — disse Helgi. — Talvez seja filho de Odin ou Thor ou de algum outro deus nobre da guerra e sua presença nos traga honra. Vamos buscar a sabedoria nas runas, a não ser que o Pai de Todos queira interferir.

Ele olhou para o trono, que permaneceu vazio. Os corvos me observaram com olhos escuros e famintos.

— Muito bem — continuou Helgi. — Tragam a völva e...

Entre as raízes da árvore, onde a cachoeira formava o grande lago, uma bolha enorme explodiu. *BLUP!* Na superfície da água, surgiram três mulheres vestidas de branco.

Fora o estalar do fogo e os sons da cachoeira, o salão ficou em silêncio. Milhares de guerreiros observaram, surpresos, as três mulheres deslizarem pelo chão na minha direção.

— Sam — sussurrei. — Sam, o que está acontecendo?

A mão dela se afastou do machado.

— As Nornas — disse ela. — As próprias Nornas vieram ler seu destino.

DEZESSEIS

Nornas. Por que tinham que ser as Nornas?

Eu queria muito que alguém tivesse me avisado que eu ia morrer. Tipo: *Ei, você vai cair de uma ponte amanhã e vai se tornar um viking morto-vivo, então vai se preparar para o Ragnarök.*

Eu me sentia totalmente despreparado.

Lembrava de ter ouvido sobre as Nornas, mulheres que controlavam o destino, mas não sabia seus nomes, suas motivações e nem como me comportar na presença delas. Tinha que fazer uma reverência? Oferecer presentes? Sair correndo e gritando?

Ao meu lado, Sam murmurou:

— Isso é ruim. As Nornas só aparecem em casos extremos.

Eu não queria ser um caso extremo. Queria ser um caso fácil: *Ei, bom trabalho. Você é um herói. Aqui, pegue um biscoito.*

Ou, melhor ainda: *Ops. Foi engano. Pode voltar para a sua vida normal.*

Não que minha vida normal fosse lá essas coisas, mas era melhor do que ser julgado indigno por doze barbudos chamados Erik.

Conforme as Nornas foram se aproximando, percebi o quanto eram altas; tinham pelo menos dois metros e meio. Por baixo dos capuzes, os rostos eram bonitos, embora enervantes: totalmente brancos, até os olhos. Elas deixavam um rastro de névoa, como um véu de noiva. Pararam a uns cinco metros da minha mesa e viraram as palmas das mãos para cima. A pele parecia feita de neve.

Magnus Chase. Não consegui identificar qual delas havia falado. A voz suave e desencarnada ressoou pelo salão, penetrou na minha cabeça e transformou meu crânio em gelo. *Arauto do Lobo*.

Houve um burburinho na multidão, as pessoas estavam desconfortáveis. Eu já tinha visto a palavra *arauto* em algum lugar, talvez em um livro de fantasia, mas não conseguia lembrar o que significava. Não gostei de ouvir aquilo. Gostei menos ainda de ouvir *lobo*.

Havia acabado de concluir que sair correndo gritando era a opção mais inteligente neste caso. E, então, a névoa se acumulou nas mãos da Norna do meio, solidificando-se em seis runas. Ela as jogou para cima; as runas flutuaram, cada uma se expandindo em um símbolo branco luminoso do tamanho de um pôster.

Eu não sabia ler runas, mas reconheci a do meio. Era o mesmo símbolo que vi na bolsinha no escritório do tio Randolph.

ᚠ

Fehu, anunciou a voz fria. *A runa de Frey*.

Milhares de guerreiros se remexeram em seus lugares, as armaduras tinindo.

Frey... Quem era Frey? Minha mente parecia coberta de gelo. Meus pensamentos estavam lentos e arrastados.

As Nornas falaram ao mesmo tempo, três vozes fantasmagóricas entoando em uníssono, balançando as folhas da árvore gigantesca.

Escolhido por engano, não era sua hora,
Um herói que, em Valhala, não pode permanecer agora.
Em nove dias o sol irá para o leste,
Antes que a Espada do Verão a fera liberte.

As runas brilhantes se dissolveram. As três Nornas fizeram uma reverência para mim. Elas se misturaram à névoa e desapareceram.

Olhei para Sam.

— Com que frequência isso acontece?

Ela parecia ter levado um golpe entre os olhos com um dos martelos de Gunilla.

— Não. Escolher você *não pode* ter sido um erro. Me disseram... Me prometeram...

— Alguém *mandou* você me pegar?

Em vez de responder, ela murmurou, como se fizesse cálculos para um foguete que se desviara da rota.

Na mesa dos lordes, começou uma discussão. Por todo o salão, milhares de einherjar me observavam. Meu estômago se dobrou em várias formas de origami.

Finalmente, Helgi me encarou.

— Magnus Chase, filho de Frey, seu destino é perturbador. Os lordes de Valhala precisam pensar mais a respeito. Por enquanto, você será recebido como um amigo. É um dos einherjar agora. Isso não pode ser revertido, mesmo que tenha sido um engano.

Ele olhou com desprezo para Sam.

— Samirah al-Abbas, as próprias Nornas declararam que sua avaliação foi um erro. Você tem algo a dizer em sua própria defesa?

Sam arregalou os olhos, como se tivesse acabado de perceber uma coisa.

— O filho de Frey... — Ela olhou ao redor, desesperada. — Einherjar, vocês não percebem? Este é o filho de Frey! O próprio Surt estava naquela ponte! Isso quer dizer que a espada... — Ela se virou para a mesa dos lordes. — Gunilla, você *tem* que enxergar o que isso tudo quer dizer. Temos que encontrar aquela espada! Uma missão, imediatamente...

Helgi bateu com o punho na mesa.

— Chega! Samirah, você vai ser julgada por um erro grave. Não tem o direito de nos dizer o que fazer. *Sequer* tem o direito de solicitar uma missão!

— Não cometi erro nenhum — disse Sam. — Fiz apenas o que me mandaram! Eu...

— Mandaram? — Helgi semicerrou os olhos. — Quem mandou?

Sam fechou a boca. Pareceu murchar.

Helgi assentiu com seriedade.

— Entendo. Capitã Gunilla, antes de eu anunciar o julgamento dos lordes para essa valquíria, você gostaria de se pronunciar?

Gunilla se remexeu. O brilho nos olhos dela havia sumido. Parecia uma pessoa que entrou na fila do carrossel e se viu de repente presa em uma montanha-russa.

— Eu... — Ela balançou a cabeça. — Não, meu senhor. Eu... eu não tenho nada a acrescentar.

— Muito bem — concluiu Helgi. — Samirah al-Abbas, por seu julgamento errôneo com esse einherji, Magnus Chase, e por seus erros passados, os lordes decidem que você será expulsa da irmandade das valquírias. Perderá seus poderes e privilégios. Volte a Midgard em desgraça!

Sam segurou meu braço.

— Magnus, escute! Você precisa encontrar a espada. Tem que impedi-los...

Houve um brilho de luz repentino como um flash fotográfico, e Sam desapareceu. A refeição parcialmente comida e as migalhas de pão ao redor da cadeira eram os únicos sinais de que ela estivera ali.

— Assim, nosso banquete se encerra — anunciou Helgi. — Verei vocês amanhã no campo de batalha! Durmam bem e sonhem com mortes gloriosas!

DEZESSETE

Eu não pedi bíceps

Não dormi direito. E não sonhei com mortes gloriosas. Já passei por isso, já cheguei à vida após a morte.

Enquanto eu estava no jantar, meu sofá foi colocado no lugar e consertado. Sentei nele e folheei meu velho livro infantil de mitologia nórdica, mas não havia muito sobre Frey. Tinha uma imagem pequena de um sujeito louro de túnica passeando em um bosque, com uma moça loura ao lado e dois gatos brincando aos pés deles.

Frey era o deus da primavera e do verão!, dizia a legenda. *Era o deus da riqueza, da abundância e da fertilidade. Sua irmã gêmea, Freya, a deusa do amor, era muito bonita! Ela tinha gatos!*

Joguei o livro para o lado. Que ótimo. Meu pai era um deus inferior que passeava no bosque. Devia ter sido eliminado logo no começo da última temporada de *Dançando com os asgardianos*.

Se fiquei arrasado ao saber isso? Nem um pouco. Vocês podem não acreditar, mas nunca me preocupei de verdade em saber quem era meu pai. Nunca me senti incompleto, achando que minha vida só faria sentido se eu o conhecesse. Eu sabia quem eu era: filho de Natalie Chase. Quanto à questão de a vida fazer sentido... já tinha visto muitas coisas estranhas para esperar isso.

Mas ainda havia muitos itens na minha lista de *coisas que não entendo*. Bem no topo: como um garoto de rua podia ser filho do deus da abundância e da riqueza? Isso é que era piada de mau gosto.

E também: por que eu entraria na mira de um cara barra-pesada como Surt? Se ele era o lorde de Muspellheim, o Grande Rei da Cocada Preta, não devia implicar com heróis mais interessantes, como os filhos de Thor? Pelo menos, o pai deles tinha um bando de filmes. Frey não tinha nem os próprios gatos. Precisava pegar os da irmã emprestados.

E a Espada do Verão... supondo que era a espada que resgatei do rio Charles, como ela foi parar ali? Por que era tão importante? Tio Randolph a procurava havia anos. A última coisa que Sam me disse foi para encontrar a espada de novo. Se ela pertencia ao meu pai e meu pai era um deus imortal, por que ele tinha permitido que sua arma ficasse no fundo de um rio por mil anos?

Fiquei olhando para a lareira apagada. As palavras das Nornas não saíam da minha cabeça, por mais que eu quisesse esquecê-las.

Arauto do Lobo. Agora lembrei o que era um arauto: sinalizava a chegada de uma força poderosa, como um súdito anunciando o rei ou um céu vermelho antes de um furacão. Eu não queria ser o arauto do lobo. Já tinha visto uma quantidade de lobos suficiente para toda a eternidade. Queria ser o arauto do sorvete ou do falafel.

Escolhido por engano, não era sua hora.

Era um pouco tarde para anunciar isso. Eu era um maldito einherji. Meu nome estava na porta. Eu tinha a chave do frigobar.

Um herói que, em Valhala, não pode permanecer agora.

Gostei mais desse verso. Talvez significasse que eu poderia sair dali. Ou também poderia significar que os lordes me derreteriam em uma explosão de luz ou me dariam como comida para a cabra mágica.

Em nove dias o sol irá para o leste,
Antes que a Espada do Verão a fera liberte.

Esses versos eram os que mais me incomodavam. Até onde eu sabia, o sol ia do leste para o oeste. E quem era a fera? Eu podia apostar que era um lobo, porque é sempre um maldito lobo. Se era para libertar um lobo, era melhor que a espada continuasse perdida.

Uma lembrança começou a me incomodar... um lobo preso. Olhei para o livro infantil de mitologia, quase tentado a pegá-lo novamente. Mas eu já estava perturbado o bastante.

Magnus, escute, dissera Sam. *Você precisa encontrar a espada. Tem que impedi-los.* Eu me sentia mal por Samirah al-Abbas. Ainda estava irritado por ela ter me levado para lá, principalmente se tivesse sido por engano, mas não queria vê-la expulsa da ordem das valquírias por causa de um vídeo editado que me fez passar por idiota. (Tudo bem, por *mais* idiota do que o normal.)

Cheguei à conclusão de que deveria ir dormir. Não estava cansado, mas, se ficasse acordado pensando ainda mais, meu cérebro derreteria.

Tentei a cama. Macia demais. Acabei no átrio, deitado na grama, olhando para as estrelas em meio aos galhos.

Em algum momento, devo ter adormecido.

Um som alto me despertou, no susto; um galho estalando. Alguém soltou um palavrão.

O céu estava ficando cinza na luz da aurora. Algumas folhas caíram. Galhos balançavam como se algo pesado tivesse subido neles.

Fiquei deitado, parado, olhando. Nada. Será que imaginei a voz?

No corredor, um pedaço de papel foi enfiado por baixo da minha porta.

Eu me sentei, grogue.

Talvez a gerência estivesse me mandando a conta e me avisando para fazer o check-out. Cambaleei até a porta.

Minha mão tremeu quando peguei o papel, mas não era a conta. Era um bilhete manuscrito em uma letra cursiva muito bonita.

> *Oi, vizinho,*
> *Venha tomar café da manhã com a gente no salão 19. Fica no final do corredor, à esquerda. Traga suas armas e sua armadura.*
> *T.J.*

T.J.... Thomas Jefferson Jr., o cara do outro lado do corredor.

Depois do fiasco da noite anterior, eu não sabia por que estavam me convidando para o café da manhã. Também não entendia por que precisava de armas e armadura. Talvez os pãezinhos vikings contra-atacassem.

Fiquei tentado a fazer uma barricada na porta e me esconder no quarto. Talvez assim me deixassem em paz. Talvez, quando todos os guerreiros estivessem ocupados praticando Bikram yoga até a morte, eu pudesse me esgueirar e procurar uma saída para Boston.

Por outro lado, eu queria respostas. Não conseguia tirar da cabeça a ideia de que, se ali era um lugar para os mortos honrados, minha mãe talvez estivesse em algum canto. Ou de que alguém pudesse saber para qual pós-vida ela foi. Pelo menos, esse tal T.J. parecia simpático. Eu poderia andar com ele um tempo para ver o que tinha para me contar.

Fui até o banheiro.

Tive medo de que o vaso sanitário fosse alguma máquina de morte viking com lâminas de machado e um arco acionável pela descarga, mas era normal; não mais assustador do que os banheiros públicos do Boston Common.

O armário do espelho tinha o tipo de produto que eu costumava usar... quer dizer, pelo menos quando tinha uma casa.

E o chuveiro... Tentei me lembrar da última vez que tomei um banho quente, demorado e relaxante. Claro, cheguei a Valhala me sentindo magicamente limpo, mas depois de uma noite de sono ruim no átrio, estava pronto para uma chuveirada.

Tirei as camadas de camisa e quase gritei.

Qual era o problema com meu peito? Por que meus braços estavam daquele jeito? O que eram aquelas partes estranhamente inchadas?

Normalmente, evitava me olhar no espelho. Meu rosto não era uma coisa que eu gostava de ver regularmente. Mas, naquele momento, encarei meu reflexo.

Meu cabelo era o mesmo, um pouco menos sujo e embaraçado, mas ainda ia até a altura do queixo, como uma cortina louro-escura, partido ao meio.

Você parece o Kurt Cobain, minha mãe dizia, para me provocar. *Eu adorava o Kurt, pena que ele morreu.*

Ah, adivinha, mãe!, pensei. *Agora também tenho isso em comum com ele!*

Meus olhos são cinzentos, mais parecidos com os de Annabeth do que com os da minha mãe. Têm um vazio assombrado e assustador, mas tudo bem; me foi bem útil nas ruas.

Já meu peito, eu mal reconheci. Desde meus dias ruins de asma quando eu era pequeno, sempre fui meio magrelo. Mesmo com tantas caminhadas e acampamentos, eu tinha o peito magro, costelas projetadas e pele tão branca que minhas veias azuladas pareciam um mapa rodoviário.

Agora... as novas áreas inchadas pareciam músculos.

Não me entendam mal. Não foi tão dramático quanto virar o Capitão América. Eu ainda era magro e pálido, mas meus braços estavam definidos. Não parecia mais que eu ia sair voando no primeiro vendaval. Minha pele estava mais lisa, menos transparente. Todos os machucados e cortes e picadas que acumulei morando na rua tinham desaparecido. Até a cicatriz na palma da minha mão esquerda, de quando me cortei com uma faca de caça aos dez anos, sumira.

Eu me lembrei do quanto me senti forte quando cheguei a Valhala, da facilidade com que joguei o sofá do outro lado da sala na noite anterior. Não tinha parado para pensar naquilo.

Como foi que Hunding chamou Valhala? *Promoção?*

Fechei a mão.

Não sei bem o que deu em mim. Acho que, quando percebi que nem meu corpo era o meu, a raiva, o medo e a incerteza das últimas vinte e quatro horas chegaram a um ponto crítico. Minha vida foi arrancada de mim. Fui ameaçado, humilhado e promovido à força. Eu não pedi nenhuma suíte. Não pedi bíceps.

Bati na parede. Literalmente.

Meu punho atravessou o azulejo, o forro e uma tábua de cinco por dez centímetros. Puxei a mão. Mexi os dedos. Nada parecia quebrado.

Observei o buraco em forma de punho que fiz acima do suporte de toalhas.

— É — resmunguei. — As camareiras vão me amar.

A chuveirada ajudou a me acalmar. Depois, enrolado em um roupão felpudo com as iniciais HV bordadas, fui até o closet procurar roupas. Lá dentro havia três calças jeans, três camisetas verdes (todas com o selo de PROPRIEDADE DO HOTEL VALHALA), cuecas, meias, um par de tênis de corrida de qualidade e uma espada na bainha. Encostado na tábua de passar, encontrei um escudo verde redondo com a runa dourada de Frey no meio.

Está certo, então. Acho que eu já sabia o que vestiria hoje.

Passei dez minutos tentando descobrir como prender a bainha da espada no cinto. Eu era canhoto. Isso queria dizer que a espada ficava à direita? Havia diferença entre espadas para canhotos e espadas para destros?

Tentei puxá-la e quase arranquei a calça. Ah, eu seria um sucesso no campo de batalha.

Treinei brandir a espada. Eu me perguntei se ela começaria a zumbir e a controlar minha mão, como aconteceu na ponte, quando enfrentei Surt. Mas não. Essa parecia um pedaço normal de metal, silenciosa e sem piloto automático. Consegui embainhar sem perder nenhum dedo. Prendi o escudo nas costas, da mesma forma como os guerreiros no jantar de ontem. A tira pesou no meu pescoço e quase me sufocou.

Olhei no espelho de novo.

— Você, senhor — murmurei —, parece um grande imbecil.

Meu reflexo não argumentou.

Saí para procurar o café da manhã e matá-lo com minha espada.

DEZOITO

Eu compro uma briga contra o café da manhã

— Ali está ele. — T.J. se levantou e pegou minha mão. — Sente-se aqui com a gente. Você causou uma primeira impressão e tanto ontem à noite, no banquete!

Ele estava vestido da mesma forma que no dia anterior: de jaqueta azul de lã do exército com a camisa verde do hotel, calça jeans e botas de couro.

Com ele estavam o meio troll X, a ruiva Mallory Keen e um cara que imaginei ser o Mestiço Gunderson, que parecia um Robinson Crusoé com esteroides. A camisa dele era feita de retalhos de peles de animais. A calça de couro estava em frangalhos. Até pelos padrões vikings, a barba era desgrenhada, decorada com boa parte de uma omelete de queijo.

Meus quatro colegas de corredor abriram espaço para mim na mesa, o que foi muito legal.

Em comparação ao Salão dos Mortos, o salão dezenove era um ambiente íntimo. Havia umas seis mesas espalhadas pela sala, a maioria desocupada. Em um canto, as chamas de uma lareira estalavam em frente a um sofá surrado. Ao longo da parede, uma mesa de bufê exibia todo tipo de comida de café da manhã imaginável (e alguns tipos que eu *nunca* tinha imaginado).

T.J. e companhia tinham se posicionado em frente a um janelão virado para um amplo campo coberto de neve. Não fazia sentido, considerando que era verão no meu átrio no mesmo corredor, mas eu já tinha aprendido que a geografia do hotel era estranha.

— Ali é Niflheim — explicou T.J. —, o reino de gelo. A vista muda diariamente, fica variando entre os nove mundos.

— Os nove mundos... — Encarei meus ovos mexidos, me perguntando de que sistema solar eles vieram. — Fico ouvindo todos falarem dos nove mundos. Mas ainda é difícil acreditar.

Mallory Keen soprou o açúcar de confeiteiro de cima do donut dela.

— Acredite, novato. Já visitei seis deles até agora.

— E eu, cinco. — Mestiço sorriu, mostrando para mim pedaços da omelete de queijo nos dentes. — Claro que Midgard não conta. É o mundo humano. Já fui a Álfaheim, a Nídavellir, a Jötunheim...

— Eu fui à Disney World — disse X.

Mallory suspirou. Com o cabelo ruivo, os olhos verdes e açúcar de confeiteiro ao redor da boca, ela lembrava um Coringa com as cores invertidas.

— Pela última vez, seu cabeça-dura, a Disney não é um dos nove mundos.

— Por que tem esse nome, então? — X assentiu com arrogância, considerando a discussão vencida, e voltou a se concentrar na comida, sugando carne da carcaça de um crustáceo grande.

T.J. empurrou o prato vazio.

— Magnus, não sei se vai ajudar, mas os nove mundos não são planetas. Estão mais para... dimensões diferentes, camadas diferentes da realidade, todas ligadas pela Árvore do Mundo.

— Obrigado — falei. — Isso é bem mais confuso.

Ele riu.

— É, acho que é mesmo.

— A Árvore do Mundo é a do Salão dos Mortos?

— Não — respondeu Mallory. — A Árvore do Mundo é *bem* maior. Você vai ver, mais cedo ou mais tarde.

Isso me pareceu agourento. Tentei me concentrar na comida, mas era difícil com X ao meu lado se entupindo com um caranguejo mutante nojento.

Eu apontei para o casaco de T.J.

— Isso é um uniforme da Guerra Civil?

— Soldado na quinquagésima quarta infantaria em Massachusetts, meu amigo. Sou de Boston, como você. Só cheguei aqui um pouco antes.

Eu fiz os cálculos.

— Você morreu em batalha cento e cinquenta anos atrás?

T.J. deu um sorriso largo.

— No ataque a Fort Wagner, na Carolina do Sul. Meu pai era Tyr, deus da coragem, da justiça e do julgamento por combate. Minha mãe era uma escrava fugida.

Tentei encaixar isso na minha nova visão de mundo: um adolescente dos anos 1860, filho de uma ex-escrava e de um deus nórdico, agora estava tomando café da manhã comigo em um hotel extradimensional.

X arrotou, o que com certeza colocou as coisas em perspectiva.

— Deuses de Asgard! — reclamou Mallory. — Que cheiro é esse!

— Me desculpe — resmungou X.

— Seu nome é mesmo X? — perguntei.

— Não, meu nome de verdade é... — O meio troll disse alguma coisa que começava com alguns Ks e prosseguia por uns trinta segundos.

Mestiço limpou as mãos nas peles que formavam sua camisa.

— Está vendo? Ninguém consegue pronunciar isso. Nós o chamamos de X.

— X — concordou X.

— Ele é mais uma das aquisições de Sam al-Abbas — contou T.J. — X deu de cara com uma rinha de cachorros... uma daquelas ilegais. Onde foi mesmo, X? Em Chicago?

— Chiii-ca-go — afirmou X.

— Ele viu o que estava acontecendo e ficou louco. Começou a quebrar tudo, a bater nos apostadores e a libertar os cachorros.

— Os cachorros deveriam brigar quando tivessem vontade — disse X. — Não para humanos gananciosos. Deveriam ser selvagens e livres. Não ficar em gaiolas.

Eu não queria discutir com o grandalhão, mas não gostei muito da ideia de cachorros selvagens brigando quando tivessem vontade. Isso tinha muita cara de comportamento de lobos, um animal do qual eu me recusava a ser o arauto.

— Enfim — continuou T.J. —, virou uma batalha e tanto: X contra um bando de gângsteres com armas automáticas. Acabaram matando-o, mas X levou vários bandidos com ele e libertou muitos cachorros. Isso foi... o quê... um mês atrás?

X resmungou e continuou a chupar o crustáceo.

T.J. abriu as mãos.

— Samirah o julgou honrado e o trouxe para cá. Caíram em cima dela por causa disso.

Mallory riu com deboche.

— Você está pegando leve. Um troll em Valhala. Até parece que eles deixariam isso passar impune.

— Meio troll — corrigiu X. — Esse é meu *melhor* lado, Mallory Keen.

— Ela não quis ofender, X — disse T.J. — É que os preconceitos dificilmente morrem. Quando cheguei aqui em 1863, também não fui recebido de braços abertos.

Mallory revirou os olhos.

— Então você os conquistou com sua personalidade incrível. Eu juro, vocês estão dando má fama ao andar dezenove. E agora temos Magnus.

Mestiço se inclinou na minha direção.

— Não ligue para Mallory. Ela é um amor quando você aceita que ela é uma pessoa horrível.

— Cala a boca, Mestiço!

O grandão riu.

— Ela só está mal-humorada porque morreu tentando desarmar um carro-bomba com a cara.

As orelhas da garota ficaram tão vermelhas quanto suco de morango.

— Eu não... não estava... Argh!

— Magnus, não se preocupe com aquela confusão ontem à noite — prosseguiu Mestiço. — As pessoas vão esquecer em algumas décadas. Acredite, já vi isso acontecer. Morri durante a invasão viking à Anglia Oriental, lutei no exército de Ivar, o Sem-Ossos. Levei vinte flechas no peito protegendo meu lorde!

— Ai — falei.

Mestiço deu de ombros.

— Estou aqui há... hum, quase mil e duzentos anos agora.

Eu fiquei olhando para ele. Apesar do tamanho e da barba farta, Mestiço parecia ter no máximo dezoito anos.

— Como você aguenta sem ficar maluco? E por que chamam você de Mestiço?

O sorriso dele sumiu.

— Vou responder à segunda pergunta primeiro... Quando nasci, era tão grande e feio que minha mãe disse que eu era uma mistura de humano e pedra. O nome pegou.

— E você continua feio — murmurou Mallory.

— Quanto a ficar maluco aqui... Alguns ficam, Magnus. Esperar o Ragnarök é difícil. O truque é se manter ocupado. Tem muita coisa para fazer aqui. Eu aprendi umas dez línguas, inclusive o inglês. Tenho doutorado em literatura germânica e aprendi a tricotar.

T.J. assentiu.

— Foi por isso que convidei você para o café da manhã, Magnus.

— Para eu aprender a tricotar?

— Para você ficar ativo! Passar tempo demais sozinho no quarto pode ser perigoso. Se você se isolar, começa a sumir. Alguns dos einherjar mais antigos... — Ele pigarreou. — Não importa. Você está aqui! É só aparecer todas as manhãs até o Juízo Final e tudo vai ficar bem.

Olhei pela janela para a neve caindo. Pensei no aviso de Sam para encontrar a espada, nas Nornas prevendo que uma coisa ruim aconteceria em nove dias.

— Vocês disseram que visitaram os outros mundos. Isso quer dizer que dá para sair do hotel?

O grupo trocou olhares.

— Dá — disse Mestiço. — Mas nossa tarefa principal é esperar o Ragnarök. Treinar, treinar e treinar.

— Eu andei de trem na Disney — disse X.

Não dava para saber se ele estava brincando. O meio troll parecia ter duas expressões faciais: cimento molhado e cimento seco.

— Ocasionalmente — disse T.J. —, os einherjar são enviados para os nove mundos em missões.

— Para caçar monstros — explicou Mallory. — Matar gigantes que entram em Midgard. Impedir bruxas e almas penadas. E, claro, lidar com desgarrados...

— Almas penadas? Desgarrados? — perguntei.

— A questão é — interrompeu Mestiço — que só saímos de Valhala por ordem de Odin ou dos lordes.

— Mas, hipoteticamente, eu poderia voltar para o mundo humano, Midgard ou sei lá qual é o nome...

— Hipoteticamente, sim — disse T.J. — Olhe, sei que essa história das Nornas deve estar deixando você doido, mas não sabemos o que a profecia significa. Dê um tempo aos lordes para decidirem o que fazer. Você não pode se precipitar e fazer alguma idiotice.

— Pelos deuses — disse Mallory. — Nós *nunca* fazemos idiotices. Como aquela ida ao Santarpio's para comer pizza de madrugada. Aquilo não aconteceu.

— Fique quieta, mulher — resmungou Mestiço.

— *Mulher?* — Mallory levou a mão à faca no cinto. — Cuidado com as palavras, seu hamster sueco gigante.

— Esperem — falei. — Vocês sabem sair escondido de...

T.J. tossiu alto.

— Desculpe, acho que não ouvi direito. Tenho certeza de que você não estava nos perguntando sobre burlar as regras. Magnus, primeiro de tudo: se voltasse a Midgard agora, como explicaria para as pessoas que o conhecem? Todo mundo acha que você está morto. Normalmente, *se* nós voltamos, esperamos até todo mundo que conhecemos estar morto. É mais fácil assim. Além do mais, demora um tempo, às vezes anos, para sua força de einherji se desenvolver por completo.

Tentei me imaginar esperando anos. Eu não tinha muitos amigos e parentes para quem voltar. Ainda assim, não queria ficar preso ali, aprendendo novas línguas e tricotando suéteres durante séculos. Depois de ver minha prima Annabeth, eu meio que queria encontrá-la mais uma vez antes de ela morrer. E, se Samirah estava certa quanto a minha mãe não estar em Valhala... eu precisava encontrá-la, onde quer que estivesse.

— Mas é possível sair sem permissão — insisti. — Talvez não para sempre, mas por um tempo.

T.J. se remexeu, incomodado.

— Valhala tem portas para todos os mundos. O hotel foi construído assim. A maioria das saídas é protegida, mas... bem, tem muitos caminhos para Boston. Boston é o centro de Midgard.

Olhei para as pessoas ao redor da mesa. Ninguém estava gargalhando.

— É sério?

— Claro — afirmou T.J. — Fica no tronco da Árvore do Mundo, o ponto mais fácil do qual se pode acessar os outros mundos. Por que você acha que Boston se chama Núcleo do Universo?

— Arrogância?

— Não. Os mortais sempre souberam que havia alguma coisa naquele local, mesmo não conseguindo identificar o que era. Os vikings procuraram o centro do mundo durante anos. Eles sabiam que a entrada de Asgard ficava no oeste. Foi um dos motivos para continuarem explorando a América do Norte. Quando encontraram os nativos...

— Nós os chamávamos de skraelings — disse Mestiço. — Lutadores impiedosos. Eu gostava deles.

— ... os nativos tinham várias histórias de como a presença espiritual era forte naquela área. Mais tarde, quando os puritanos fundaram as colônias, bem... A visão de John Winthrop de uma "Cidade na Colina" cintilando? Não era metáfora. Ele teve uma visão de Asgard, um vislumbre de outro mundo. E os julgamentos das bruxas de Salem? Histeria causada por magia que vazou para Midgard. Edgar Allan Poe nasceu em Boston. Não é coincidência o poema mais famoso dele ser sobre um corvo, um dos animais sagrados de Odin.

— Chega. — Mallory me olhou com asco. — T.J. leva uma eternidade quando precisa responder sim ou não a uma pergunta. A resposta é sim, Magnus. É possível sair, com ou sem permissão.

X quebrou uma patinha de caranguejo.

— Você não seria imortal.

— É — disse T.J. — Esse é o segundo grande problema. Em Valhala, você não pode morrer, não de forma permanente. Sempre ressuscita. É parte do treinamento.

Eu me lembrei do cara que foi empalado e arrastado por lobos no saguão. Hunding disse que ele estaria bem até a hora do jantar.

— Mas fora de Valhala?

— Lá fora, nos nove mundos — contou T.J. —, você ainda é um einherji. É mais rápido, mais forte e mais resistente do que qualquer mortal comum.

Mas, se morrer lá fora, continua morto. Sua alma pode ir parar em Helheim. Ou você pode se dissolver no abismo primordial, o Ginnungagap. É difícil saber. Não vale o risco.

— A não ser que... — Mestiço tirou um pedaço de ovo da barba. — A não ser que ele *realmente* tenha encontrado a espada de Frey e as lendas sejam verdadeiras...

— É o primeiro dia de Magnus — disse T.J. — Não vamos falar sobre isso. Ele já está bem assustado.

— Me assustem mais — pedi. — Que lendas são essas?

No corredor, uma corneta tocou. Nas outras mesas, os einherjar começaram a se levantar e a retirar os pratos.

Mestiço esfregou as mãos com ansiedade.

— A conversa vai ter que esperar. Está na hora da batalha!

— Hora da batalha — concordou X.

T.J. fez uma careta.

— Magnus, você precisa saber sobre a iniciação do primeiro dia. Não fique triste se...

— Ah, que isso! — interrompeu Mallory. — Não estrague a surpresa! — Ela me deu um sorriso cheio de açúcar de confeiteiro. — Mal posso esperar para ver o novato ser desmembrado!

DEZENOVE

Não me chame de Zé-Ninguém. Tipo, *nunca*

Contei para os meus novos amigos que eu era alérgico a desmembramento. Eles só riram e me levaram para a arena. É por isso que não gosto de fazer novos amigos.

O campo de batalha era tão grande que não consegui entender direito o que estava vendo.

Nos bons e velhos tempos, quando era sem-teto, eu dormia em telhados durante o verão. Conseguia ver a paisagem de Boston inteira, do Fenway Park até Bunker Hill. O campo de batalha de Valhala era maior do que isso. Oferecia talvez uns oito quilômetros quadrados de lugares interessantes para morrer, tudo dentro do hotel, como um pátio interno.

Era cercado pelas paredes do prédio: penhascos de mármore branco e varandas com grades douradas, algumas com cartazes pendurados, algumas decoradas com escudos e outras com catapultas. Os andares mais altos pareciam se dissolver no brilho enevoado do céu, tão brancos quanto uma lâmpada fluorescente.

No centro do campo havia algumas colinas escarpadas; áreas de floresta pontilhavam a paisagem. O círculo externo era coberto de pasto e cortado por um rio tão largo quanto o Charles. Vários vilarejos ocupavam as margens, talvez para os que preferissem guerrear em ambientes urbanos.

Pelas centenas de portas ao redor do campo, batalhões de guerreiros entravam, as armas e as armaduras brilhando sob a luz intensa. Alguns einherjar usavam armadura completa, como cavaleiros medievais. Outros usavam camisas de cota de malha, calças e botas. Alguns estavam vestindo roupa camuflada e carregavam AK-47s. Um cara estava só de sunga. Tinha se pintado de azul e estava munido apenas de um taco de beisebol. No peito, trazia as palavras VEM ME PEGAR, MANO!

— Acho que não estou vestido de forma adequada — comentei.

X estalou os dedos.

— Não é a armadura que traz a vitória. Nem as armas.

Para ele era fácil dizer isso. O meio troll era maior do que algumas nações soberanas.

Mestiço Gunderson também estava usando a abordagem minimalista. Havia tirado tudo menos a calça, embora carregasse dois machados assustadores de lâmina dupla. Ao lado de qualquer pessoa, Mestiço pareceria enorme. Ao lado de X, parecia um bebê... de barba, barriga tanquinho e machados.

T.J. ajustou a baioneta no rifle.

— Magnus, se quiser mais do que o equipamento básico, vai ter que tomá-lo ou negociá-lo. O arsenal do hotel aceita ouro vermelho e tem um esquema de troca.

— Foi assim que você conseguiu o rifle?

— Não, eu morri com ele, mas raramente o uso. Balas não têm muito efeito nos einherjar. Sabe aqueles caras com os fuzis? É só brilho e barulho. São as pessoas menos perigosas no campo. Mas esta baioneta? É de aço de osso, presente do meu pai. Aço de osso funciona muito bem.

— Aço de osso.

— É. Depois eu explico.

A mão que segurava a espada já estava suando. Meu escudo parecia frágil demais.

— Contra que grupos vamos lutar?

Mestiço me deu um tapinha nas costas.

— Contra todos! Os vikings lutam em pequenos grupos, meu amigo. Somos seus irmãos de escudo.

— E irmã de escudo — acrescentou Mallory. — Embora alguns de nós sejam apenas idiotas de escudo.

Mestiço a ignorou.

— Fique com a gente, Magnus, e... ah, você vai se dar mal de qualquer jeito. Vai morrer rápido. Mas acompanhe a gente. Vamos entrar em combate e matar o máximo possível!

— Esse é o seu plano?

Mestiço inclinou a cabeça.

— Por que eu teria um plano?

— Ah, às vezes nós temos — disse T.J. — As quartas são dias de cerco. Isso é mais complicado. Às quintas, soltam os dragões.

Mallory puxou a espada e a faca de lâmina serrilhada.

— Hoje é dia de combate livre. Adoro terças-feiras.

De mil varandas diferentes, cornetas soaram. Os einherjar partiram para a batalha.

Até aquela manhã, eu nunca tinha entendido o termo *banho de sangue*. Em poucos minutos, estávamos literalmente pingando.

Tínhamos acabado de entrar no campo quando um machado chegou voando do nada e acertou meu escudo, a lâmina perfurando a madeira acima do meu braço.

Mallory gritou e lançou sua faca, que cravou-se no peito do cara que jogou o machado. Ele caiu de joelhos, rindo.

— Boa!

E desabou no chão, morto.

Mestiço abriu caminho por entre os inimigos, girando os machados, decepando cabeças e membros até parecer que estava em uma partida de paintball, mas usando só tinta vermelha. Era nojento. E apavorante. E sabem o mais perturbador nisso tudo? Os einherjar agiam como se fosse uma brincadeira. Matavam com alegria. Morriam como se alguém tivesse derrotado seu avatar em *Call of Duty*. Nunca gostei desse jogo.

— Que saco — murmurou um cara enquanto observava quatro flechas cravadas no peito.

Outro gritou:

— Vou pegar você amanhã, Trixie! — E caiu para o lado, uma lança enfiada nas entranhas.

T.J. cantava "The Battle Hymn of the Republic" enquanto atacava e defendia com a baioneta.

X destruía um grupo após outro. Estava com umas dez flechas enfiadas nas costas, como um porco-espinho, mas isso não parecia incomodá-lo. Toda vez que o punho dele acertava alguém, um einherji se tornava bidimensional.

Quanto a mim, ficava correndo de um lado para outro, como um rato assustado, erguendo o escudo e arrastando a espada. Tinham me dito que ali a morte não era permanente, mas achei isso difícil de acreditar. Um bando de guerreiros com objetos afiados tentava me matar. E eu não queria morrer.

Consegui me defender de um golpe de espada. Desviei de uma lança com o escudo. Tive a oportunidade de perfurar uma garota que estava com a guarda baixa, mas não tive coragem de fazer isso.

Foi um erro. O machado dela cortou minha coxa. Senti a dor subir até o pescoço. Mallory acertou a garota.

— Vamos, Chase, não para! Você vai se acostumar com a dor depois de um tempo.

— Que maravilha. — Fiz uma careta. — Estou aguardando ansiosamente por esse momento.

T.J. enfiou a baioneta pela viseira de um cavaleiro medieval.

— Vamos tomar aquela colina!

Apontou para uma elevação na beira do bosque.

— Por quê? — gritei.

— Porque é uma colina!

— Ele adora tomar colinas — resmungou Mallory. — É uma coisa da Guerra Civil.

Atravessamos o campo de batalha na direção do terreno mais alto. Minha coxa ainda estava doendo, mas tinha parado de sangrar. Aquilo era normal?

T.J. ergueu o rifle e gritou:

— Atacar!

Na mesma hora, foi atingido nas costas por um dardo.

— T.J.! — gritei.

Ele me olhou nos olhos, deu um sorriso fraco e caiu de cara na lama.

— Pelo amor de Frigga! — reclamou Mallory. — Vamos logo, novato.

Ela segurou meu braço e me puxou. Mais dardos passaram voando por cima da minha cabeça.

— Vocês fazem isso todos os *dias*? — perguntei.

— Não. Como dissemos, nas quintas temos dragões.

— Mas...

— Ei, Zé-Ninguém, o negócio é se acostumar com o horror da batalha. Você acha isso ruim? Espere até termos que lutar de verdade no Ragnarök.

— Por que *eu* sou o Zé-Ninguém?

— Porque você é irritante.

Chegamos à beirada do bosque. X e Mestiço protegiam nossa retaguarda, retardando a horda que nos perseguia. E os inimigos *haviam* mesmo formado uma horda. Todos os grupos espalhados ao redor tinham parado de lutar entre si e estavam atrás de nós. Alguns apontaram para mim. Outros gritaram meu nome, e não de um jeito amigável.

— É, já localizaram você. — Mallory suspirou. — Quando falei que queria ver você desmembrado, não era para ser do meu *lado*. Enfim.

Quase perguntei por que todo mundo estava atrás de mim. Mas sabia a resposta. Eu era o novato. É *claro* que os outros einherjar se juntariam contra mim e os outros recém-chegados. Lars Ahlstrom já devia ter sido decapitado. Dede devia estar correndo por aí sem os braços. Os einherjar veteranos fariam de tudo para que essa experiência fosse a mais dolorosa e aterrorizante possível para nós, só para ver como reagiríamos. Isso me deixou com raiva.

Subimos a colina, sempre buscando refúgio atrás das árvores. Mestiço se jogou em um grupo de vinte caras que nos seguiam. Destruiu todos eles. Voltou rindo, com um brilho insano no olhar. Estava sangrando, com mais de dez ferimentos e uma adaga fincada no peito, bem acima do coração.

— Como é que ele ainda está vivo? — perguntei.

— Ele é um berserker. — Mallory olhou para trás, com uma mistura de desdém, impaciência e outra coisa... admiração? — Aquele idiota continua lutando até estar literalmente em pedacinhos.

Uma luzinha se acendeu na minha mente. Mallory *gostava* de Mestiço. Só se chama alguém de idiota tantas vezes se está a fim dessa pessoa. Em circunstâncias diferentes, eu teria feito uma piadinha, mas, enquanto ela estava distraída, ouvi um *tunk*: uma flecha cravada no pescoço dela.

Ela me olhou com raiva, como se dissesse *isso é culpa sua*.

E caiu. Ajoelhei ao lado dela e toquei seu pescoço. Consegui sentir sua vida se esvaindo. Consegui sentir a artéria cortada, os batimentos ficando cada vez mais fracos, todos os ferimentos que precisariam ser curados. Meus dedos ficaram mais quentes. Se tivesse um pouco mais de tempo...

— Cuidado! — gritou X.

Levantei o escudo. Uma espada bateu nele. Empurrei e joguei o atacante colina abaixo. Meus braços doíam. Minha cabeça estava latejando, mas, de alguma forma, consegui me levantar.

Mestiço estava a cinquenta metros de mim, cercado por uma multidão de guerreiros cutucando-o com lanças, enchendo-o de flechas. Continuou lutando, mas nem *ele* seria capaz de aguentar muito mais.

X arrancou o AK-47 da mão de um cara e bateu na cabeça dele.

— Vai, Magnus Zé-Ninguém — ordenou o meio troll. — Tome o cume pelo andar dezenove!

— Meu apelido não vai ser Zé-Ninguém — murmurei. — Não vai mesmo.

Cambaleei colina acima até chegar ao topo. Encostei no grande carvalho enquanto X atacava, se defendia e dava cabeçadas em vikings, deixando os inimigos inconscientes.

Uma flecha acertou meu ombro, me prendendo na árvore. A dor era tanta que quase desmaiei, mas arranquei a flecha e me soltei. O sangramento parou na mesma hora. O ferimento se fechou como se alguém o tivesse preenchido com cera quente.

Uma sombra passou por mim, algo grande e escuro vindo do céu. Levei menos de um segundo para perceber que era uma pedra, provavelmente lançada da catapulta de alguma varanda. Demorei mais um instante para perceber onde cairia.

Tarde demais. Não tive tempo de avisar a X.; o meio troll e mais uma dúzia de einherjar desapareceram debaixo de um pedregulho de calcário, no qual estava escrito: COM AMOR, DO ANDAR 63.

Cem guerreiros ficaram olhando a pedra. Folhas e galhos quebrados voavam ao redor. E então, todos os einherjar se viraram para mim.

Outra flecha me acertou no peito. Eu gritei, mais de raiva do que de dor, e a puxei.

— Uau — comentou um dos vikings. — Ele se regenera rápido.

— Tenta com uma lança — sugeriram. — Tenta com *duas* lanças.

Eles falaram como se não valesse a pena se dirigir a mim, como se eu fosse um animal encurralado com o qual pudessem fazer o que quisessem.

Vinte ou trinta einherjar levantaram as armas. A raiva dentro de mim explodiu. Eu gritei, liberando energia como uma bomba. Cordas de arco se romperam. Espadas caíram das mãos dos donos. Lanças e armas e machados saíram voando para as árvores.

Tão depressa quanto começou, a onda de poder se esvaiu. Ao meu redor, cem einherjar largaram suas armas.

O cara pintado de azul estava na vanguarda, o taco de beisebol aos seus pés. Ele ficou me olhando, chocado.

— O que aconteceu?

O guerreiro ao lado dele tinha um tapa-olho e armadura de couro vermelho decorada com espirais prateadas. Com cuidado, ele se abaixou e pegou o machado.

— *Álfar seidr* — disse Tapa-Olho. — Muito bem, filho de Frey. Não vejo um truque desses há séculos. Mas aço de osso ainda é melhor.

Fiquei vesgo quando a lâmina do machado dele girou na direção do meu rosto. E então tudo ficou preto.

VINTE

Venha para o lado negro. Temos jujubas

Uma voz familiar disse:

— Morreu de novo, foi?

Abri os olhos. Eu estava em um pavilhão cercado de colunas de pedra cinza. Do lado de fora, não havia nada além do céu azul sem nuvens. O ar estava rarefeito. Um vento frio soprava no piso de mármore, movimentando o fogo na lareira central, fazendo as chamas escorrerem até os braseiros dos dois lados da plataforma. Três degraus levavam a um trono, um divã de madeira branca entalhado com formas intrincadas de animais, pássaros e galhos de árvore. O assento era forrado de pele de arminho.

Deitado nele, comendo jujubas de um saquinho prateado, estava o homem de camisa do Red Sox.

— Bem-vindo a Hlidskjalf. — Ele sorriu, e as cicatrizes ao redor dos lábios pareciam as marcas de um zíper. — O Alto Trono de Odin.

— Você não é Odin — concluí. — Você é Loki.

O homem da camisa do Red Sox riu.

— Nada escapa do seu intelecto apurado.

— Em primeiro lugar, o que estamos fazendo aqui? Em segundo, Hlid o quê?

— *Hlidskjalf.* Tem *h* no começo e *f* no final. A primeira letra deve soar como se você estivesse se preparando para cuspir.

— Pensando bem, não dou a mínima.

— Mas devia. Foi aqui que tudo começou. É a resposta para sua primeira pergunta, explica por que estamos aqui. — Ele deu um tapinha no espaço ao lado no divã. — Venha. Coma uma jujuba.

— Hum, não, obrigado.

— Azar o seu. — Ele jogou outra jujuba na boca. — Essa roxa... Não sei qual é o sabor, mas é *divina*.

Uma veia latejou no meu pescoço, o que foi estranho, já que eu estava sonhando, e provavelmente morto.

Os olhos de Loki me deixavam nervoso. Tinham o mesmo brilho intenso dos olhos de Sam, mas ela mantinha as chamas sob controle. O olhar de Loki se movia sem parar como fogo na lareira, levado pelo vento, procurando qualquer coisa que pudesse destruir e queimar.

— Frey já se sentou aqui. — Ele acariciou o pelo de arminho. — Você conhece a história?

— Não, mas... não é proibido se sentar aí?

— Ah, é. Bem, a não ser Odin e Frigga, o rei e a rainha. Eles podem se sentar aqui e ver qualquer parte dos nove mundos. Só precisam se concentrar para encontrar o que quer que estejam procurando. No entanto, se qualquer outra pessoa se sentar aqui... — Ele estalou a língua. — A magia do trono pode ser uma maldição terrível. *Eu* jamais arriscaria se isso não fosse uma ilusão. Mas seu pai arriscou. Foi seu único momento de rebeldia. — Loki comeu outra jujuba. — Eu sempre o admirei por isso.

— E?

— E em vez de ver o que buscava, viu o que mais desejava. Isso arruinou a vida dele. Foi por isso que perdeu a espada. Ele... — Loki fez uma careta. — Com licença.

Ele virou a cabeça, suas feições contraídas como se ele fosse espirrar, e soltou um grito de dor. Quando voltou a olhar para mim, suas cicatrizes soltavam filetes de vapor.

— Desculpe — disse ele. — De vez em quando o veneno espirra nos meus olhos.

— O veneno. — Eu me lembrei de uma parte de um mito. — Você matou alguém. Os deuses capturaram e aprisionaram você. Havia algo sobre veneno. Onde você está agora, de verdade?

Ele me deu aquele sorriso torto.

— Onde sempre estou. Os deuses me deixaram, ah, devidamente confinado. Mas isso não é importante. Ainda posso projetar parte da minha essência de tempos em tempos, como estou fazendo agora, para falar com meus melhores amigos!

— Não é porque você está usando uma camisa do Sox que somos amigos.

— Isso me magoou! — Os olhos dele brilharam. — Minha filha Samirah viu alguma coisa em você. Poderíamos nos ajudar mutuamente.

— Você mandou que ela me levasse a Valhala?

— Ah, não. Não foi ideia minha. Você, Magnus Chase, é do interesse de muita gente. Algumas não são tão encantadoras e solícitas como eu.

— Que tal ser encantador e solícito com sua filha? Ela foi expulsa da ordem das valquírias porque me escolheu.

O sorriso dele sumiu.

— Isso aí é com os deuses. Eles também me baniram, e quantas vezes salvei a pele deles? Não se preocupe com Samirah. Ela é forte, vai ficar bem. Estou mais preocupado com *você*.

Um vento frio soprou pelo pavilhão, tão forte que me arrastou alguns centímetros pelo piso de pedra polida.

Loki amassou o saquinho das jujubas.

— Você vai acordar logo. Antes de ir, um conselhinho.

— Acho que não tenho escolha.

— A Espada do Verão — disse Loki. — Quando seu pai se sentou neste trono, o que viu o condenou. Ele se livrou da espada. Entregou-a a seu servo e mensageiro, Skírnir.

Por um momento, voltei para a ponte Longfellow, a espada zumbindo na minha mão como se tentasse se comunicar comigo.

— Tio Randolph mencionou Skírnir — falei. — O descendente dele estava naquele naufrágio.

Loki aplaudiu teatralmente.

— E lá a espada ficou por mil anos, esperando que alguém a reivindicasse, alguém que tivesse o direito de brandi-la.

— Eu.

— Ah, mas você não é o único que pode usá-la. Sabemos o que vai acontecer no Ragnarök. As Nornas já previram nosso destino. Frey... pobre Frey, por causa de suas escolhas, vai morrer nas mãos de Surt. Vai ser perfurado com sua própria espada pelo lorde dos gigantes do fogo.

Senti uma pontada na cabeça, bem no lugar em que o machado do einherji me acertou.

— É por isso que Surt quer a espada. Com ela, ele estará pronto para o Ragnarök.

— Não é só isso. Ele vai usar a espada para deflagrar uma cadeia de eventos que vão adiantar o Juízo Final. Em oito dias, a menos que você o impeça, ele vai soltar meu filho, o Lobo.

— Seu filho...? — Meus braços estavam evaporando. Minha visão ficou turva. Perguntas demais surgiam na minha mente. — Espere aí... você também não está destinado a lutar contra os deuses no Ragnarök?

— Sim, mas isso foi escolha dos *deuses*, não minha. A questão do destino, Magnus, é a seguinte: mesmo que não possamos mudar o cenário, nossas escolhas podem alterar os detalhes. É *assim* que nos rebelamos contra o destino, como deixamos nossa marca. Que escolha você vai fazer?

A imagem dele tremulou. Por um momento, eu o vi estirado em um pedaço de pedra, os punhos e os tornozelos presos com cordas viscosas, o corpo se contorcendo de dor. Depois, o vi em uma cama de hospital, uma médica inclinada sobre ele, tocando delicadamente sua testa. Ela parecia uma versão mais velha de Sam, com mechas do cabelo castanho escapando de uma touca vermelha e a boca tensa de preocupação.

Loki apareceu no trono de novo, limpando açúcar da jujuba que caiu na camisa do Red Sox.

— Não lhe direi o que fazer, Magnus. Essa é a diferença entre mim e os outros deuses. Levantarei apenas a seguinte questão: quando tiver oportunidade de se sentar no trono de Odin, e saiba que esse dia se aproxima, vai procurar o desejo do seu coração, sabendo que ele pode condenar você como condenou seu pai? Pense nisso, filho de Frey. Talvez voltemos a nos falar, se você sobreviver aos próximos oito dias.

Meu sonho mudou. Loki sumiu. Os braseiros explodiram, espirrando carvão quente por toda a plataforma, e o Alto Trono de Odin ardeu em chamas. As nuvens viraram massas de cinzas vulcânicas. Acima do trono em chamas, dois olhos vermelhos apareceram na fumaça.

VOCÊ. A voz de Surt me acertou como um lança-chamas. *TUDO O QUE CONSEGUIU FOI ME ATRASAR. AGORA GARANTIU UMA MORTE MAIS DOLOROSA E PERMANENTE.*

Eu tentei falar alguma coisa. O calor sugou o oxigênio dos meus pulmões. Meus lábios racharam e estouraram como bolhas.

Surt riu.

O LOBO ACHA QUE VOCÊ AINDA PODE SER ÚTIL. EU, NÃO. QUANDO NOS ENCONTRARMOS DE NOVO, VOCÊ VAI QUEIMAR, FILHO DE FREY. TRANSFORMAREI VOCÊ E SEUS AMIGOS EM CARVÃO. VOCÊS VÃO INICIAR O INCÊNDIO QUE VAI QUEIMAR OS NOVE MUNDOS.

A fumaça se adensou. Eu não conseguia respirar, não conseguia enxergar.

Meus olhos se abriram e eu me levantei de repente, ofegante. Estava deitado na minha cama no quarto de hotel. Surt havia sumido. Toquei meu rosto, mas não estava queimado. Não havia nenhum machado enfiado ali. Todos os ferimentos da batalha tinham sumido.

Mesmo assim, meu corpo todo vibrava, alarmado. Senti como se eu tivesse adormecido em cima do trilho do trem e o Acela Express tivesse acabado de passar.

O sonho já estava se apagando da minha mente. Tentei desesperadamente guardar informações específicas: o trono de Odin, Loki e as jujubas, *meu filho, o Lobo*, Surt prometendo queimar os nove mundos. Tentar entender aquilo tudo era ainda mais doloroso do que levar uma machadada na testa.

Alguém bateu à porta.

Pensando que poderia ser um dos meus vizinhos, pulei da cama e corri para atender. Abri a porta e me vi cara a cara com a valquíria Gunilla, e só então percebi que estava de cueca.

O rosto dela ficou rosado. Os músculos do maxilar se contraíram.

— Ah.

— Capitã Gorila. Quanta honra.

Ela se recuperou rapidamente e olhou para mim como se estivesse tentando ativar a visão de raio congelante.

— Magnus Chase, eu, hã... Você ressuscitou com uma velocidade incrível.

Pelo tom, concluí que ela não esperava me encontrar ali. Mas então, por que bateu à porta?

— Eu não estava cronometrando minha ressurreição. Foi rápida?

— Muito. — Ela olhou para trás de mim, talvez procurando alguma coisa. — Temos um tempinho antes do jantar. Talvez eu pudesse levar você para dar um passeio pelo hotel, já que sua valquíria foi dispensada.

— Você quer dizer já que você *fez* com que ela fosse dispensada.

Gunilla levantou as mãos.

— Eu não controlo as Nornas, são elas que decidem nosso destino.

— Isso é tão conveniente. — Eu me lembrei do que Loki dissera: *Nossas escolhas podem alterar os detalhes. É* assim *que nos rebelamos contra o destino.* — E eu? Você, ou melhor, *as Nornas* decidiram meu destino?

Gunilla fez uma careta. Ela estava tensa, pouco à vontade. Havia alguma coisa incomodando, ou até mesmo assustando, aquela garota.

— Os lordes estão discutindo sua situação agora. — Ela soltou o chaveiro do cinto. — Me acompanhe. Vamos conversar. Se eu entender você melhor, talvez possa interceder a seu favor. A não ser, claro, que você queira tentar a sorte sem a minha ajuda. Quem sabe dá certo. Talvez os lordes o coloquem para trabalhar de porteiro por uns séculos. Ou para lavar louça na cozinha.

A última coisa que eu queria era passar bons momentos com Gunilla. Por outro lado, um passeio pelo hotel poderia me mostrar detalhes importantes, como as saídas. E, depois do sonho que tive, não queria ficar sozinho.

Além do mais, eu podia imaginar quanta louça sobrava para lavar depois de três rodadas de jantar no salão de banquete.

— Aceito o passeio — falei. — Mas primeiro acho que preciso me vestir.

VINTE E UM

Gunilla queima o nariz e isso não tem graça. Talvez só um pouquinho

A **principal coisa que descobri**: Valhala precisava de GPS. Até Gunilla se confundiu nos infinitos corredores, salões de banquetes, jardins e salas.

Em certo ponto, estávamos em um elevador de serviço quando a valquíria anunciou:

— Aqui fica a praça de alimentação.

As portas se abriram e fomos envolvidos por uma parede de chamas.

Meu coração quase saiu pela boca. Achei que Surt tivesse me encontrado. Gunilla gritou e cambaleou para trás. Apertei botões aleatórios até a porta fechar. Tentei como pude apagar as chamas do vestido dela.

— Você está bem?

Minha pulsação disparou. Os braços de Gunilla estavam vermelhos e soltando fumaça.

— A pele vai cicatrizar — disse ela. — Meu orgulho, talvez não. Aquilo... aquilo era Muspellheim, e não a praça de alimentação.

Eu me perguntei se Surt, de alguma forma, tinha planejado nosso pequeno desvio ou se as portas do elevador em Valhala costumavam mesmo se abrir no reino de fogo de vez em quando. Eu não sabia o que era mais perturbador.

Pela tensão na voz de Gunilla dava para perceber que ela estava sentindo muita dor. Eu me lembrei de quando estava ao lado de Mallory Keen na batalha no momento em que ela morreu; eu havia conseguido sentir o ferimento e que podia tê-lo curado se houvesse mais tempo.

Ajoelhei-me ao lado da valquíria.

— Posso?

— O que você...?

Toquei no antebraço dela.

Meus dedos começaram a soltar fumaça, puxando o calor da pele dela. A vermelhidão sumiu. As queimaduras desapareceram. Até a ponta queimada do nariz se curou.

Gunilla ficou me encarando, como se tivessem surgido chifres na minha cabeça.

— Como você...? Você não se queimou. Como?

— Não sei. — Minha cabeça girava de exaustão. — Sorte? Alimentação saudável?

Tentei me levantar, mas desabei na mesma hora.

— Opa, filho de Frey. — Gunilla segurou meu braço.

As portas do elevador se abriram de novo. Dessa vez, foi mesmo em uma praça de alimentação. Os aromas de frango com limão e de pizza chegaram até nós.

— Vamos continuar andando — disse Gunilla. — Para aliviar sua mente.

Recebemos olhares tortos enquanto andávamos pela praça de alimentação, eu apoiado na capitã das valquírias e o vestido dela fumegando e esfarrapado.

Viramos em um corredor com salas de reunião. Em uma delas, um cara de armadura de couro com rebites fazia uma apresentação em PowerPoint para doze guerreiros explicando os pontos fracos dos trolls das montanhas.

Algumas portas depois, valquírias de chapeuzinhos de festa cintilantes conversavam, comendo bolo e sorvete. A velinha de aniversário tinha a forma do número quinhentos.

— Acho que estou bem agora — falei para Gunilla. — Obrigado.

Cambaleei um pouco, mas consegui me manter de pé.

— Sua capacidade de cura é impressionante — disse Gunilla. — Frey é o deus da abundância e da fertilidade, do crescimento e da vitalidade. Acho que isso explica tudo. Mesmo assim, nunca vi um einherji que se curasse tão depressa, e nem que curasse os outros.

— Sei tanto sobre isso quanto você.

Normalmente, tenho dificuldades até de tirar um Band-Aid.

— E sua imunidade ao fogo?

Eu me concentrei na estampa do tapete e em colocar um pé na frente do outro. Estava conseguindo andar, mas cuidar das queimaduras de Gunilla havia me deixado tão debilitado quanto se eu estivesse me recuperando de uma pneumonia grave.

— Acho que não é exatamente imunidade ao fogo. Já me queimei antes. Mas... tenho uma tolerância muito grande a temperaturas extremas. Ao frio. Ao calor. A mesma coisa aconteceu na ponte Longfellow, quando entrei no meio das chamas... — Minha voz falhou. Lembrei que Gunilla tinha editado o vídeo e que por causa disso eu tinha feito papel de idiota. — Mas acho que você já sabe disso.

Acho que Gunilla não percebeu o sarcasmo. Estava brincando distraidamente com um dos martelos no cinto, como se fosse um gatinho.

— Talvez... No começo da criação, só existiam dois mundos: Muspellheim e Niflheim, fogo e gelo. A vida surgiu entre esses dois extremos. Frey é o deus dos climas moderados e da colheita. Representa o terreno do meio. Talvez por isso você consiga resistir ao calor e ao frio. — Ela balançou a cabeça. — Não sei, Magnus Chase. Faz muito tempo que não encontro um filho de Frey.

— Por quê? Não temos permissão para ficar em Valhala?

— Ah, temos alguns filhos de Frey dos tempos antigos. Os reis da Suécia eram descendentes dele, por exemplo. Mas não vemos um filho dele novo em Valhala há séculos. Frey é um vanir, para começo de conversa.

— Isso é ruim? Surt me chamou de *cria de vanir*.

— Aquele não era Surt.

Lembrei do meu sonho: aqueles olhos brilhantes na fumaça.

— *Era* Surt.

Gunilla olhou para mim como se quisesse argumentar, mas deixou pra lá.

— Seja lá qual for o caso, os deuses se dividem em dois clãs. Os aesires em geral são os deuses da guerra: Odin, Thor, Tyr e alguns outros. Os vanires são os deuses da natureza: Frey, Freya e o pai deles, Njord. Estou resumindo, mas, de qualquer modo, há muito tempo houve uma guerra entre os dois clãs. Eles quase destruíram os nove mundos, mas acabaram acertando as diferenças. Casaram entre si, unindo forças contra um inimigo em comum: os gigantes. Mesmo assim, continuam sendo clãs diferentes. Alguns vanires têm palácios em Asgard, que pertence aos deuses aesires, mas os vanires também têm seu próprio mundo, Vanaheim. Quando o filho de um vanir morre bravamente, não costuma vir para Valhala. É mais comum que vá para a pós-vida dos vanires, supervisionada pela deusa Freya.

Demorei um minuto para absorver tudo. Clãs de deuses. Guerras. Sei lá. Mas aquela última parte, *a pós-vida dos vanires*...

— Quer dizer que tem outro lugar como Valhala, só que para os filhos de vanires, e que eu não estou lá? E se minha mãe tiver ido para lá? E se eu devesse ter ido...

Gunilla segurou meu braço. Os olhos azuis estavam intensos de raiva.

— Isso mesmo, Magnus. Pense no que Samirah al-Abbas fez. Não estou dizendo que *todos* os filhos de vanir vão para Fólkvangr...

— Para um Volkswagen?

— *Fólkvangr*. É o nome do salão dos mortos de Freya.

— Ah.

— O que quero dizer é que você poderia ter ido pra lá. Teria sido mais provável até. Metade dos mortos honrados vem para Odin. A outra metade vai para Freya. Foi parte do acordo que encerrou a guerra dos deuses, éons atrás. Então por que Samirah trouxe você para cá? *Escolhido por engano, não era sua hora*. Ela é filha de Loki, a origem de todo o mal. Não é confiável.

Eu não sabia o que dizer. Não conhecia Samirah havia tanto tempo, mas ela parecia legal. É claro que o pai dela, Loki, também...

— Você pode não acreditar — disse Gunilla —, mas estou lhe dando o benefício da dúvida. Acho que você pode ser inocente nos planos de Samirah.

— Que planos?

Ela soltou uma risada amarga.

— De antecipar o Juízo Final, claro. De trazer a guerra antes de estarmos prontos. É o desejo de Loki.

Fiquei com vontade de argumentar dizendo que Loki havia me contado outra coisa. Ele parecia mais interessado em *impedir* Surt de pegar a espada do meu pai... Mas cheguei à conclusão de que não seria sábio revelar a Gunilla que eu andava tendo conversinhas com a origem de todo o mal.

— Se você odeia Sam tanto assim, por que deixou que ela virasse uma valquíria?

— A decisão não foi minha. Eu supervisiono as valquírias, mas é Odin quem as escolhe. Samirah al-Abbas foi a última que ele escolheu, dois anos atrás, em circunstâncias... incomuns. O Pai de Todos não aparece em Valhala desde então.

— Você acha que Sam o matou?

Era uma piada, mas Gunilla pareceu considerar a possibilidade.

— Acho que Samirah jamais deveria ter sido escolhida como valquíria. Na minha opinião ela está a serviço do pai, para espionar e sabotar. Expulsá-la de Valhala foi a melhor coisa que eu fiz.

— Uau.

— Magnus, você não conhece aquela garota. Outro filho de Loki já esteve aqui. Ele... não era o que parecia. Ele... — Gunilla hesitou. Sua expressão revelava que ela havia sido gravemente magoada. — Não importa. Jurei a mim mesma que não seria enganada de novo. Pretendo atrasar o Ragnarök o máximo possível.

O medo tinha voltado à sua voz. Ela não parecia a filha de um deus da guerra.

— Por quê? — perguntei. — Não é para o Ragnarök que vocês estão treinando? É tipo a grande festa de formatura.

— Você não entende. Venha comigo. Tem uma coisa que preciso mostrar. Vamos pela loja de presentes.

Quando ela disse *loja de presentes*, imaginei um armarinho glorificado vendendo souvenires baratos de Valhala. Mas, na verdade, era uma mistura de loja de departamentos de cinco andares com uma feira de convenções. Passamos por um supermercado, por uma butique com a última moda viking e um outlet da IKEA (óbvio).

A maior parte do piso do showroom era um labirinto de barracas, quiosques e oficinas. Sujeitos barbudos com aventais de couro ficavam em frente às forjas oferecendo amostras de pontas de flechas. Havia mercadores especializados em escudos, lanças, arcos, elmos e canecas (muitas e muitas canecas). Muitas barracas maiores tinham barcos em tamanho real à venda.

Bati no casco de um barco de guerra de dezoito metros.

— Acho que isso não caberia na minha banheira.

— Temos vários lagos e rios em Valhala — explicou Gunilla. — Tem também a Experiência de Rafting em Corredeiras no décimo segundo andar. Todos os einherjar devem saber lutar tanto no mar quanto na terra.

Apontei para uma arena de equitação, onde doze cavalos estavam presos.

— E aquilo? Dá para cavalgar pelos corredores?

— Claro — disse Gunilla. — Somos receptivos aos animais. Mas repare em como temos poucas armas, Magnus. E armaduras.

— Você está brincando, não é? Este lugar tem *milhares* de armas à venda.

— Não o bastante — retrucou Gunilla. — Não para o Ragnarök.

Ela me levou pelo corredor de Badulaques Nórdicos até uma porta grande de ferro com uma placa: SOMENTE PESSOAL AUTORIZADO.

Enfiou uma de suas chaves na fechadura.

— Não mostro isso para muita gente. É perturbador demais.

— Não é outra parede de fogo, é?

— Pior.

Por trás da porta, havia uma escadaria. Depois outra. Depois outra. Quando chegamos ao topo, eu tinha perdido a conta de quantos lances foram. Minhas novas pernas versão einherji estavam tão firmes quanto macarrão cozido.

Finalmente, chegamos a uma varanda estreita.

— Esta — disse Gunilla — é minha vista favorita.

Não consegui responder. Estava ocupado demais tentando não morrer de vertigem.

A varanda contornava a abertura no telhado acima do Salão dos Mortos. Os galhos mais altos da árvore Laeradr projetavam-se sobre ela, formando um domo verde do tamanho do globo do Epcot Center. Dentro, bem lá embaixo, funcionários do hotel corriam entre as mesas como cupins, com os preparativos do jantar.

O telhado de Valhala inclinava-se para baixo a partir da varanda. Era uma estrutura de palha e escudos de ouro brilhando em vermelho no sol do fim de tarde. A sensação era que eu estava na superfície de um planeta de metal.

— Por que você não mostra isso para as pessoas? É... bem, é intimidante, mas também é lindo.

— Aqui.

Gunilla me levou para um ponto onde era possível olhar para baixo para as duas partes do telhado.

Tive a sensação de que meus globos oculares iam implodir. Lembrei de uma aula de ciências no sexto ano, o professor explicava que a Terra era imensa mas nem se comparava ao sistema solar, que por sua vez era ínfimo em relação à galáxia etc. etc., até que me senti tão insignificante quanto uma manchinha no sovaco de uma pulga.

Ao redor de Valhala, brilhando até o horizonte, havia uma cidade de palácios; cada um tão grande e impressionante quanto o hotel.

— Asgard — disse Gunilla. — O reino dos deuses.

Vi telhados feitos totalmente de lingotes de prata, portas de bronze grandes o bastante para suportar um bombardeiro, torres largas de pedra que chegavam às nuvens. As ruas eram pavimentadas em ouro. Os jardins era tão grandes quanto o Boston Harbor. E a cidade era rodeada por muralhas brancas que faziam a Grande Muralha da China parecer um cercadinho de bebê.

Até onde eu podia ver, a avenida mais larga da cidade passava por um portão na muralha. Do outro lado, o asfalto se dissolvia em luz multicolorida, uma estrada de fogo prismático.

— Bifrost — disse Gunilla. — A ponte arco-íris que leva de Asgard a Midgard.

Eu já tinha ouvido falar da ponte Bifrost. No meu livro de mitologia, a ponte era retratada como um arco de sete cores pastel com coelhinhos felizes dançando ao redor da base. A ponte que eu via não tinha coelhos felizes. Era apavorante. Estava para um arco-íris assim como um cogumelo estava para uma explosão nuclear.

— Só os deuses podem atravessar — disse Gunilla. — Qualquer outra pessoa pegaria fogo na hora que botasse o pé ali.

— Mas... estamos *em* Asgard?

— Claro. Valhala é um dos salões de Odin. É por isso que, dentro do hotel, os einherjar são imortais.

— Então podemos descer lá e ver os deuses, vender biscoitos de porta em porta e tal?

Gunilla curvou o lábio.

— Mesmo olhando para Asgard, você não tem senso de reverência.

— Não, não tenho.

— Não podemos visitar a cidade dos deuses sem a permissão de Odin, pelo menos até o Ragnarök, quando vamos defender os portões.

— Mas você voa.

— É proibido ir lá. Se tentasse, eu cairia. Você não está entendendo, Magnus. Olha de novo para a cidade. Não consegue perceber nada?

Observei o lugar, tentando enxergar além de toda a prata e ouro e da arquitetura gigantesca e assustadora. Em uma janela, cortinas caras estavam em frangalhos. Nas ruas, braseiros estavam vazios e frios. Em um jardim, a vegetação estava tão alta que cobria as estátuas. As ruas, desertas. Nenhum fogo ardia nas janelas.

— Onde está todo mundo? — perguntei.

— Exatamente. Eu não venderia muito biscoito por lá.

— Você quer dizer que os deuses *foram embora*?

Gunilla se virou para mim, os martelos brilhando no pôr do sol laranja.

— Alguns talvez estejam dormindo. Alguns, vagando pelos nove mundos. Outros ainda aparecem de vez em quando. O fato é que não sabemos o que está acontecendo. Estou em Valhala há quinhentos anos e nunca vi os deuses tão quietos, tão inativos. Os últimos dois anos...

Ela puxou uma folha de um dos galhos de Laeradr.

— Há dois anos, alguma coisa mudou. As valquírias e os lordes sentiram. As barreiras entre os nove mundos começaram a enfraquecer. Invasões dos gigantes do gelo e do fogo a Midgard se tornaram mais frequentes. Monstros de Helheim entraram nos mundos dos vivos. Os deuses ficaram distantes e silenciosos. Isso foi mais ou menos na época em que Samirah se tornou valquíria, a última vez que vimos Odin. Foi também quando sua mãe morreu.

Um corvo sobrevoou o lugar onde estávamos. Em seguida, dois se juntaram a ele. Pensei na minha mãe, ela brincava dizendo que aves de rapina nos seguiam quando estávamos caminhando. *Acham que estamos mortos. Rápido, comece a dançar!*

Naquele momento, não fiquei com vontade de dançar. Queria pegar os martelos de Gunilla e derrubar aqueles pássaros.

— Você acha que essas coisas estão relacionadas? — perguntei.

— Só sei que... não estamos nada preparados para o Ragnarök. Aí, *você* chega. As Nornas dão avisos terríveis, chamam você de Arauto do Lobo. Isso não é bom, Magnus. Samirah al-Abbas talvez estivesse de olho em você por anos, esperando o momento certo de jogá-lo em Valhala.

— *Jogá-lo?*

— Aqueles seus dois amigos na ponte, os que vinham monitorando você desde que virou morador de rua, talvez estivessem trabalhando com ela.

— Você está falando de Blitz e Hearth? Eles são mendigos.

— São mesmo? Não é estranho terem cuidado tão bem de você?

Eu queria mandar aquela garota para Helheim, mas Blitz e Hearth *sempre* pareceram meio... incomuns. Por outro lado, quando se mora nas ruas, a definição de comum fica meio indefinida.

Gunilla segurou meu braço.

— Magnus, a princípio, não acreditei, mas se *era* Surt na ponte, se você encontrou *mesmo* a Espada do Verão... está sendo usado por forças do mal. Se Samirah al-Abbas quer que você pegue a espada, é exatamente isso o que você *não* pode fazer. Fique em Valhala. Deixe que os lordes lidem com essa profecia. Se prometer que vai fazer isso, eu intercederei a seu favor. Vou convencer os lordes de que você é de confiança.

— Senão?

— Só direi uma coisa: até amanhã de manhã, os lordes vão anunciar a decisão sobre seu destino. Se *não* pudermos confiar em você, vamos ter que tomar certas precauções. Temos que saber de que lado você está.

Olhei para as ruas douradas vazias. Pensei em Samirah al-Abbas me arrastando pelo abismo frio, colocando a carreira em risco porque achava que eu era valente. *Você tem potencial, Magnus Chase.* Não *prove que estou errada*. Depois, foi vaporizada no salão de banquete graças à filmagem editada de Gunilla.

Puxei o braço.

— Você disse que Frey é o terreno intermediário entre fogo e gelo. Talvez a questão aqui não seja escolher lados. Talvez eu não queira escolher um extremo.

A expressão de Gunilla ficou sombria como uma tempestade.

— Posso ser uma inimiga poderosa, Magnus Chase. Só vou avisar uma vez: se seguir os planos de Loki, se antecipar o Ragnarök, vou destruir você.

Tentei encará-la e ignorar meu coração pulando no peito.

— Pode deixar.

Abaixo de nós, a corneta do jantar ecoou pelo salão de banquete.

— O passeio acabou — anunciou Gunilla. — Daqui pra frente, Magnus Chase, você segue sozinho.

Ela pulou da varanda e voou pelos galhos, me deixando ali para encontrar o caminho. Sem GPS.

VINTE E DOIS

Meus amigos caem de uma árvore

FELIZMENTE, UM BERSERKER SIMPÁTICO me encontrou andando pelo spa no centésimo décimo segundo andar. Ele tinha acabado de fazer as unhas do pé ("Não é porque você mata pessoas que seus pés também devem matar!") e ficou feliz em me guiar até os elevadores.

Quando cheguei ao Salão de Banquete, o jantar já tinha começado. Naveguei na direção de X, que era fácil de encontrar mesmo no meio da multidão, e me juntei aos meus colegas do andar dezenove.

Trocamos histórias sobre a batalha da manhã.

— Eu soube que você usou *álfar seidr*! — disse Mestiço. — Impressionante!

Eu quase tinha esquecido a explosão de energia que derrubou as armas de todo mundo.

— É, hã... o que exatamente é *álfar seidr*?

— Magia de elfos — contou Mallory. — Magia sorrateira dos vanires, truques indignos a um verdadeiro guerreiro. — Ela me deu um soco no braço. — Já estou gostando mais de você.

Tentei dar um sorriso, mas não sabia bem como tinha conseguido fazer magia élfica. Até onde sabia, eu não era um elfo. Pensei na minha resistência a temperaturas extremas e como curei Gunilla no elevador... aquilo também era *álfar seidr*? Talvez fosse por eu ser filho de Frey, embora não entendesse qual era a relação dos poderes.

T.J. me elogiou por tomar o cume da colina. X me elogiou por ficar vivo por mais de cinco minutos.

Era bom me sentir parte do grupo, mas não prestei muita atenção à conversa. Minha cabeça ainda estava zumbindo por causa da visita guiada com Gunilla e do sonho com Loki no trono de Odin.

Na mesa principal, Gunilla de vez em quando murmurava alguma coisa para Helgi, e o gerente olhava de cara feia para mim. Fiquei esperando que me chamasse e me mandasse descascar uvas com Hunding, mas acho que ele estava pensando em alguma punição melhor.

Amanhã de manhã, avisara Gunilla, *vamos ter que tomar certas precauções.*

Ao fim do jantar, dois novatos foram receber as boas-vindas a Valhala. Os vídeos deles eram apropriadamente heroicos. Nenhuma Norna apareceu. Nenhuma valquíria foi banida em desgraça. Nenhuma bunda foi atingida por flechas de plástico.

Conforme a multidão foi saindo do Salão de Banquete, T.J. me deu um tapa no ombro.

— Descanse um pouco. Amanhã teremos outra morte gloriosa!

— Viva... — falei.

No quarto, não consegui dormir. Passei horas andando de um lado para outro como um animal enjaulado. Estava ansioso para o julgamento dos lordes de manhã. Já tinha visto o quanto eram justos quando exilaram Sam.

Mas que escolha eu tinha? Sair me esgueirando pelo hotel, abrindo portas aleatoriamente, torcendo para encontrar uma que me levasse de volta a Boston? Mesmo que conseguisse, não havia garantia de que eu teria permissão de voltar para minha vida luxuosa de mendigo. Gunilla ou Surt ou algum outro monstro nórdico poderia me encontrar de novo.

Temos que saber de que lado você está, dissera Gunilla.

Eu estava do *meu* lado. Não queria me meter nessa história de Juízo Final viking, mas alguma coisa me dizia que já era tarde demais. Minha mãe tinha morrido dois anos antes, por volta da mesma época em que um bando de outras coisas ruins estava acontecendo nos nove mundos. Com a minha sorte, devia haver uma ligação. Se eu queria justiça para minha mãe — se queria descobrir o que aconteceu com ela —, não podia voltar a me esconder debaixo de uma ponte.

Mas também não podia ficar em Valhala, tendo aulas de sueco e vendo apresentações de PowerPoint sobre como matar trolls.

Por volta das cinco da manhã, desisti de tentar dormir. Fui até o banheiro lavar o rosto. Havia toalhas limpas penduradas no suporte. O buraco na parede tinha sumido. Eu me perguntei se foi consertado por magia ou se os lordes deram como punição para algum pobre coitado a tarefa de fazer isso. Talvez amanhã fosse eu quem estivesse consertando buracos na parede.

Andei até o átrio e olhei para as estrelas em meio aos galhos das árvores. Eu me perguntei para que céu estava olhando, para que mundo, que constelações.

Os galhos balançaram. Uma forma escura humanoide despencou da árvore. Caiu aos meus pés com um baque horrível.

— AI! — gritou ele. — Gravidade idiota!

Meu velho amigo Blitz estava caído de costas, gemendo e segurando o braço esquerdo.

Uma segunda pessoa pousou de leve na grama: Hearth, vestido com as roupas pretas de couro e o cachecol listrado de sempre. Ele fez um sinal: *Oi*.

Eu olhei para eles.

— O que vocês...? Como vocês...?

Então sorri. Nunca fiquei tão feliz em ver alguém.

— Braço! — gritou Blitz. — Quebrado!

— Certo. — Eu me ajoelhei e tentei me concentrar. — Talvez eu consiga curar isso.

— *Talvez?*

— Espere... o que aconteceu com você e suas roupas?

— Você está perguntando sobre minhas *roupas*?

— É, tipo isso.

Eu nunca tinha visto Blitz tão arrumado. O cabelo caótico estava lavado e penteado para trás. A barba fora aparada. A monocelha tinha sido depilada. Só o nariz em zigue-zague não tinha sido cosmeticamente corrigido.

Quanto às roupas, ele aparentemente havia roubado várias butiques chiques da rua Newbury. As botas eram de couro de crocodilo. O terno preto de lã era cortado de forma a se ajustar ao corpo robusto de um metro e sessenta de altura e combinava bem com sua pele escura. Por baixo do paletó, ele usava um colete estampado grafite com um relógio de bolso dourado, uma camisa turquesa e uma gravata de cordão. Blitz parecia um caubói caçador de recompensas afro-americano baixinho e muito elegante.

Hearth bateu palmas para chamar minha atenção. Ele sinalizou: *Braço. Conserta?*

— Certo. Desculpe.

Toquei o antebraço de Blitz com delicadeza. Consegui sentir a fratura por baixo da pele. Desejei que se consertasse. *Clique.* Ele deu um berro quando o osso voltou para o lugar.

— Experimente agora.

Blitz moveu o braço. A expressão dele mudou de dor para surpresa.

— Deu certo mesmo!

Hearth parecia ainda mais chocado. Ele sinalizou: *Magia? Como?*

— Também gostaria de saber — falei. — Rapazes, não me entendam mal, estou muito feliz em ver vocês, mas por que estão caindo das minhas árvores?

— Garoto — falou Blitz —, nas últimas vinte e quatro horas, andamos por toda a Árvore do Mundo procurando por você. Achamos que tínhamos encontrado o quarto certo ontem à noite, mas...

— Acho que talvez tenham encontrado mesmo — interrompi. — Antes do amanhecer, ouvi alguém andando pelos galhos.

Blitz se virou para Hearth.

— Eu *falei* que era o quarto certo!

Hearth revirou os olhos e fez sinais rápidos demais para eu conseguir ler.

— Ah, por favor — respondeu Blitz. — Sua ideia, minha ideia, não importa. A questão é que estamos aqui e que Magnus está vivo! Bem... tecnicamente, está morto. Mas está vivo. O que quer dizer que o chefe talvez não mate a gente!

— O chefe? — perguntei.

Blitz ficou com um tique nos olhos.

— É. Temos uma confissão a fazer.

— Vocês não são mendigos de verdade. Ontem à noite, um dos lordes viu vocês em um vídeo e...

Vídeo?, disse Hearth em linguagem de sinais.

— É. Visão das Valquírias. Enfim, esse lorde chamou vocês de anão e elfo. Imagino que — apontei para Blitz — você seja o anão?

— Típico — resmungou ele. — Você supõe que eu seja o anão porque sou baixo.

— Então você não é o anão?

Ele suspirou.

— É. Eu sou o anão.

— E você é...

Olhei para Hearth, mas não consegui falar em voz alta. Andei com aquele cara durante dois anos. Ele me ensinou palavrões em linguagem de sinais. Nós comemos burritos tirados de latas de lixo. Que tipo de elfo faz isso?

E-L-F-O. Hearth fez um sinal para cada letra. *Às vezes, é escrito Á-L-F--A-R.*

— Mas... vocês não são tão diferentes dos humanos.

— Na verdade — disse Blitz —, são os humanos que não são tão diferentes de nós.

— Não consigo acreditar que estou tendo essa conversa, mas você não é *tão* pequeno. Tipo, para um anão. Dá para se passar por um humano baixinho.

— E é o que tenho feito por dois anos. Existem anões de tamanhos diferentes, assim como os humanos. Por acaso, sou um *svartalfar*.

— Um smartphone elfo?

— Ah! Limpe os ouvidos, garoto. Um svartalfar. Quer dizer elfo negro. Sou de Svartalfaheim.

— Hã, pensei que você tivesse acabado de dizer que é um anão.

— Elfos negros não são elfos. É... Como se chama? Um termo impróprio. Somos um subgrupo dos anões.

— Ah, isso esclarece muita coisa.

Hearth abriu um leve sorriso, o que, para ele, era o equivalente a rolar no chão de tanto rir. Ele sinalizou: *smartphone elfo*.

Blitz o ignorou.

— Svartalfar costumam ser mais altos do que a média dos anões de Nídavellir. Além do mais, somos bem mais bonitos. Mas isso não é importante agora. Hearthstone e eu estamos aqui para ajudar você.

— Hearthstone?

Hearth assentiu. *Meu nome completo. O dele é B-L-I-T-Z-E-N.*

— Garoto, não temos muito tempo. Passamos os últimos dois anos de olho em você para mantê-lo em segurança.

— Para o seu chefe.

— Exato.

— E quem é ele?

— Isso é... confidencial. Mas é um dos mocinhos. É o chefe de uma organização dedicada a atrasar o Ragnarök o máximo possível. E você, meu amigo, é seu projeto mais importante.

— Então, é só um palpite, mas... vocês estão trabalhando para Loki?

Blitzen ficou ultrajado. Hearth sinalizou um dos palavrões que tinha me ensinado.

— Isso foi desnecessário, garoto. — Blitzen parecia mesmo magoado. — Eu me vesti como um mendigo todos os dias por dois anos por você. Deixei minha higiene pessoal ir para Helheim. Sabe quanto tempo eu tinha que ficar na banheira de espuma todas as manhãs para tirar o *cheiro*?

— Desculpe. Então... vocês estão trabalhando com Samirah, a valquíria?

Hearthstone fez outro sinal de palavrão. *A que levou você? Não. Ela tornou as coisas mais difíceis para nós.*

Na verdade, os sinais estavam mais para: *ELA. LEVOU. VOCÊ. TORNOU. DIFÍCIL. NÓS.* Mas eu já estava ótimo em interpretação.

— Você não devia ter morrido, garoto — disse Blitzen. — Nosso trabalho era proteger você. Mas agora... bem, você é um einherji. Talvez ainda possamos fazer isso dar certo. Temos que tirar você daqui. Temos que encontrar a espada.

— Tudo bem.

— Não discuta comigo — disse Blitzen. — Sei que você está gostando do paraíso dos guerreiros e que tudo é muito novo e empolgante...

— Blitz, vamos logo.

O anão olhou para mim sem entender.

— Mas eu tinha o discurso todo preparado.

— Não precisa. Eu confio em vocês.

Sabem o que era estranho? Eu estava falando a verdade.

Talvez Blitzen e Hearthstone fossem stalkers profissionais que estavam de olho em mim para uma organização secreta anti-Ragnarök. Talvez a ideia deles de me proteger envolvesse atacar o lorde dos gigantes do fogo com brinquedos de plástico baratos. Talvez os dois nem fossem da mesma espécie que eu.

Mas eles ficaram comigo quando eu estava na rua. Eram meus melhores amigos. Sim... minha vida era esquisita assim.

— Muito bem, então. — Blitzen limpou a grama do colete. — Vamos voltar pela Árvore do Mundo antes que...

De algum ponto lá em cima, um *au!* explosivo reverberou pelo quarto. Parecia um boston terrier raivoso de mais de dois mil e quinhentos quilos se engasgando com um osso de mamute.

Hearthstone arregalou os olhos. O som foi tão alto que ele devia ter sentido as vibrações pelos sapatos.

— Pelos deuses! — Blitzen agarrou meu braço. Junto com Hearthstone, ele me puxou para longe do átrio. — Garoto, me diga que sabe outro caminho para sairmos do hotel. Porque nós *não vamos* pela árvore.

Outro *au!* sacudiu o quarto. Galhos partidos caíram no chão.

— O q-que tem lá em cima? — perguntei, com os joelhos bambos. Pensei na profecia das Nornas, que me chamou de arauto do mal. — É... o Lobo?

— Ah, muito pior — respondeu Blitzen. — É o Esquilo.

VINTE E TRÊS

Eu me reciclo

Quando alguém diz: *É o Esquilo*, você não faz perguntas. Só corre. O latido já me deixou suficientemente apavorado.

Peguei a espada fornecida pelo hotel antes de sair do quarto. Como ainda usava o pijama de seda verde de Valhala, eu duvidava que fosse precisar dela. Se tivesse que lutar com alguém, a pessoa morreria de rir antes mesmo de eu sacar a espada.

Saímos para o corredor e encontramos T.J. e Mallory, com cara de sono e vestidos apressadamente.

— Que som foi aquele? — Mallory me olhou com irritação. — Por que um anão e um elfo estavam no seu quarto?

— ESQUILO! — gritou Blitzen, batendo a porta do meu quarto.

Hearth disse a mesma coisa em linguagem de sinais, um gesto perturbador que parecia um par de mandíbulas triturando carne.

T.J. parecia ter levado um tapa na cara.

— Magnus, o que você fez?

— Eu preciso sair do hotel. *Agora*. Por favor, não nos impeçam.

Mallory falou um palavrão no que devia ser gaélico. Nosso pequeno grupo era uma genuína Organização em Prol dos Palavrões.

— Nós não vamos impedir você — disse ela. — Isso vai nos fazer trabalhar na lavanderia por décadas, mas vamos ajudar.

Eu a encarei.

— Por quê? Você me conhece há menos de um dia.

— O bastante para saber que você é um idiota — resmungou ela.

— O que Mallory está tentando dizer — explicou T.J. — é que colegas de corredor sempre se ajudam. Vamos ajudar na sua fuga.

A porta do meu quarto tremeu. Rachaduras surgiram na placa com o meu nome. Uma lança decorativa caiu da parede do corredor.

— X! — chamou T.J. — Precisamos de ajuda!

A porta do meio troll explodiu nas dobradiças. X marchou até o corredor como se estivesse de pé do lado de dentro, pronto para a ação.

— Chamou?

T.J apontou.

— A porta de Magnus. Esquilo.

— Tudo bem.

X foi até lá e escorou a porta com as costas. Ela balançou de novo, mas X segurou com firmeza. Um latido furioso ecoou lá de dentro.

Mestiço Gunderson saiu cambaleando do quarto, usando apenas uma cueca boxer com carinhas felizes e segurando os machados de lâmina dupla.

— O que está acontecendo? — Ele olhou de cara feia para Blitz e Hearth. — Devo matar o anão e o elfo?

— Não! — gritou Blitzen. — Não mate o anão e o elfo!

— Eles estão comigo — falei. — Estamos de saída.

— Esquilo — explicou T.J.

As sobrancelhas peludas de Mestiço se arquearam.

— Esquilo, tipo, *esquilo* esquilo?

— *Esquilo* esquilo — concordou Mallory. — E estou cercada de imbecis *imbecis*.

Um corvo surgiu voando pelo corredor. Pousou no suporte de luz mais próximo e grasniu para mim de forma acusatória.

— Ah, que ótimo. — Mallory fez uma careta. — Os corvos sentiram a invasão dos seus amigos. Isso quer dizer que as valquírias devem estar chegando.

Da direção dos elevadores, alguns uivos soaram no ar.

— E esses são os lobos de Odin — disse Mestiço. — São muito simpáticos se você não estiver invadindo nem saindo do hotel sem permissão. Se for esse o caso, eles fazem picadinho de você.

Um gritinho nada masculino começou a subir pela minha garganta. Eu conseguia aceitar ser morto por um esquilo, por um exército de valquírias ou até por outra machadada na testa, mas não por lobos. Minhas pernas ameaçaram virar gelatina.

— Blitz e Hearth — minha voz estava trêmula —, tem algum alarme que vocês *não* dispararam?

Não é justo, sinalizou Hearth. *Nós evitamos as minas nas árvores.*

— Minas nas árvores?

Eu não sabia se tinha entendido direito.

Mestiço Gunderson ergueu o machado.

— Vou atrapalhar os lobos. Boa sorte, Magnus!

Ele saiu correndo pelo corredor gritando "MORRAM!" enquanto as carinhas felizes tremiam na cueca boxer.

O rosto de Mallory ficou vermelho, mas eu não sabia se de constrangimento ou satisfação.

— Vou ficar com X para o caso de o esquilo conseguir passar — disse ela. — T.J., leve-os para a reciclagem.

— Está bem.

— *Reciclagem?* — perguntou Blitz.

Mallory puxou a espada.

— Magnus, não posso dizer que foi um prazer. Você é um pé no *nári*. Agora, dê o fora.

A porta do meu quarto balançou de novo. Reboco caiu do teto.

— O esquilo é forte — resmungou X. — Andem logo.

T.J. prendeu a baioneta.

— Vamos.

Ele nos levou pelo corredor, com a jaqueta azul da União por cima do pijama. Tive a sensação de que ele dormia com aquela jaqueta. Atrás de nós, lobos uivaram e Mestiço Gunderson berrou algo em nórdico arcaico.

Enquanto corríamos, alguns einherjar abriram as portas para ver o que estava acontecendo. Quando viam T.J. com a baioneta, voltavam para dentro.

Esquerda, direita, direita, esquerda... perdi a conta de quantas vezes viramos em um corredor. Outro corvo passou voando e grasnindo com irritação. Tentei dar um tapa nele.

— Não faça isso — avisou T.J. — Eles são sagrados para Odin.

Estávamos passando por uma bifurcação no corredor quando uma voz gritou:

— MAGNUS!

Cometi o erro de olhar.

À nossa esquerda, a uns quinze metros, estava Gunilla usando armadura completa e segurando um machado em cada mão.

— Se der mais um passo — rosnou ela —, vou acabar com você.

T.J. olhou para mim.

— Vocês três, continuem. Na próxima virada à direita, tem um duto com uma placa de "reciclagem". Pulem lá dentro.

— Mas...

— Não dá tempo. — T.J. sorriu. — Mate alguns rebeldes por mim, ou monstros, tanto faz.

Ele apontou o rifle para a valquíria e gritou:

— Pela cinquenta e quatro de Massachusetts!

E atacou. Hearth segurou meu braço e me puxou. Blitz encontrou o duto de reciclagem e o abriu.

— VAI, VAI!

Hearthstone mergulhou de cabeça.

— Agora você, garoto — disse o anão.

Hesitei. O cheiro que vinha do duto lembrava meus dias de mergulhar em caçambas de lixo. De repente, os confortos do Hotel Valhala não me pareceram tão ruins.

Então mais lobos uivaram, desta vez mais perto, e eu me reciclei.

VINTE E QUATRO

Vocês só tinham um trabalho

O caso é que Valhala vinha mandando o lixo para reciclagem na base do rebatedor no estádio de beisebol Fenway, o que podia explicar qualquer problema que o Red Sox estivesse tendo com o ataque.

Hearthstone já estava quase de pé quando caí em cima dele, derrubando-o de novo. Blitzen, por sua vez, caiu em cima de mim antes que eu pudesse me levantar também. Eu o empurrei e rolei para o lado, caso mais alguém decidisse cair do céu.

Eu me levantei.

— Por que estamos no parque Fenway?

— Não me pergunte. — Blitzen suspirou, lamentoso. O belo terno de lã parecia ter passado pelo trato digestivo de uma lesma. — As portas de entrada e saída de Valhala são famosas por funcionarem mal. Pelo menos, estamos em Midgard.

Ao redor, havia fileiras de arquibancadas vermelhas vazias e silenciosas, desconfortavelmente parecidas com o Salão de Banquete dos Mortos antes de os einherjar entrarem. O chão do campo estava coberto por pedaços de lona congelados que estalavam sob meus pés.

Deviam ser umas seis da manhã. O céu ao leste estava começando a ficar cinza. Minha respiração soltava fumaça.

— Do que estávamos fugindo? — perguntei. — Que tipo de esquilo mutante...

— Ratatosk — disse Blitz. — A praga da Árvore do Mundo. Qualquer pessoa que ousa subir nos galhos da Yggdrasill mais cedo ou mais tarde precisa encarar o monstro. Considere-se com sorte por termos escapado.

Hearthstone apontou para o amanhecer. Gesticulou: *Sol. Ruim para Blitzen.* Blitz apertou os olhos.

— Você está certo. Depois daquela história na ponte, não consigo mais suportar exposição direta.

— Como assim? — Olhei com mais atenção para o rosto dele. — Você está ficando cinza?

Blitzen desviou o olhar, mas não havia dúvida. As bochechas tinham clareado, estavam cor de argila molhada.

— Garoto, talvez tenha reparado que nunca ando muito com você durante o dia.

— Eu... É. Parecia que Hearth pegava o turno do dia. E você, o da noite.

— Exatamente. Anões são criaturas subterrâneas. A luz do sol é mortal para nós. Mas saiba que não tanto quanto é para os trolls. Consigo aguentar um pouco, mas, se ficar ao ar livre por muito tempo, eu começo a... hã, petrificar.

Lembrei da luta na ponte Longfellow. Blitzen estava usando chapéu de aba larga, sobretudo, luvas e óculos de sol, uma combinação estranha, principalmente com a placa de ABRA CAMINHO PARA OS PATOS.

— Então se você estiver coberto, não tem problema?

— Ajuda um pouco. Roupas grossas, protetor solar, essas coisas. Mas, no momento — apontou para as próprias roupas —, não estou preparado. Deixei meu suprimento em algum lugar da Árvore do Mundo.

Hearthstone gesticulou: *Depois da ponte, as pernas dele viraram pedra. Só voltou a andar à noite.*

Um caroço se formou na minha garganta. A tentativa de Blitz e Hearth de me proteger na ponte Longfellow tinha sido bem ridícula, mas eles *tentaram*. Blitzen arriscou a vida só de estar na rua de dia.

Por mais que eu tivesse perguntas a fazer, por mais confusa que minha vida (morte?) estivesse no momento, saber que Blitzen estava em perigo de novo por minha causa redefiniu minhas prioridades.

— Vamos levar você para algum lugar escuro — falei.

A opção mais simples era o Monstro Verde, o famoso muro da altura de quatro andares para bloquear a passagem de bolas à esquerda do campo. Eu já tinha ficado atrás dele uma vez em um passeio da escola; se não me engano, no primeiro ano. Lembrava que havia portas de serviço debaixo do placar.

Quando encontrei uma destrancada, nós entramos.

Não havia muita coisa, só andaimes de metal, cartões verdes com números pendurados nas paredes e as costelas de concreto do estádio tatuadas com cem anos de pichações. Mas o lugar tinha uma característica importante: era escuro.

Blitzen se sentou em uma pilha de esteiras e tirou as botas. As meias dele tinham estampa cinza e combinavam com o colete.

Isso me impressionou tanto quanto qualquer outra coisa que encontrei em Valhala.

— Blitz, que roupa é essa? Você parece tão... elegante.

Ele estufou o peito.

— Obrigado, Magnus. Não foi fácil me vestir de mendigo por dois anos. Sem querer ofender, claro.

— Claro.

— É assim que costumo me vestir. Eu me preocupo muito com minha aparência. Admito que sou meio aficionado por moda.

Hearth fez um barulho estranho, algo entre um espirro e um ronco, e gesticulou: *Meio?*

— Ah, cala a boca — resmungou Blitz. — Quem comprou esse cachecol para você, hein? — Ele se virou para mim em busca de apoio. — Falei para Hearth que ele precisava de um toque de cor. Aquelas roupas pretas. O cabelo louro platinado. O cachecol vermelho listrado dá um toque de ousadia, você não acha?

— Hã... claro. Desde que *eu* não precise usar. Nem as meias estampadas.

— Não seja bobo. Tecido estampado não cairia bem em você. — Blitz franziu a testa para a bota. — Do que estávamos falando mesmo?

— Que tal falarmos sobre vocês estarem me vigiando por dois anos?

Hearth disse: *Já falamos. O chefe.*

— Não é Loki — concluí. — Então é Odin?

Blitz riu.

— Não. O Capo é ainda mais inteligente que Odin. Gosta de ficar nos bastidores, anônimo. Ele nos mandou vigiar e, hã — pigarreou —, manter você vivo.

— Ah.

— É. Nós tínhamos um trabalho para fazer. E falhamos. "Mantenham-no vivo", disse o Capo. "Fiquem de olho nele. Protejam-no, se necessário, mas não interfiram em suas escolhas. Ele é importante para o plano."

— O plano.

— O Capo sabe das coisas. Do futuro, por exemplo. Ele faz o máximo possível para guiar os eventos na direção certa, para impedir que os nove mundos virem um caos e explodam.

— Parece um bom plano.

— Ele nos disse que você era filho de Frey. Não entrou em detalhes, mas foi enfático: você era importante, tinha que ser protegido. Quando você morreu... bem, que bom que o encontramos em Valhala. Talvez nem tudo esteja perdido. Agora, precisamos nos reportar ao Capo e receber novas instruções.

Hearthstone disse: *E torcer para ele não nos matar.*

— Isso também. — Blitzen não pareceu muito otimista. — A questão, Magnus, é que, até falarmos com o chefe, não posso dar muitos detalhes.

— Apesar de eu ser importante para o plano.

É por isso que não podemos, gesticulou Hearth.

— E o que aconteceu depois que eu caí da ponte? Isso vocês podem me contar?

Blitz tirou uma folha da barba.

— Ah, Surt desapareceu na água com você.

— *Era* Surt.

— Era, sim. E tenho que dizer, você fez um bom trabalho. Um mortal derrotando o lorde dos gigantes do fogo? Mesmo que você tenha morrido fazendo isso, foi impressionante.

— Então... eu o matei?

Não deu tanta sorte, gesticulou Hearth.

— É — concordou Blitz. — Mas gigantes do fogo na verdade não se dão muito bem com água gelada. Imagino que o impacto o tenha jogado de volta para

Muspellheim. E cortar o nariz dele... foi brilhante. Ele vai demorar até recuperar força suficiente para viajar entre mundos.

Alguns dias, supôs Hearth.

— Talvez mais — retrucou Blitz.

Fiquei olhando para eles, dois não humanos discutindo a mecânica de viajar entre mundos como se discutissem o tempo necessário para se consertar um carburador.

— Vocês obviamente escaparam — comentei. — E Randolph?

Hearthstone franziu o nariz. *Seu tio. Irritante, mas está bem.*

— Garoto, você salvou muitas vidas — disse Blitzen. — Algumas pessoas ficaram feridas, houve muito estrago, mas ninguém morreu... hã, só você. Na última vez que Surt visitou Midgard, as coisas não foram tão bem.

Grande incêndio de Chicago, disse Hearth.

— É — continuou Blitz. — De qualquer modo, as explosões de Boston foram parar no noticiário. Os humanos ainda estão investigando. Especulam que os danos tenham sido causados por meteoros.

Lembro que também me perguntei isso a princípio. E, depois, se aquilo tudo havia sido obra de Surt.

— Mas dezenas de pessoas viram Surt na ponte! Pelo menos um cara conseguiu filmá-lo.

Blitz deu de ombros.

— Você ficaria impressionado com o que os mortais *não* veem. Não só os humanos. Anões e elfos também deixam passar muita coisa. Além do mais, gigantes são especialistas em *glamour*.

— *Glamour*. Imagino que você não esteja falando de moda.

— Não. Gigantes tem um *péssimo* gosto para roupas. Estou falando no sentido de ilusões. Gigantes são seres mágicos por natureza. Conseguem manipular os seus sentidos sem esforço nenhum. Uma vez, um gigante fez Hearthstone pensar que eu era um javali, e Hearth quase me matou.

Chega da história do javali!, pediu Hearthstone.

— Enfim — disse Blitz —, você caiu no rio e morreu. Os serviços de emergência acharam seu corpo, mas...

— Meu corpo...

Hearthstone tirou um recorte de jornal do bolso da jaqueta e me entregou.

Li meu próprio obituário. Havia minha foto do quinto ano na escola, o cabelo caído nos olhos, meu sorriso desconfortável no estilo *o que estou fazendo aqui*, minha camisa velha dos DROPKICK MURPHYS. O obituário não dizia muito. Nada sobre os dois anos que passei desaparecido, minha vida nas ruas, a morte da minha mãe. Só: *Falecimento prematuro. Deixou dois tios e uma prima. Haverá velório particular.*

— Mas meu corpo está aqui — falei, tocando o peito. — Eu *tenho* um corpo.

— Um corpo novo e melhorado — concordou Blitz, apertando meu bíceps com admiração. — Retiraram seu *velho* corpo do rio. Hearth e eu fizemos nossa própria busca. Não havia sinal de Surt. Pior... não havia sinal da espada. Se não tiver voltado para o fundo do rio...

— Randolph pode ter encontrado?

Hearthstone balançou a cabeça. *Nós o vigiamos. Não está com ele.*

— Então Surt está com a espada — deduzi.

Blitz tremeu.

— Não vamos supor o pior. Ainda há chance de que esteja com seu velho corpo.

— Por que estaria?

Blitz apontou para Hearth.

— Pergunte a ele, o especialista em magia.

É difícil explicar por sinais, gesticulou Hearth. *Uma espada mágica fica com seu dono. Você a reivindicou.*

— Mas... não reivindiquei.

Você a invocou, disse Hearth. *Segurou-a primeiro, antes de Surt. Espero que isso signifique que Surt não a tenha pegado. Não sei por que ela não foi para Valhala.*

— Eu não estava segurando a espada quando caí no rio. Ela escorregou da minha mão.

— Ah. — Blitz assentiu. — Pode ser por isso então. Mesmo assim, ela iria tradicionalmente para o seu túmulo, ou seria queimada na sua pira. Então, há uma boa chance de se materializar ao lado do seu corpo. Precisamos olhar no seu caixão.

Fiquei arrepiado.

— Vocês querem que eu vá ao meu próprio enterro?

Hearth sinalizou: *Não. Vamos antes.*

— De acordo com seu obituário — informou Blitz —, seu corpo está sendo velado hoje em uma capela. O funeral só acontece à noite. Se você for agora, deve encontrar o lugar vazio. O prédio ainda não está aberto, e não vai ter uma fila de gente de luto na porta.

— Muito obrigado.

Blitzen colocou as botas.

— Vou falar com o chefe. No caminho, passo em Svartalfaheim para pegar suprimentos antiluz do sol.

— Você vai passar no mundo dos elfos negros?

— Vou. Não é tão difícil quanto parece. Tenho prática, e Boston fica no centro da Yggdrasill. Viajar entre os mundos é fácil por aqui. Uma vez, Hearth e eu descemos de um meio-fio na praça Kendall e caímos em Niflheim por acidente.

Estava frio, sinalizou Hearth.

— Enquanto eu estiver lá — disse Blitz —, Hearthstone vai levar você até a capela. Encontro vocês... onde?

Na Arlington, na estação de trem, gesticulou Hearth.

— Ótimo. — Blitzen se levantou. — Pegue aquela espada, garoto... e tome cuidado. Fora de Valhala, você pode morrer como qualquer pessoa. A última coisa que queremos ter que explicar para o chefe são *dois* cadáveres de Magnus Chase.

VINTE E CINCO

Meu agente funerário me veste de um jeito engraçado

Uma coisa boa em ser mendigo: eu sabia onde conseguir roupas de graça.

Hearth e eu passamos por um bazar beneficente em Charlesgate, para eu não ter que andar pela cidade só de pijama. Então lá estava eu usando uma calça jeans desbotada, uma jaqueta camuflada e uma camisa cheia de buracos. Fiquei lindo. Parecia mais do que nunca com Kurt Cobain, mas duvido que ele usasse uma camisa com os dizeres: TOUR PRÉ-ESCOLAR DE ROCK & ROLL DOS WIGGLES! O mais perturbador era fazerem camisas daquele tipo no meu tamanho.

Mostrei a espada do hotel.

— Hearth, o que eu faço com isso? Duvido que a polícia goste de me ver andando por aí com uma espada de noventa centímetros.

Glamour, sinalizou Hearth. *Prenda no seu cinto.*

Assim que o fiz, a arma encolheu e derreteu até virar uma corrente, que estava só um pouco menos na moda do que a camisa dos Wiggles.

— Ótimo — falei. — Agora minha humilhação está completa.

Ainda é uma espada, sinalizou Hearth. *Os mortais não veem coisas mágicas muito bem. Entre o Gelo e o Fogo há a Névoa, G-i-n-n-u-n-g-a-g-a-p. Obscurece as aparências. Difícil explicar por sinais.*

— Tudo bem.

Eu me lembrei do que Gunilla me contou sobre os mundos se formando entre gelo e fogo e que Frey representava a zona intermediária entre os dois. Mas, aparentemente, os filhos de Frey não herdavam uma compreensão inata do que diabo isso queria dizer.

Li meu obituário de novo para pegar o endereço da capela.

— Vamos prestar nossas homenagens a mim.

Foi uma caminhada longa e fria. A temperatura não me incomodou, mas Hearth tremia dentro da jaqueta de couro. Os lábios estavam rachados e descascando. O nariz escorria. De todos os livros e filmes de fantasia que devorei quando era mais novo, eu tinha a impressão de que os elfos eram criaturas nobres e de beleza sobrenatural. Hearthstone parecia mais um universitário anêmico que não comia havia algumas semanas.

Mesmo assim... comecei a reparar em detalhes inumanos nele. As pupilas eram estranhamente reflexivas, como as de um gato. Por baixo da pele pálida, as veias eram mais esverdeadas do que azuladas. E, apesar da aparência desgrenhada, ele não fedia como um sem-teto normal, nem a cecê, nem a álcool, nem a sujeira. Ele tinha cheiro de pinheiro e madeira queimada. Como eu não havia percebido isso antes?

Eu queria perguntar sobre os elfos, mas andar e fazer sinais não funcionava muito bem. E Hearth não conseguia ler lábios em movimento. Eu meio que gostava disso, na verdade. Não dava para ser multitarefa quando se falava com ele. O diálogo exigia cem por cento de concentração. Se todas as conversas fossem assim, eu imaginava que as pessoas não diriam tanto lixo.

Estávamos passando pela praça Copley quando ele me puxou para a entrada de um prédio comercial.

Gómez, sinalizou ele. *Espere.*

Gómez era um policial de patrulha que nos conhecia de longe. Ele não sabia meu nome real, mas, se tivesse visto uma foto recente minha no noticiário, eu teria dificuldade para explicar por que não estava morto. Além do mais, Gómez não era um cara muito simpático.

Bati no ombro de Hearth para chamar a atenção dele.

— Como é... o lugar onde você nasceu?

A expressão de Hearth ficou séria. *Álfaheim não é tão diferente daqui. É mais iluminado. Não tem noite.*

— Não tem noite, tipo, *nunca*?

Não tem noite. A primeira vez que vi um pôr do sol...

Ele hesitou, mas posicionou as mãos na frente do peito como se estivesse tendo um ataque cardíaco: o sinal de *medo*.

Tentei imaginar como era viver em um mundo em que sempre era dia, e então ver o sol desaparecer em meio a luzes tons de sangue no horizonte.

— Isso seria assustador — concluí. — Mas os elfos não têm coisas das quais os *humanos* teriam medo? Tipo... *álfar seidr?*

Uma luz surgiu nos olhos de Hearth. *Como você conhece esse termo?*

— Hã... ontem, no campo de batalha, alguém falou. — Contei para ele a explosão que derrubou as armas de todo mundo. — Quando curei o braço de Blitz, e quando entrei naquela parede de chamas na ponte Longfellow... eu me perguntei se era tudo o mesmo tipo de magia.

Hearth pareceu demorar mais do que o habitual para processar minhas palavras. *Não sei.* Os gestos dele estavam menores, mais cuidadosos. *Álfar seidr pode ser muitas coisas, normalmente magia pacífica. Cura. Crescimento. Impedir violência. Não pode ser aprendida. Não é como a magia das runas. Ou se tem álfar seidr no sangue ou não. Você é filho de Frey. Talvez tenha herdado algumas das habilidades.*

— Frey é um elfo?

Hearth balançou a cabeça. *Frey é o lorde de Álfaheim, nosso deus patrono. Os vanires são próximos dos elfos. Eram a fonte de todo* álfar seidr.

— Eram? Os elfos não falam mais com árvores, pássaros e tal?

Hearth grunhiu de irritação. Espiou pela esquina para verificar onde estava o policial.

Álfaheim não é assim, sinalizou ele. *Quase ninguém mais nasce com* álfar seidr. *Ninguém pratica magia. A maioria dos elfos acha que Midgard é um mito. Que humanos vivem em castelos e usam armaduras e calças justas.*

— Talvez uns mil anos atrás.

Hearth assentiu.

Naquela época, nossos mundos interagiam mais. Agora, os dois mundos mudaram muito. Os elfos passam a maior parte do tempo olhando telas, vendo vídeos engraçados de duendes quando deviam estar trabalhando.

Eu não sabia se tinha interpretado os sinais direito (*vídeos de duendes?*), mas Álfaheim parecia tão deprimente quanto Midgard.

— Então você sabe tanto sobre magia quanto eu — afirmei.

Não sei como era antigamente. Mas estou tentando aprender. Abri mão de tudo para tentar.

— O que isso quer dizer?

Ele olhou para a esquina de novo.

Gómez já passou. Vamos.

Eu não sabia se ele não entendera minha pergunta ou se escolhera ignorá-la.

A capela era perto das ruas Washington e Charles, no meio de uma fileira de casinhas que pareciam perdidas entre os novos arranha-céus de concreto e vidro. Um texto no toldo dizia: TWINING & FILHOS SERVIÇOS FUNERÁRIOS.

Um cartaz perto da porta listava os eventos por vir. O primeiro informava: MAGNUS CHASE. A data era hoje, às dez da manhã. A porta estava trancada. As luzes, apagadas.

— Cheguei cedo no meu próprio velório — comentei. — Típico.

Minhas mãos tremiam. A ideia de ver meu cadáver era mais perturbadora do que morrer.

— E aí, invadimos?

Deixe-me tentar uma coisa, sinalizou Hearth.

Do casaco, ele tirou uma bolsinha de couro. O conteúdo tilintou com um barulho familiar.

— Runas — imaginei. — Você sabe usá-las?

Ele deu de ombros, como quem diz: *Vamos descobrir.* Pegou uma pedra e bateu na maçaneta da porta. A tranca estalou. A porta se abriu.

— Legal. Isso funcionaria em qualquer porta?

Hearth guardou a bolsinha. Eu não conseguia decifrar a expressão dele, uma mistura de tristeza e cautela.

Ainda estou aprendendo, sinalizou ele. *Só tentei isso uma vez, quando conheci Blitz.*

— Como vocês dois...?

Hearth me interrompeu com um gesto. *Blitz salvou minha vida. É uma longa história. Vá logo. Vou montar guarda aqui fora. Cadáveres de humanos...* Ele estremeceu e balançou a cabeça.

Era o fim do meu apoio élfico.

Lá dentro, a capela tinha cheiro de flores podres. O tapete vermelho gasto e o revestimento de madeira escura das paredes deixavam o lugar parecendo o interior de um caixão gigantesco. Segui pelo corredor e espiei a primeira sala.

Havia três janelas com vitrais na parede do fundo, fileiras de cadeiras dobráveis viradas para um caixão aberto em uma plataforma. Eu já estava odiando isso. Fui criado sem religião. Sempre me considerei ateu.

Então, é claro que minha punição era descobrir que eu era filho de uma deidade nórdica, ir para uma pós-vida viking e ter um velório de caixão aberto em uma capela brega. Se havia mesmo um Deus Todo-Poderoso lá em cima, um chefão do universo, Ele estava rindo de mim agora.

Na entrada da sala, havia um retrato meu do tamanho de um pôster, cercado de papel crepom preto. Tinham escolhido a mesma foto engraçadinha do anuário da escola de quando estava no quinto ano. Ao lado, em uma mesinha, havia um livro de assinaturas.

Fiquei tentado a pegar a caneta e escrever na primeira linha:

Obrigado por virem ao meu velório! — Magnus

Quem viria, afinal? Tio Randolph? Talvez tio Frederick e Annabeth, se eles ainda estiverem na cidade. Meus antigos colegas de escola de dois anos antes? Até parece. Se a funerária oferecesse comida, talvez alguns dos meus colegas sem-teto aparecessem, mas os únicos de quem eu gostava mesmo eram Blitzen e Hearthstone.

Percebi que estava enrolando. Não sabia quanto tempo ficara de pé na porta da sala. Eu me obriguei a entrar.

Quando vi meu rosto no caixão, quase vomitei.

Não por eu ser *tão* feio assim, mas porque... bem, sabem como é estranho ouvir sua voz gravada? E como pode ser irritante se ver em uma foto em que você acha que não ficou bem? Agora imagine ver seu próprio corpo deitado na sua frente. Era tão real e, ao mesmo tempo, tão *não* eu.

Meu cabelo estava penteado com gel. Meu rosto estava cheio de maquiagem, provavelmente para cobrir os cortes e hematomas. Minha boca estava posicionada em um sorrisinho esquisito que eu jamais daria na vida real. Eu estava usando um terno de aparência barata azul com uma gravata também azul. Eu odiava azul. Minhas mãos estavam unidas sobre a barriga, escondendo o ponto em que fui perfurado por uma bola de asfalto derretido.

— Não, não, não.

Eu me apoiei na lateral do caixão.

A sensação de que aquilo estava *errado* fez parecer que minhas entranhas estavam queimando de novo.

Sempre tive uma imagem do que aconteceria com meu corpo depois que eu morresse. Não era aquilo. Minha mãe e eu tínhamos um pacto, que pode parecer bizarro, mas não era. Ela me fez prometer que, quando morresse, eu mandaria cremá-la. Eu espalharia as cinzas dela no bosque de Blue Hills. Se eu morresse primeiro, ela prometeu que faria o mesmo por mim. Nenhum de nós gostava da ideia de ser embalsamado, transformado em uma exposição e enterrado em uma caixa. Nós queríamos estar sob o sol e o ar fresco e apenas desaparecer.

Não pude cumprir minha promessa para minha mãe. Agora, estava tendo exatamente o tipo de velório que eu não queria.

Meus olhos lacrimejaram.

— Sinto muito, mãe.

Tive vontade de derrubar o caixão. Tive vontade de botar fogo na capela. Mas eu tinha um trabalho a fazer. *A espada.*

Se estava no caixão, não estava visível. Prendi a respiração e enfiei a mão no forro lateral, como se estivesse procurando umas moedas. Nada.

Achando que a espada poderia estar escondida por *glamour*, estiquei o braço para tentar sentir a presença dela no caixão como fiz na ponte Longfellow. Nenhum calor. Nenhum zumbido.

A única outra opção era verificar debaixo do corpo.

Olhei para o Magnus 1.0.

— Desculpa aí, cara.

Tentei dizer para mim mesmo que o cadáver era um objeto inanimado, como um espantalho. Não uma pessoa real. E, certamente, não era eu.

Eu o rolei para o lado. O corpo era mais pesado do que eu imaginava.

Nada além de alfinetes prendendo o paletó. Uma etiqueta no forro dizia 50% CETIM, 50% POLIÉSTER, PRODUZIDO EM TAIWAN.

Coloquei meu corpo no lugar. O cabelo do Magnus morto estava bagunçado agora. O lado esquerdo ficou parecendo uma flor desabrochando. Minhas mãos se soltaram uma da outra, então eu parecia estar mostrando o dedo do meio para todo mundo.

— Bem melhor — concluí. — Agora está mais parecido comigo.

Às minhas costas, uma voz falhada chamou:

— Magnus?

Eu quase pulei para fora da camisa do Wiggles.

De pé na entrada estava minha prima Annabeth.

VINTE E SEIS

Oi, sei que você está morto, mas, se der, me liga

MESMO SE EU NÃO A tivesse visto no parque dois dias antes, ainda assim teria reconhecido Annabeth. O cabelo louro ondulado continuava o mesmo desde quando ela era pequena. Os olhos cinzentos tinham a mesma determinação, como se ela tivesse escolhido um alvo distante e estivesse disposta a ir até ele para destruí-lo. Estava mais bem-vestida do que eu: usava uma jaqueta de esqui, calça preta e botas de cadarço. Mas, se as pessoas nos vissem juntos, poderiam achar que éramos irmãos.

Ela olhou para mim e depois para o caixão. Lentamente, seu choque virou uma frieza calculista.

— Eu sabia. *Sabia* que você não estava morto.

Ela me deu um abraço apertado. Talvez eu já tenha mencionado que não sou muito fã de contato físico, mas, depois de tudo que passei, um abraço da minha prima foi o bastante para me fazer desmoronar.

— É… hã… — Minha voz ficou engasgada. Tentei me soltar da forma mais delicada possível e pisquei para afastar as lágrimas. — É muito bom ver você.

Ela franziu o nariz para o cadáver.

— Vou ter que perguntar? Achei que você estivesse morto, seu bundão.

Não consegui evitar um sorriso. Fazia dez anos que ela não me chamava de bundão. Já estava mais do que na hora.

— É difícil explicar.

— Imaginei. O corpo é falso? Você estava tentando convencer todo mundo?

— Hum... não exatamente. Mas é melhor as pessoas acharem que estou morto. Porque...

Porque estou *morto*, pensei. *Porque fui para Valhala, e agora voltei com um anão e um elfo!* Como eu poderia contar isso?

Olhei para a porta da capela.

— Espere... Quando entrou aqui você passou por um elf... por um cara? Era para o meu amigo estar montando guarda.

— Não. Não tinha ninguém lá fora. A porta estava destrancada.

Meu equilíbrio oscilou.

— Eu devia checar...

— Opa. Não antes de me dar algumas explicações.

— Eu... Sinceramente, não sei nem por onde começar. Estou em uma situação meio perigosa. Não quero envolver você.

— Tarde demais. — Ela cruzou os braços. — E entendo bem de situações perigosas.

Por algum motivo, acreditei nela. Ali estava eu, renascido como superguerreiro de Valhala, e Annabeth ainda me intimidava. A postura, a confiança inabalável... eu conseguia perceber que ela tinha passado por poucas e boas da mesma forma que conseguia identificar quais caras nos abrigos eram os mais perigosos. Não dava para enrolar Annabeth. Mas também não queria arrastá-la para aquela confusão.

— Randolph quase morreu naquela ponte — falei. — Não quero que aconteça nada com você.

Ela riu mas não estava achando graça.

— Randolph... eu juro, vou enfiar aquela bengala dele... Deixa pra lá. Ele não quis explicar por que levou você para a ponte. Ficou falando que você estava em perigo por causa do seu aniversário. Disse que estava tentando ajudar. Alguma coisa sobre a história da nossa família...

— Ele me contou sobre meu pai.

Os olhos de Annabeth ficaram sombrios.

— Você não conhece seu pai.

— É. Mas, aparentemente... — Balancei a cabeça. — Olha, pareceria loucura. Mas... há uma ligação entre o que aconteceu naquela ponte e a morte da minha mãe e... meu pai.

A expressão de Annabeth se transformou: era como se ela tivesse aberto uma janela esperando ver uma piscina mas tivesse encontrado o oceano Pacífico.

— Magnus... ai, deuses.

Ela disse deuses. No plural.

Annabeth caminhou de um lado para outro na frente do meu caixão, as mãos unidas como se estivesse rezando.

— Eu devia ter pensado nisso. Randolph não parava de falar que nossa família era especial, que chamávamos atenção. Mas eu não fazia ideia de que você... — Ela parou e segurou meus ombros. — Me desculpe por não ter percebido antes. Eu poderia ter ajudado você.

— Hum, não sei do que...

— Meu pai vai voltar para a Califórnia hoje, depois do enterro — continuou ela. — Eu ia pegar o trem para Nova York, mas a escola pode esperar. Agora, eu *entendo*. Posso ajudar você, Magnus. Conheço um lugar onde você estará seguro.

Eu me afastei.

Não fazia ideia do que Annabeth sabia, ou do que achava que sabia. Talvez ela tivesse se metido com os nove mundos de alguma forma. Talvez estivesse falando de algo totalmente diferente. Mas cada nervo no meu corpo formigava de desespero quando eu pensava em contar a ela toda a verdade.

Agradeci a preocupação. Dava pra ver que era sincera. Mesmo assim... aquelas palavras: *Conheço um lugar onde você estará seguro*. Nada ativava os instintos de fuga de um menino de rua mais rápido do que ouvir aquilo.

Eu estava tentando pensar em como explicar tudo quando Hearthstone apareceu cambaleando na porta da capela. O olho esquerdo estava inchado e fechado. Ele gesticulou de forma tão frenética que mal consegui entender os sinais: *RÁPIDO. PERIGO.*

Annabeth se virou, seguindo meu olhar.

— Quem...

— É o meu amigo — expliquei. — Tenho mesmo que ir. Olha só, Annabeth... — Segurei as mãos dela. — Tenho que fazer isso sozinho. É como... como uma coisa pessoal...

— Uma missão?

— Eu ia dizer pé no... é, *missão* está bom. Se você quer mesmo me ajudar, apenas finja que não me viu. Mais tarde, quando tudo estiver resolvido, vou procurar você. Vou explicar tudo. Prometo. Agora, tenho que ir.

Ela deu um suspiro trêmulo.

— Magnus, acho mesmo que eu *poderia* ajudar. Mas... — Ela enfiou a mão no bolso do casaco e pegou um pedaço de papel dobrado. — Aprendi do jeito mais difícil que às vezes é preciso recuar e deixar que as pessoas cumpram suas próprias missões, mesmo que sejam pessoas muito queridas. Pelo menos pegue isto.

Desdobrei o papel. Era um dos panfletos com minha foto e a palavra DESAPARECIDO que ela e tio Frederick estavam distribuindo.

— O segundo número é o meu celular. Me ligue. Me avise quando estiver tudo bem, ou se mudar de ideia e...

— Vou ligar. — Dei um beijo na bochecha dela. — Você é demais.

Ela suspirou.

— Você continua um bundão.

— Eu sei. Obrigado. Tchau.

Corri até Hearthstone, que não conseguia nem ficar parado de tão impaciente.

— O que aconteceu? — perguntei. — Onde você estava?

Ele já estava correndo. Segui Hearth para fora da capela, subindo a rua Arlington. Mesmo esbanjando velocidade com minhas pernas novas versão einherji, eu mal conseguia acompanhar. Descobri que os elfos conseguiam correr rápido se quisessem.

Chegamos na escada da estação quando Blitzen estava se aproximando. Reconheci o chapéu de aba larga e o sobretudo da ponte Longfellow. Ele tinha colocado óculos de sol maiores, máscara de esqui, luvas de couro e um cachecol. Carregava uma bolsa preta de lona. O visual era meio *homem invisível indo jogar boliche*.

— Opa, opa, opa! — Blitz segurou Hearth para impedi-lo de cair nos trilhos. — O que aconteceu com seu olho? Vocês encontraram a espada?

— Nem sinal dela — falei, ofegando. — O olho de Hearth... não sei... alguma coisa sobre perigo.

Hearth bateu palmas para chamar nossa atenção.

Nocauteado, disse ele. *Uma garota pulou do segundo andar da capela. Caiu em mim. Acordei no beco.*

— Uma garota na capela? — Fiz cara feia. — Você não está falando de Annabeth? Ela é minha prima.

Ele fez que não com a cabeça. *Não ela. Outra garota. Estava...* As mãos dele congelaram quando ele reparou na bolsa de Blitz.

Hearth deu um passo para trás, balançando a cabeça, incrédulo. *Você veio com ele?* Ele soletrou E-L-E, então eu sabia que não tinha entendido errado.

Blitz levantou a bolsa. O rosto estava ilegível, por causa de toda a proteção contra o sol, mas a voz estava tensa.

— É. Ordens do Capo. Mas vamos por partes. Magnus, sua prima estava na capela?

— Está tudo bem. — Resisti à vontade de perguntar por que havia um *ele* na bolsa de boliche. — Annabeth não vai contar nada.

— Mas... havia *outra* garota lá?

— Eu não vi mais ninguém. Acho que ela deve ter me ouvido entrar e subiu.

O anão se virou para Hearth.

— E foi nessa hora que ela pulou da janela do segundo andar, nocauteou *você* e fugiu?

Hearth assentiu. *Ela só podia estar procurando a espada.*

— Você acha que ela encontrou? — perguntou Blitz.

Hearth fez que não.

— Como pode ter certeza? — perguntei.

Porque ela está bem ali.

Hearth apontou para Boylston. A quatrocentos metros na rua Arlington, andando depressa, havia uma garota de casaco marrom e lenço verde na cabeça. Reconheci o lenço.

O olho inchado de Hearth foi presente de Samirah al-Abbas, minha ex--valquíria.

VINTE E SETE

Vamos jogar frisbee com armas afiadas!

Na extremidade norte do parque, Sam atravessou a rua Beacon e seguiu para a passarela sobre Storrow Drive.

— Para onde ela está indo? — perguntei.

— Para o rio, obviamente — disse Blitz. — Ela verificou seu corpo na capela...

— Podemos não falar desse jeito?

— Ela não encontrou a espada. Agora, está olhando no rio.

Sam subiu a rampa em espiral para a passarela. Olhou na nossa direção, e tivemos que nos esconder atrás de uma pilha de neve suja. Na temporada turística de verão, seria mais fácil segui-la sem chamar atenção. Agora, as calçadas estavam quase vazias.

Blitzen ajeitou os óculos escuros.

— Não estou gostando disso. Na *melhor* das hipóteses, as valquírias a mandaram, mas...

— Não. Ela foi expulsa.

Contei para eles a história enquanto continuávamos agachados atrás do banco de neve.

Hearth pareceu chocado. O olho inchado tinha ficado da cor de Kermit, o sapo. *Filha de Loki?*, gesticulou ele. *Ela está trabalhando para o pai.*

— Não sei — respondi. — Não consigo acreditar nisso.

Só porque ela salvou você?

Eu não sabia dizer. Talvez não quisesse acreditar que ela estivesse no time do mal. Talvez as palavras de Loki tivessem grudado na minha mente: *Pode ter certeza de que estou do seu lado!*

Apontei para o olho de Hearth e fiz o gesto da letra P de *permissão*? Toquei na pálpebra dele. Uma fagulha de calor passou pela ponta do meu dedo. O hematoma sumiu.

Blitz riu.

— Você está ficando bom nisso, Magnus.

Hearthstone segurou minha mão. Estudou as pontas dos meus dedos como se procurando magia residual.

— Sei lá. — Puxei a mão, meio constrangido. A última coisa que eu queria era ser Magnus Chase, Paramédico Viking. — Estamos perdendo Sam. Vamos.

A ex-valquíria seguiu rio abaixo pela trilha de corrida da Esplanade. Atravessamos a passarela. Abaixo de nós, carros seguiam pelos quebra-molas, buzinando sem parar. A julgar por todos os veículos de construção e as luzes piscando na ponte Longfellow, o trânsito devia ser minha culpa. Minha batalha com Surt tinha fechado a passagem.

Perdemos Sam de vista quando pegamos a rampa em espiral para a Esplanade. Passamos pelo parquinho. Achei que a veríamos em algum ponto do caminho, mas ela tinha desaparecido.

— Ah, mas que ótimo — comentei.

Blitz mancou até a sombra da lanchonete fechada. Parecia estar tendo dificuldade para carregar a bolsa de boliche.

— Você está bem? — perguntei.

— Só as pernas que estão um pouco petrificadas. Nada com que se preocupar.

— Não é o que parece.

Hearth andou de um lado para outro. *Eu queria ter um arco. Poderia ter atirado nela.*

Blitzen balançou a cabeça.

— Fique só na magia, meu amigo.

Os gestos de Hearth estavam bruscos de irritação. *Não consigo ler seus lábios. Com a barba já é ruim, com a máscara então... impossível.*

Blitz colocou a bolsa de boliche no chão e fez sinais enquanto falava.

— Hearth é muito bom com runas. Sabe mais magia de runas do que qualquer mortal vivo.

— Mortal tipo humano? — perguntei.

Blitz riu com deboche.

— Garoto, os humanos não são a única espécie mortal. Estou falando de humanos, anões *e* elfos. Os gigantes não contam, eles são esquisitos. Nem os deuses, claro. Nem os videntes que moram em Valhala. Nunca entendi *o que* eles eram. Mas, entre as três espécies mortais, Hearthstone é o melhor mago! Bem, também é o único, até onde sei. É a primeira pessoa em séculos a dedicar a vida à magia.

Estou ficando vermelho, disse Hearthstone, claramente não ficando vermelho.

— O que quero dizer é que você tem talento de verdade. E mesmo assim quer ser arqueiro!

Os elfos eram grandes arqueiros!, protestou Hearth.

— Mil anos atrás! — Blitzen bateu a mão duas vezes entre o polegar e o indicador; o gesto que significava *irritado*. — Hearth é um romântico. Sente falta de antigamente. É o tipo de elfo que vai a festivais da Renascença.

Hearth grunhiu. *Eu fui uma vez.*

— Pessoal — falei —, a gente tem que encontrar Sam.

Não adianta. Ela vai procurar no rio. Deixe ela perder tempo. Nós já procuramos.

— E se tivermos deixado a espada passar? — perguntou Blitz. — E se ela souber outro jeito de encontrar?

— Não está no rio — afirmei.

Blitz e Hearth olharam para mim.

— Tem certeza? — perguntou Blitz.

— Eu... Pois é. Não me perguntem como, mas agora que estou mais perto da água... — Eu olhei para o Charles, para as linhas cinza ondulantes cheias de gelo. — Senti a mesma coisa quando estava de pé na frente do meu caixão. Tem uma espécie de vazio, é como sacudir uma lata e perceber que não tem nada dentro. Eu apenas sei, a espada não está por aqui.

— Sacudir uma lata... — Blitzen refletiu. — Tudo bem. Imagino que você não possa nos direcionar para as latas que *deveríamos* sacudir?

— Isso seria bom — disse Samirah al-Abbas.

Ela surgiu por detrás da lanchonete e me chutou no peito, me jogando contra uma árvore. Meus pulmões implodiram como sacos de papel. Quando consegui enxergar direito, Blitz estava caído na parede. O saco de Hearth tinha caído, e as runas, se espalhado no chão, e Sam estava levantando o machado para ele.

— Pare! — Era para ser um grito, mas saiu um sussurro ofegante.

Hearth desviou do machado e tentou derrubá-la. Sam o virou em um golpe de judô, por cima do joelho. Hearth caiu de costas no chão.

Blitzen tentou se levantar. O chapéu estava inclinado para o lado. Os óculos tinham sido derrubados, e a pele ao redor dos olhos estava ficando cinza sob a luz do sol.

Sam virou-se para atingi-lo com o machado. A raiva rugiu dentro de mim. Estiquei a mão para a corrente no cinto. Imediatamente, virou uma espada outra vez. Puxei-a da bainha e a joguei, girando como um frisbee. Bateu no machado de Sam, derrubando a arma da mão dela e quase arrancando seu rosto.

Ela olhou para mim, incrédula.

— Que Helheim é isso?

— Você que começou!

Hearth segurou o tornozelo dela. Sam o chutou.

— E pare de chutar o meu elfo!

Sam tirou o lenço, soltando os cabelos castanhos. Encolheu-se em uma postura de lutadora, pronta para enfrentar todos nós.

— Magnus, se eu estivesse com todos os meus poderes, arrancaria sua alma do corpo por todos os problemas que você me causou.

— Que legal — falei. — Ou então você podia nos contar o que está fazendo aqui, talvez possamos ajudar um ao outro.

Blitzen colocou os óculos.

— *Ajudá-la*? Por que faríamos *isso*? Ela bateu em Hearth na capela! Meus olhos parecem pedaços de quartzo!

— Ah, se vocês não estivessem me seguindo — disse Sam.

— Aff! — Blitzen arrumou o chapéu. — Ninguém estava seguindo você, valquíria! Estamos procurando a mesma coisa, a espada!

Ainda deitado no chão, Hearth gesticulou: *Alguém mata essa garota, por favor.*

— O que ele está fazendo? — perguntou Sam. — Gestos rudes de elfo para mim?

— É linguagem de sinais — respondi.

— Linguagem élfica de sinais — corrigiu Blitz.

— E então — levantei as palmas das mãos —, podemos ter uma trégua e conversar? Qualquer coisa é só voltar para a matança depois.

Sam andou de um lado para o outro, murmurando alguma coisa. Pegou o machado dela e a minha espada.

Bom trabalho, Magnus, eu disse a mim mesmo. *Agora ela está com todas as armas.*

Ela jogou a espada de novo para mim.

— Eu não deveria ter escolhido você para Valhala.

Blitzen deu uma risada debochada.

— Pelo menos nisso concordamos. Se você não tivesse interferido na ponte...

— *Interferido?* — questionou Sam. — Magnus já estava morto quando o escolhi! Você e o elfo não estavam ajudando em nada com aquela placa de plástico e as flechas de brinquedo!

Blitz se empertigou, o que não o deixou muito mais alto.

— Fique sabendo que meu amigo é um ótimo usuário de runas.

— É mesmo? — perguntou Samirah. — Não o vi usando magia na ponte contra Surt.

Hearthstone pareceu ofendido. *Eu ia usar. Fui distraído.*

— Exatamente — disse Blitz. — Quanto a mim, tenho *muitas* habilidades, valquíria.

— Por exemplo?

— Por exemplo, eu poderia melhorar seu estilo. *Ninguém* usa casaco marrom com lenço verde.

— Um anão de óculos de sol e máscara de esqui querendo me dar conselhos de moda.

— Tenho problemas com a luz do dia!

— Pessoal — chamei —, parem, por favor. Obrigado.

Ajudei Hearthstone a se levantar. Ele olhou de cara feia para Sam e começou a recolher as runas.

— Tudo bem — continuei. — Sam, por que você está procurando a espada?

— Porque é minha única chance! Porque... — A voz dela falhou. Toda a raiva pareceu sumir. — Porque honrei sua bravura estúpida. Recompensei você com Valhala. E isso me custou *caro*. Se eu encontrar a espada, *talvez* os lordes me devolvam meu trabalho. Posso convencê-los de que... de que não sou...

— Filha de Loki? — perguntou Blitz, mas a voz dele tinha perdido parte da agressividade.

Sam baixou o machado.

— Não posso fazer nada a respeito disso. Mas *não* estou trabalhando para o meu pai. Sou leal a Odin.

Hearthstone olhou para mim com ceticismo, como se dizendo: *Você está acreditando nessa história?*

— Eu confio nela — falei.

Blitz grunhiu.

— É outro instinto desses como sacudir a latinha?

— Talvez. Olha só, todos nós queremos encontrar essa espada, certo? Queremos deixá-la longe de Surt.

— Supondo que Surt já não esteja com ela — disse Sam. — Supondo que possamos entender o que está acontecendo. Supondo que a profecia das Nornas para você não seja tão ruim quanto parece...

— Só tem um jeito de descobrir. — Blitz levantou a bolsa de boliche.

Sam deu um passo para trás.

— O que tem aí dentro?

Hearth fez um sinal de garra e bateu duas vezes no ombro, o sinal de *chefe*.

— Respostas — disse Blitz —, quer a gente queira ou não. Vamos consultar o Capo.

VINTE E OITO

Fale com a cabeça, porque ele praticamente só tem isso

BLITZ NOS LEVOU PELA ESPLANADE, onde havia um píer que seguia até uma lagoa congelada. Na base da doca, um pequeno poste listrado de vermelho e branco estava inclinado para o lado.

— É daqui que saem os passeios de gôndola no verão — expliquei. — Acho que não vamos encontrar nenhuma agora.

— Só precisamos de água.

Blitz parou na beira do píer e abriu o zíper da bolsa de boliche.

— Ah, deuses. — Sam espiou lá dentro. — Isso é cabelo humano?

— Cabelo, sim — respondeu Blitz. — Humano, não.

— Você quer dizer... — Ela pressionou a mão na barriga. — Você não pode estar falando sério. Vocês trabalham para *ele*? Trouxeram o cara até *aqui*?

— Ele insistiu.

Blitz abriu a bolsa e revelou... é, uma cabeça decapitada. Sabem qual era a coisa mais bizarra nisso? Depois de dois dias em Valhala, eu nem estava surpreso.

O rosto do homem decapitado era murcho como uma maçã velha. Tufos de cabelo cor de ferrugem estavam grudados à cabeça. Os olhos fechados eram fundos e escuros. O queixo barbado se projetava como o de um buldogue, revelando uma fileira de dentes tortos embaixo.

Blitz enfiou a cabeça na água sem cerimônia, com a bolsa e tudo.

— Cara, as autoridades de preservação ambiental não vão gostar disso.

A cabeça emergiu, a água ao redor borbulhando e ondulando. O rosto do homem se inflou, as rugas suavizaram, a pele foi ficando rosada. Ele abriu os olhos.

Sam e Hearth se ajoelharam. Sam me cutucou para fazer o mesmo.

— Lorde Mímir — disse ela. — O senhor nos honra com sua presença.

A cabeça abriu a boca e cuspiu água. Mais água saiu das narinas, das orelhas e dos dutos lacrimais. Ele lembrava um bagre tirado do fundo do rio.

— Cara, eu odeio... — A cabeça tossiu, cuspindo mais água. Os olhos passaram de branco-giz a azul. — Odeio andar naquela bolsa.

Blitzen fez uma reverência.

— Me desculpe, Capo. Era isso ou o aquário. E o aquário é muito frágil.

A cabeça gargarejou. Ele observou os rostos até parar no meu.

— Filho de Frey, vim de longe para falar com você. Espero que valorize isso.

— Você é o chefe misterioso — afirmei. — Hearth e Blitz estão me vigiando há dois anos... porque receberam ordens de uma cabeça decepada?

— Olha o respeito, moleque. — A voz de Mímir me lembrava os estivadores de Union Hall, com os pulmões metade nicotina, metade água do mar.

Heart franziu a testa para mim. *Falei C-A-P-O. Capo quer dizer cabeça. Por que a surpresa?*

— Eu sou Mímir — disse a cabeça. — Já fui poderoso entre os aesires. Depois, veio a guerra com os vanires. Agora, tenho minha própria operação.

O rosto era tão feio que foi difícil saber se ele estava fazendo careta para mim ou não.

— Foi Frey quem cortou sua cabeça? — perguntei. — É por isso que você está com raiva de mim?

Mímir bufou.

— Não estou com raiva. Você vai saber quando eu estiver.

Eu me perguntei o que isso queria dizer. Talvez ele fosse gorgolejar de forma mais ameaçadora.

— Mas em parte foi, sim, graças ao seu pai que perdi a cabeça — explicou o deus. — Veja bem, a trégua para acabar a guerra exigia que os dois clãs de deuses trocassem reféns. Seu pai, Frey, e o pai *dele*, Njord, foram morar em Asgard. O deus Honir e eu fomos mandados para Vanaheim.

— Desconfio que isso não tenha terminado bem.

Mais água saiu dos ouvidos de Mímir.

— Seu pai me deixou em maus lençóis! Ele era o grande general entre os vanires, todo dourado e cintilante e lindo. Ele e Njord eram respeitados em Asgard. Quanto a mim e Honir, os vanires não ficaram tão impressionados.

— Não me diga.

— Ah, Honir nunca foi muito, como posso dizer, carismático. Os vanires pediam a opinião dele sobre assuntos importantes. Ele murmurava: "Ah, sei lá. Tanto faz." Eu tentava fazer a minha parte. Falei para os vanires que deveriam abrir cassinos.

— Cassinos?

— É, um monte de aposentados estava indo para Vanaheim. Era dinheiro fácil. E os vanires tinham um monte de dragões. Eu falei para eles: corridas. No céu. Com dragões. Eles seriam imbatíveis.

Olhei para Blitz e Hearth. Eles pareciam resignados, como se já tivessem ouvido aquela história muitas vezes.

— De qualquer modo — prosseguiu Mímir —, os vanires não gostaram dos meus conselhos valorosos. Sentiram-se enganados na troca de reféns. Em protesto, cortaram minha cabeça e a mandaram para Odin.

— Caramba, e pensar que poderiam ter construído cassinos.

Sam pigarreou.

— É claro, grande Mímir, que tanto os aesires quanto os vanires honram você agora. Magnus não quis insultá-lo. Ele não seria tão burro.

Ela olhou de cara feia para mim, como quem diz: *Você é tão burro sim.*

Ao redor da cabeça de Mímir, a água borbulhou mais rápido. Escorria pelos seus poros e fluía pelos olhos.

— Esqueça, filho de Frey. Não guardo ressentimentos. Além do mais, quando Odin recebeu minha cabeça decepada, não se vingou. O Pai de Todos foi inteligente. Ele sabia que os vanires e aesires precisavam se unir contra nosso inimigo comum, a máfia chinesa.

— Hã... — Blitz ajustou o chapéu. — Acho que o senhor quer dizer os gigantes, chefe.

— É. Eles mesmos. Então Odin me levou para uma caverna escondida em Jötunheim, onde uma fonte mágica alimenta as raízes da Yggdrasill. Ele colocou minha cabeça no poço. A água me trouxe de volta à vida, e eu absorvi todo o conhecimento da Árvore do Mundo. Minha sabedoria aumentou mil vezes.

— Mas... você ainda é uma cabeça decepada.

Mímir assentiu, de um lado para outro.

— Não é assim tão ruim. Opero pelos nove mundos: empréstimos, proteção, caça-níqueis...

— Caça-níqueis.

— Fazem muito sucesso. Além do mais, estou sempre empenhado em atrasar o Ragnarök. O Ragnarök seria ruim para os negócios.

— Certo.

Decidi me sentar, pelo jeito aquela conversa não terminaria tão cedo. Sam e Hearth seguiram meu exemplo. Covardes.

— Além do mais — acrescentou Mímir —, Odin de tempos em tempos me visita em busca de conselhos. Sou o *consigliere* dele. Sou guardião do poço de conhecimento. Às vezes, deixo viajantes beberem das águas, embora a informação sempre tenha seu preço.

A palavra *preço* caiu sobre a doca como um cobertor pesado. Blitzen ficou tão imóvel que tive medo de que ele tivesse virado pedra. Hearthstone observou os grãos de areia entre as tábuas. Comecei a entender como meus amigos haviam se envolvido com Mímir. Eles tinham bebido das águas dele (que NOJO) e o preço foi tomar conta de mim nos últimos dois anos. Eu me perguntei se a informação tinha valido a pena.

— E então, grande e influente Mímir — falei —, o que você quer comigo?

Ele cuspiu um peixinho.

— Não preciso dizer, rapaz. Você já sabe.

Tive vontade de discordar, mas quanto mais eu ouvia o deus, mais sentia como se estivesse respirando oxigênio puro. Não sei por quê. O Capo não era exatamente inspirador. Mas, perto dele, minha mente parecia funcionar melhor, juntando as peças do quebra-cabeça das esquisitices que vivi nos últimos dias para formar uma imagem estranhamente coesa.

Uma ilustração do meu velho livro infantil de mitos nórdicos voltou à mente, uma história apavorante mesmo na versão adaptada para crianças, que enterrei no fundo da memória durante anos.

— O Lobo. Surt quer libertar o lobo Fenrir.

Eu estava torcendo para alguém me contradizer. Hearth baixou a cabeça. Sam fechou os olhos como se estivesse rezando.

— Fenrir — repetiu Blitzen. — Esse é um nome que eu torcia para nunca mais ouvir.

Mímir continuou chorando água gelada. Os lábios se curvaram em um sorrisinho.

— Isso aí, filho de Frey. Agora, me diga: o que você sabe sobre o lobo Fenrir?

Eu abotoei minha jaqueta. O vento do rio estava frio até para mim.

— Me corrijam se eu estiver errado. Eu *adoraria* estar errado. Um tempão atrás, Loki teve um caso com uma giganta. Eles tiveram três filhos monstruosos.

— Eu *não* fui um deles — murmurou Sam. — Já ouvi muitas piadas.

Hearthstone fez uma careta, como se estivesse se questionando sobre isso.

— O primeiro — continuei — era uma cobra enorme.

— Jörmungand — disse Sam. — A Serpente do Mundo, que Odin jogou no mar.

— O segundo foi Hel — prossegui. — Ela virou tipo a deusa dos mortos desonrados.

— E o terceiro — completou Blitzen — foi o lobo Fenrir.

O tom dele era amargo, cheio de rancor.

— Blitz, você fala como se o conhecesse.

— Todos os anões conhecem Fenrir. Foi a primeira vez que os aesires foram nos ajudar. Fenrir ficou tão selvagem que teria devorado os deuses. Tentaram amarrá-lo, mas ele quebrou todas as correntes.

— Eu me lembro da história — contei. — Finalmente, os anões fizeram uma corda forte o bastante para segurá-lo.

— Desde então os filhos de Fenrir são inimigos dos anões. — Ele olhou para cima. Vi o reflexo do meu rosto nos óculos dele. — Você não é o único que perdeu familiares para os lobos, garoto.

Tive uma vontade estranha de abraçá-lo. De repente, não me senti tão mal por todo o tempo que ele passou me vigiando. Nossa irmandade ia além das ruas.

Ainda assim... resisti ao impulso. Sempre que tenho vontade de abraçar um anão, costuma ser sinal de que preciso me afastar.

— No Ragnarök — falei —, o Dia do Juízo Final, uma das primeiras coisas que deve acontecer é a libertação de Fenrir.

Sam assentiu.

— As velhas histórias não dizem como isso acontece...

— Mas um jeito — disse Blitz — seria cortando as cordas dele. A corda Gleipnir é indestrutível, mas...

A espada de Frey, gesticulou Hearth, *tem a lâmina mais afiada dos nove mundos.*

— Surt quer libertar o Lobo com a espada do meu pai. — Olhei para Mímir. — Como estamos indo até aqui?

— Nada mal. — A cabeça borbulhou. — O que nos leva à sua missão.

— Deter Surt — concluí. — Encontrar a espada antes dele... supondo que ele já não esteja com ela.

— Não está — afirmou Mímir. — Pode acreditar, um evento desses faria os nove mundos tremer. Eu sentiria gosto de medo nas águas da Yggdrasill.

— Eca.

— Você nem faz ideia — disse Mímir. — Mas precisa se apressar.

— A profecia das Nornas. Daqui a nove dias, blá-blá-blá.

Os ouvidos do deus soltaram bolhas.

— Tenho certeza de que não disseram *blá-blá-blá*. No entanto, você está certo. A ilha onde os deuses aprisionaram Fenrir só é acessível na primeira lua cheia de cada ano. Isso é daqui a sete dias.

— Quem inventa essas regras? — perguntei.

— *Eu* inventei essa — respondeu Mímir. — Então, cale a boca. Encontre a espada. Chegue à ilha antes de Surt.

Sam levantou a mão.

— Hã, lorde Mímir, entendo a parte de encontrar a espada. Mas por que levá-la à ilha? Não é lá que Surt *quer usá-la*?

— Está vendo, srta. al-Abbas... é por isso que eu sou o chefe e você, não. Sim, levar a espada para a ilha é perigoso. Sim, Surt poderia usá-la para libertar o Lobo. Mas ele vai encontrar um jeito de libertar Fenrir com ou sem a espada. Eu mencionei que consigo ver o futuro, certo? A única pessoa capaz de deter

Surt é Magnus Chase, supondo que ele consiga encontrar a espada e aprender a brandi-la.

Eu tinha ficado calado por quase um minuto inteiro, então concluí que podia levantar a mão.

— Lorde Senhor Bolhas...

— É Mímir.

— Se essa espada é tão importante, por que ficou no fundo do rio Charles por mil anos?

O deus suspirou espuma.

— Meus servos regulares nunca fazem tantas perguntas.

Blitz pigarreou.

— Na verdade, fazemos, chefe. Você que nos ignora.

— Respondendo à sua pergunta, Magnus Chase, a espada só pode ser encontrada por um descendente de Frey ao chegar à idade adulta. Outros tentaram, falharam e morreram. No momento, você é o único descendente vivo de Frey.

— O único... no mundo?

— Nos *nove* mundos. Frey não sai mais com tanta frequência. Sua mãe... devia ser uma mulher e tanto para atrair a atenção dele. De qualquer forma, muita gente nos nove mundos, deuses, gigantes, agentes de apostas, estavam esperando você fazer dezesseis anos. Alguns queriam vê-lo morto para que não pudesse encontrar a espada. Outros queriam que você conseguisse.

Senti pontadas na nuca. A ideia de um monte de deuses me espiando pelos telescópios asgardianos, me vendo crescer, me deixou apavorado. Durante todo esse tempo, minha mãe devia saber disso. Ela fez o que pôde para me manter em segurança, para me ensinar a sobreviver. Na noite em que os lobos atacaram nosso apartamento, ela se sacrificou por mim.

Olhei nos olhos cheios de água do Capo.

— E você? — perguntei. — O que você quer?

— Você é uma aposta arriscada, Magnus. Muitos destinos possíveis se cruzam na sua vida. Você poderia atrapalhar bastante as forças do mal e atrasar o Ragnarök por gerações. Ou, se falhar, pode antecipá-lo.

Engoli em seco.

— Antecipá-lo em quanto tempo?

— Que tal em uma semana?

— Ah.

— Decidi aceitar essa aposta — disse Mímir. — Depois que os filhos de Fenrir mataram sua mãe, mandei Blitz e Hearth como seus protetores. Você não deve ter ideia de quantas vezes eles salvaram sua vida.

Hearth levantou sete dedos.

Eu tremi, só que mais pela menção dos dois filhos de Fenrir, os lobos com olhos azuis...

— Para cumprir sua missão, você precisará dessa equipe. Hearthstone aqui dedicou a vida à magia de runas. Sem ele, você fracassará. Também vai precisar de um anão competente como Blitzen, que entende da arte de anões. Pode precisar fortalecer as cordas do Lobo ou, quem sabe, substituí-las.

Blitz se remexeu.

— Há, chefe... minhas habilidades de artesão são, bem, você sabe...

— Não me venha com essa — interrompeu Mímir. — Nenhum anão tem coração mais forte. Nenhum anão viajou mais pelos nove mundos ou tem mais desejo de manter Fenrir acorrentado. Além do mais, você está a meu serviço. Vai fazer o que eu mandar.

— Ah. — Blitzen assentiu. — Falando assim...

— E eu, lorde Mímir? — perguntou Sam. — Onde eu entro nesse plano?

Mímir franziu a testa. Ao redor da barba, a água borbulhou em um tom mais escuro de verde.

— Você não era parte do plano. Tem uma nuvem encobrindo o seu destino, srta. al-Abbas. Levar Magnus para Valhala... Eu não esperava por essa. Não era para ter acontecido.

Sam desviou o olhar com os lábios apertados de raiva.

— Sam tem o papel dela — falei. — Tenho certeza disso.

— Não seja condescendente, Magnus. Eu escolhi você porque... — Ela se obrigou a parar. — Era para acontecer.

Então me lembrei do que ela disse no salão de banquete. *Me disseram... Me prometeram...* Quem? Decidi não perguntar isso na frente do Capo.

Mímir a observou.

— Espero que você esteja certa, srta. al-Abbas. Quando Magnus pegou a espada no rio, não conseguia controlá-la muito bem. Talvez, agora que ele é um einherji, tenha força, e, nesse caso, você salvou o dia. Ou talvez tenha bagunçado completamente o destino dele.

— Vamos nos sair bem — insisti. — Só duas perguntas: onde está a espada e onde fica a ilha?

Mímir assentiu, o que o fez parecer uma boia de pesca gigantesca.

— Bom, essa é a parte mais difícil, não é? Para ter esse tipo de informação, eu teria que romper os véus entre os mundos, molhar muitas mãos, ver os reinos dos outros deuses.

— Não podemos simplesmente beber sua água mágica do poço?

— Podem — concordou ele. — Mas teria um preço. Você e Samirah al-Abbas estão prontos para se comprometer com os meus serviços?

O rosto de Hearthstone ficou apreensivo. Pela tensão nos ombros de Blitzen, achei que ele estivesse se controlando para não dar um pulo e gritar: "Não faça isso!".

— Você não pode abrir uma exceção? — perguntei ao Capo. — Considerando o quanto *deseja* que o serviço seja feito?

— Não dá, rapaz. Não estou sendo ganancioso. É que, bem, você tem aquilo pelo que paga. Se for barato, não vale muito. Isso é verdade especialmente no que diz respeito a conhecimento. Você pode pagar por um atalho, ter a informação agora, ou vai ter que descobrir sozinho, da maneira mais difícil.

Sam cruzou os braços.

— Minhas desculpas, lorde Mímir. Posso ter sido expulsa das valquírias, mas ainda me considero a serviço de Odin. Não posso ter outro senhor. Magnus pode tomar sua decisão, mas...

— Vamos descobrir sozinhos.

O deus fez um som aquoso. Parecia quase impressionado.

— Escolha interessante. Boa sorte, então. Se vocês conseguirem, vão ter uma conta em todos os meus cassinos. Se falharem... vejo vocês semana que vem, no Juízo Final.

A cabeça do deus girou e desapareceu na água gelada da lagoa.

— Ele deu descarga nele mesmo — falei.

Hearth parecia mais pálido do que de costume. *E agora?*

Meu estômago roncou. Eu não comia nada desde a noite anterior, e aparentemente meu organismo ficou estragado depois de algumas experiências de bufê viking liberado.

— Agora — falei —, estou pensando no almoço.

VINTE E NOVE

Nosso falafel é sequestrado por uma águia

NÃO CONVERSAMOS MUITO ENQUANTO VOLTÁVAMOS pelo parque. O ar tinha cheiro de neve iminente. O vento aumentou e uivou como os lobos, ou talvez fosse eu que estivesse com lobos na cabeça.

Blitzen mancou junto conosco, ziguezagueando de sombra em sombra o máximo que conseguiu. O cachecol listrado de Hearthstone não combinava com sua expressão sombria. Eu queria perguntar mais sobre a magia das runas agora que sabia que o elfo era o melhor (e único) mortal que a praticava. Talvez houvesse uma runa capaz de fazer lobos explodirem, preferivelmente a uma distância segura. Mas Hearth estava com as mãos enfiadas nos bolsos, o equivalente em linguagem de sinais a *Não estou a fim de conversar*.

Estávamos passando por um lugar onde eu costumava dormir debaixo da ponte quando Sam resmungou:

— Mímir. Eu deveria saber que ele estava envolvido.

Olhei para ela.

— Alguns minutos atrás, você estava toda *lorde Mímir, você nos honra, nós não somos dignos*.

— É *claro* que mostrei respeito quando ele estava na minha frente! Ele é um dos deuses mais antigos. Mas é imprevisível. Nunca ficou claro de que lado está.

Blitzen disparou para a sombra de um salgueiro, assustando vários patos.

— O Capo está do lado de todo mundo que não quer morrer. Isso não basta?

Sam riu.

— Quer dizer que vocês dois trabalham para ele por vontade própria? Não beberam do poço e pagaram o preço?

Nem Blitz nem Hearth responderam.

— Foi o que pensei — continuou Sam. — Não faço parte do plano de Mímir porque jamais o seguiria cegamente ou beberia do refrigerante mágico de conhecimento.

— Não tem gosto de refrigerante — protestou Blitz. — É mais parecido com *root beer* com um toque de cravo.

Sam se virou para mim.

— Nada disso faz sentido. Encontrar a Espada do Verão, eu entendo. Mas levá-la para o lugar onde Surt quer usá-la? Burrice.

— É, mas se *eu* estiver com a espada...

— Magnus, a espada está *destinada* a cair nas mãos de Surt mais cedo ou mais tarde. No Ragnarök, seu pai vai morrer porque perdeu a espada. Surt vai matá-lo com ela. Ao menos, é o que a maioria das histórias diz.

Fiquei claustrofóbico só de pensar nisso. Como alguém, mesmo um deus, conseguia se manter são sabendo séculos antes exatamente como vai morrer?

— Por que Surt odeia tanto Frey? — perguntei. — Ele não podia implicar com um deus da guerra grande e forte?

Blitzen franziu a testa.

— Garoto, Surt quer morte e destruição. Quer que seu fogo se espalhe pelos nove mundos. Um deus guerreiro não pode impedir isso. Frey, sim. Ele é o deus da colheita, o deus da saúde e da nova vida. Mantém os extremos sob controle, tanto o fogo quanto o gelo. Não tem nada que Surt odeie mais do que ficar confinado. Frey é seu inimigo natural.

E, por extensão, pensei, *Surt me odeia.*

— Se Frey sabia qual seria o destino dele, por que abriu mão da espada?

Blitz grunhiu.

— Por amor. Que outro motivo?

— Por amor?

— Aff — disse Sam. — *Odeio* essa história. Aonde você vai nos levar para almoçar, Magnus?

Parte de mim queria ouvir a história. A outra parte lembrava minha conversa com Loki: *Vai procurar o desejo do seu coração, sabendo que ele pode condenar você como condenou seu pai?*

Muitas histórias nórdicas pareciam carregar a mesma mensagem: saber das coisas nem sempre valia o preço. Infelizmente para mim, sempre fui curioso.

— É... hã, ali na frente — falei. — Venham.

A praça de alimentação no Transportation Building não era nenhuma Valhala, mas, para um mendigo em Boston, era bem próximo disso. O átrio interno era quente, aberto ao público e nunca ficava cheio. Era patrulhado por alguns seguranças particulares. Enquanto você tivesse um copo ou um prato de comida pela metade, podia ficar sentado à mesa por muito tempo até que alguém o mandasse sair.

Na entrada, Blitzen e Hearthstone foram na direção das latas de lixo para checar os restos de almoço, mas eu os fiz parar.

— Gente, não — falei para os dois. — Vamos almoçar de verdade hoje. Por minha conta.

Hearth ergueu uma sobrancelha. E sinalizou: *Você tem dinheiro?*

— Ele tem aquele amigo aqui — relembrou Blitzen. — O cara do falafel.

Sam parou na mesma hora.

— O quê?

Ela olhou ao redor como se tivesse acabado de perceber onde estávamos.

— Está tudo bem — prometi. — Conheço um cara no Falafel do Fadlan. Você vai me agradecer. É delicioso...

— Não... eu... ah, deuses... — Ela colocou rapidamente o lenço sobre o cabelo. — Acho que vou esperar lá fora... não posso...

— Besteira. — Blitz passou o braço pelo dela. — É capaz de servirem mais comida se houver uma mulher bonita conosco!

Sam estava morrendo de vontade de sair correndo, mas permitiu que Hearth e Blitz a guiassem até a praça de alimentação. Acho que eu deveria ter dado mais atenção ao desconforto dela, mas quando estou só a trinta metros do Falafel do Fadlan, não consigo pensar em mais nada.

Nos dois anos anteriores, fiz amizade com o gerente, Abdel. Acho que ele me via como o projeto de caridade dele. A loja sempre tinha comida sobrando — pão árabe um pouco velho, shawarma do dia anterior, quibe que ficou tempo demais na vitrine aquecida. Abdel não podia vender essas coisas, mas o gosto ainda estava bom. Em vez de jogar fora, ele dava para mim. Sempre que eu ia lá, podia contar com um sanduíche de falafel no pão árabe ou alguma coisa tão deliciosa quanto. Em troca, eu fazia com que os outros sem-teto no átrio fossem educados e limpassem tudo depois de comer para que os clientes de Abdel não parassem de frequentar o lugar.

Em Boston, não dava para andar um quarteirão sem tropeçar em algum ícone da liberdade (a Freedom Trail, a igreja Old North, o Bunker Hill Monument), mas, para mim, a liberdade tinha gosto de Falafel do Fadlan. A comida de lá me manteve vivo e independente desde que minha mãe morreu.

Eu não queria assustar Abdel com um monte de gente, então mandei Blitz e Hearth pegarem uma mesa enquanto Sam e eu íamos buscar a comida. Durante todo o caminho, ela arrastou os pés, olhou para o outro lado e mexeu no lenço como se quisesse desaparecer dentro dele.

— Qual é o problema? — perguntei.

— Pode ser que ele não esteja lá — murmurou ela. — Talvez você possa dizer que sou sua professora.

Eu não fazia ideia do que ela estava falando. Fui até o balcão enquanto Sam ficava um pouco afastada, fazendo de tudo para se esconder atrás de uma figueira em um vaso.

— O Abdel está? — perguntei para o cara da registradora.

Ele começou a dizer alguma coisa, mas o filho de Abdel, Amir, veio dos fundos da loja, sorrindo e limpando as mãos no avental.

— Jimmy, como vai?

Eu relaxei. Se Abdel não estava, Amir era a segunda melhor opção. Ele tinha dezoito ou dezenove anos, andava arrumado e tinha boa aparência, com cabelo preto lustroso, uma tatuagem em árabe no bíceps e um sorriso tão brilhante que poderia vender toneladas de clareadores dentais. Assim como todo mundo no Falafel do Fadlan, ele me conhecia como "Jimmy".

— Estou bem — respondi. — E como vai seu pai?

— Está na loja de Somerville hoje. Você quer comida?

— Cara, você é demais.

Amir riu.

— Não é nada. — Ele olhou por cima do meu ombro e parou. — E ali está Samirah! O que você está fazendo aqui?

Ela se aproximou.

— Oi, Amir. Estou... dando aulas para Ma... Jimmy. Estou dando aulas para Jimmy.

— Ah, é? — Amir se inclinou no balcão, o que contraiu os músculos dos braços dele. O cara trabalhava em período integral nas várias lojas do pai, mas conseguia evitar que qualquer gota de gordura caísse na camisa branca. — Você não tem aula?

— Hã, tenho, mas ganho crédito extra por dar aulas fora da escola. Para Jimmy e... os colegas dele. — Ela apontou para Blitz e Hearth, que estavam tendo uma discussão acalorada em linguagem de sinais, desenhando círculos no ar. — Geometria — concluiu Samirah. — Eles são péssimos em geometria.

— Péssimos — concordei. — Mas comida nos ajuda a estudar.

Amir sorriu.

— Pode deixar. Fico feliz em ver que você está bem, Jimmy. Aquele acidente na ponte outro dia... o jornal divulgou a foto de um garoto que morreu. Era muito parecido com você. O nome era diferente, mas ficamos preocupados.

Eu estava tão concentrado no falafel que tinha me esquecido de pensar que talvez eles fizessem essa ligação.

— É, eu vi. Estou bem. Só estudando geometria. Com minha professora.

— Tudo bem! — Amir sorriu para Sam. O constrangimento era tanto que dava para cortá-lo com uma espada. — Bem, Samirah, mande um oi para Jid e Bibi por mim. Podem se sentar. Vou levar a comida em um segundo.

Sam murmurou alguma coisa que poderia ter sido *Muito obrigada* ou *Por favor, me mate*. E fomos nos juntar a Blitz e Hearth à mesa.

— O que foi aquilo? — perguntei. — De onde você conhece Amir?

Ela puxou o lenço até cobrir um pouco mais da testa.

— Não se sente muito perto de mim. Tente fazer parecer que estamos falando sobre geometria.

— Triângulos. Quadriláteros. Por que você está tão constrangida? Amir é incrível. Se você conhece a família Fadlan, é como uma celebridade para mim.

— Ele é meu primo — disse ela. — De quarto grau, ou quinto. Sei lá.

Olhei para Hearth. Ele estava encarando o chão de cara feia. Blitz havia tirado a máscara de esqui e os óculos, acho que porque a luz ali dentro não o incomodava muito, e agora estava girando um garfo de plástico na mesa com expressão emburrada. Aparentemente, perdi uma boa discussão entre ele e Hearth.

— Tudo bem — falei. — Mas por que você ficou tão nervosa?

— Vamos mudar de assunto?

Levantei as mãos em rendição.

— Tudo bem. Vamos recomeçar. Oi, pessoal. Sou Magnus e sou um einherji. Se não vamos estudar geometria, podemos conversar sobre como vamos encontrar a Espada do Verão?

Ninguém respondeu.

Um pombo passou ao lado da mesa, ciscando.

Olhei para a loja de falafel. Por algum motivo, Amir tinha descido a porta de aço. Eu nunca o tinha visto fechar a loja na hora do almoço, e me perguntei se Sam o tinha ofendido e ele havia cortado minha cota de falafel.

Se sim, eu viraria um berserker.

— O que aconteceu com nossa comida? — questionei.

Aos meus pés, uma vozinha grasniu:

— Posso ajudar a responder as duas perguntas.

Olhei para baixo. Minha semana foi tão maluca que nem reagi quando percebi quem tinha falado.

— Pessoal — falei —, um pombo quer nos ajudar.

O pombo voou para nossa mesa. Hearth quase caiu da cadeira. Blitz ergueu o garfo.

— O serviço aqui às vezes é meio lento — disse o pombo. — Mas posso acelerar seu pedido. Também posso dizer onde encontrar a espada.

Sam levou a mão ao machado.

— Isso não é um pombo.

O pássaro a observou com um olho alaranjado brilhante.

— Talvez não. Mas, se você me matar, não vai receber seu almoço. Também não vai encontrar a espada nem voltar a ver seu noivo.

Os olhos de Samirah pareciam que iriam sair voando das órbitas.

— Do que ele está falando? — perguntei. — Que noivo?

O pássaro arrulhou.

— Se você quer que o Falafel do Fadlan abra de novo...

— Tudo bem, isso agora é pessoal. — Eu considerei tentar pegar o pássaro, mas, mesmo com meus reflexos de einherji, duvidava que conseguisse. — O que você fez? O que aconteceu com Amir?

— Nada ainda! — disse o pombo. — Vou trazer seu almoço. Tudo o que quero é dar a primeira bicadinha na comida.

— Sei — respondi. — E, supondo que eu acredite em você, o que vai querer em troca da informação sobre a espada?

— Um favor. É negociável. E então, a loja de falafel vai ficar fechada para sempre ou temos um trato?

Blitzen balançou a cabeça.

— Não aceite, Magnus.

Hearth sinalizou: *Nunca confie em um pombo.*

Sam encarou meus olhos. A expressão dela era de súplica, quase de desespero. Ou ela gostava mais de falafel do que eu ou estava preocupada com outra coisa.

— Tudo bem — concordei. — Traga nosso almoço.

A porta de aço da loja subiu na mesma hora. O caixa estava paralisado como uma estátua, com o telefone no ouvido. De repente, ele começou a se mover, olhou por cima do ombro e gritou um pedido para o cozinheiro, como se nada tivesse acontecido. O pombo saiu voando na direção da loja e desapareceu atrás do balcão. O caixa não pareceu perceber.

Um instante depois, uma ave bem maior saiu da cozinha, uma águia-de-cabeça-branca com uma bandeja nas garras. Ela pousou no meio da nossa mesa.

— Você é uma águia agora? — perguntei.

— Sou — disse com a mesma voz coaxante. — Gosto de variar. Aqui está a comida.

Era tudo o que eu podia querer: quibes de carne moída temperada soltando fumacinha, uma pilha de kebabs de cordeiro com molho de iogurte com menta, quatro pães árabes frescos com bolinhos de falafel deliciosos, banhados com molho tahine e decorados com picles.

— Ah, Helheim, sim.

Estiquei a mão para a bandeja, mas a águia me bicou.

— Agora, não — repreendeu ela. — Eu primeiro.

Vocês já viram uma águia comendo falafel?

Essa imagem horrível agora assombra meus pesadelos.

Mais rápido do que um raio, a ave atacou e engoliu tudo, deixando apenas um pedaço de picles.

— Ei! — gritei.

Sam se levantou e ergueu o machado.

— É um gigante. Só pode ser!

— Nós fizemos um acordo. — A águia arrotou. — Agora, sobre a espada...

Soltei um rugido gutural, o grito de um homem que foi privado do quibe que era seu por direito. Puxei a espada e bati na águia com a parte achatada da lâmina.

Não foi o gesto mais racional, mas eu estava com fome. E com raiva. Odiava que tirassem vantagem de mim e não gostava tanto assim de águias-de-cabeça-branca.

A lâmina bateu nas costas da ave e grudou lá como supercola. Tentei arrancá-la, mas a espada não se moveu. Também não conseguia soltar o cabo da espada.

— Tudo bem, então — grasniu a águia. — Se é assim que você prefere.

Ela saiu voando pela praça de alimentação a cem quilômetros por hora e foi me arrastando pelo caminho.

TRINTA

Uma maçã por dia vai acabar matando você

A̲c̲r̲e̲s̲c̲e̲n̲t̲e̲m̲ à̲ m̲i̲n̲h̲a̲ l̲i̲s̲t̲a̲ d̲e̲ Atividades Menos Favoritas: surfar em águias.

A ave idiota não devia ter conseguido sair voando arrastando um garoto quase adulto. Mas foi o que ela fez.

Atrás de mim, Blitz e Sam gritaram coisas úteis como "Ei! Pare!" enquanto a águia me arrastava por mesas, cadeiras e vasos de planta, depois saía pela porta dupla de vidro e sobrevoava a rua Charles.

Um cara almoçando no décimo andar de um prédio do outro lado da rua cuspiu seu Cheetos quando eu passei. Deixei uma bela pegada na janela dele.

— Me solte! — gritei.

A águia riu enquanto me arrastava por um telhado.

— Tem certeza? Cuidado com a cabeça!

Eu me virei, e por pouco não dei de cara com um ar-condicionado. Bati em uma chaminé de tijolos, usando o peito como aríete. E então, a águia mergulhou pelo outro lado do prédio.

— Então! — disse ela. — Está pronto para negociar aquele favor?

— Com um pombo mutante que rouba falafel? Não, obrigado!

— Você que sabe.

A águia mudou de direção e me jogou em uma saída de emergência. Senti as costelas estalarem, e a dor era como frascos de ácido se quebrando no meu peito. Meu estômago vazio tentou, sem sucesso, vomitar.

Sobrevoamos uma igreja na rua Boylston e depois contornamos a torre da Old North Church. Tive um pensamento confuso sobre Paul Revere e aquela frase clássica das aulas de história: *Uma lanterna se for por terra, duas se for pelo mar.*

E se você vir um cara sendo arrastado por uma águia gigante, hã, nem sei quantas lanternas isso quer dizer.

Tentei curar as costelas com meu poder, mas não consegui me concentrar. A dor era intensa demais. Eu ficava sendo jogado contra paredes e chutando janelas.

— Tudo o que eu quero — disse a águia — é uma troca de favores. Vou dizer como pegar a espada, mas você tem que pegar uma coisa para mim também. Nada de mais. Só uma maçã. Uma maçãzinha.

— Qual é a pegadinha?

— A pegadinha é que, se você não aceitar... Ah, olhe! Grade contra pombos!

À nossa frente, a beirada de um telhado de hotel era cheia de aço, como uma miniatura de arame farpado das trincheiras na Primeira Guerra Mundial. As pontas estavam lá para impedir que pombos fizessem ninhos, mas também seriam ótimas para destroçar minha barriga.

Fui tomado pelo medo. Não gosto de objetos pontiagudos. Minha barriga ainda estava sensível por causa da morte recente por asfalto derretido.

— Tudo bem! — gritei. — Nada de espetos!

— Diga: *Por minha fidelidade, concordo com seus termos.*

— Eu nem sei o que isso quer dizer!

— Diga!

— Por minha fidelidade, concordo com seus termos! Maçãs, sim! Espetos, não!

A águia subiu e passou raspando no telhado. As pontas dos meus sapatos roçaram no arame farpado. Voamos em círculo sobre a praça Copley e pousamos no telhado da Biblioteca Pública de Boston.

A espada se soltou das costas da águia. Minhas mãos se desgrudaram, o que foi ótimo, mas agora eu não tinha em que me segurar. Era quase impossível ficar de pé nas telhas de argila vermelhas e curvas. O telhado era perigosamente inclinado. A uns três metros abaixo de mim, estendia-se uma ampla área pavimentada com gostinho de morte.

Eu me agachei para não cair. Com cuidado, embainhei a espada, que voltou à forma de corrente.

— Ai! — exclamei.

Minhas costelas doíam. Meus braços quase tinham sido arrancados. Meu peito parecia ter sido carimbado permanentemente com a forma da parede de tijolos.

À esquerda, a águia se empoleirou no para-raios, com jeito magnânimo junto aos grifos decorativos de bronze ao redor da base.

Eu não sabia que águias tinham expressão, mas aquela estava com uma muito arrogante.

— Estou feliz por você ter sido racional! — disse ela. — Embora, sinceramente, eu tenha adorado nosso tour pela cidade. É bom falar com você a sós.

— Você está me fazendo corar — resmunguei. — Ah, não, espere. É só o sangue espalhado na minha cara.

— Eis a informação de que você precisa — prosseguiu a águia. — Quando sua espada caiu na água, a corrente a carregou rio abaixo. Ela foi reivindicada pela deusa Ran. Muitos tesouros valiosos vão parar na rede dela.

— Ran?

A águia estalou o bico.

— Deusa do mar. Tem uma rede. Preste atenção.

— Onde posso encontrá-la? E, por favor, não responda "no mar".

— Ela pode estar em qualquer lugar, então você vai ter que chamar sua atenção. Como fazer isso? Conheço um cara. Harald. Ele tem um barco no Fish Pier, faz excursões em alto-mar. Diga que Big Boy mandou você.

— Big Boy.

— É um dos meus muitos nomes. Harald vai saber o que você quer dizer. Convença-o a levar você para pescar na baía de Massachusetts. Se você criar um tumulto por lá, vai atrair a atenção de Ran. Então, poderá negociar. Peça a espada e uma das maçãs de Idun.

— Éden?

— Você é surdo? I-D-U-N. Ela distribui as maçãs da imortalidade que mantêm os deuses jovens e imortais. Ran com certeza tem uma por perto, porque, sério, quando você a vir, vai perceber que ela às vezes se esquece de comê-las. Quando estiver com a maçã, traga-a para mim. Então liberto você da sua promessa.

— Duas perguntas. Você é maluco?

— Não.

— Como pescar na baía vai gerar um tumulto capaz de atrair uma deusa do mar?

— Isso depende do que você vai pescar. Diga para Harald que você precisa da isca especial. Ele vai entender. Se ele protestar, diga que Big Boy insistiu.

— Eu não faço ideia do que isso quer dizer — confessei. — Supondo que eu me encontre com Ran, como devo barganhar com ela?

— Aí já são três perguntas. Além disso, o problema é seu.

— Última pergunta.

— São quatro agora.

— O que me impede de pegar a espada e não trazer sua maçã?

— Ah, você me jurou fidelidade — respondeu a águia. — Sua fidelidade é sua palavra, sua fé, sua honra, sua alma. É um juramento incontestável, principalmente para um einherji. A não ser que você queira entrar em combustão espontânea e acabar preso na escuridão gelada de Helheim...

Mordi o lábio.

— Acho melhor cumprir minha promessa.

— Excelente! — A águia bateu as asas. — Seus amigos estão vindo, é minha deixa para ir embora. Vejo você quando estiver com minha maçã!

A águia levantou voo e desapareceu atrás das paredes de vidro da Hancock Tower, me deixando sozinho para encontrar um jeito de descer do telhado.

Na praça Copley, Blitzen, Hearthstone e Sam estavam correndo no gramado congelado. Sam me viu primeiro; parou na mesma hora e apontou, e eu acenei.

Não consegui ver sua expressão, mas ela abriu os braços como quem diz: *Que diabo você está fazendo aí em cima?*

Com certa dificuldade, me levantei. Graças ao meu plano de saúde de Valhala, meus ferimentos já estavam começando a cicatrizar, mas eu continuava dolorido e travado. Segui devagar até a beirada do telhado e espiei. O Magnus 1.0 jamais consideraria isso, mas agora imaginei uma série de pulos de três metros (para aquele parapeito da janela, depois para o mastro da bandeira, para o alto daquele poste e então para a escada em frente) e pensei: *Tudo bem, tranquilo.*

Em questão de segundos, estava seguro no chão. Meus amigos me encontraram na calçada.

— O que foi *aquilo*? — perguntou Blitzen. — Ele era um gigante?

— Não sei — respondi. — O nome dele é Big Boy e ele gosta de maçãs. Contei a história toda.

Hearthstone bateu na testa. *Você fez um juramento de fidelidade?*

— Ah, era isso ou ser perfurado por espetos antipombos, então fiz.

Sam ficou olhando para o céu, talvez torcendo para ver uma águia que pudesse acertar com o machado.

— Isso vai acabar mal. Acordos com gigantes nunca dão certo.

— Pelo menos Magnus descobriu onde a espada está — disse Blitzen. — Além do mais, Ran é uma deusa. Ela vai ficar do nosso lado, certo?

Sam riu com deboche.

— Acho que você não ouviu as mesmas histórias que *eu* sobre ela. Mas, a essa altura, não temos muita escolha. Vamos procurar Harald.

TRINTA E UM

A mais fedida e não se fala mais nisso

Nunca tive medo de andar de barco até ver o de Harald.

Na proa estava pintado: EXCURSÕES AO MAR PROFUNDO E DESEJOS DE MORTE DE HARALD — o que parecia muito texto para um barquinho de seis metros. O deque era uma bagunça de cordas, baldes e caixas de iscas. Redes e boias cobriam as laterais como decorações de Natal. O casco já tinha sido verde, mas estava desbotado, da cor de chiclete de menta muito mastigado.

O próprio Harald estava na doca ali perto, usando um macacão amarelo com respingos de água e uma camiseta tão velha que fazia a minha dos Wiggles parecer última moda. Ele era um cara do tamanho de um lutador de sumô com braços tão grossos quanto os espetos de churrasco grego no Falafel do Fadlan. (Sim, eu ainda estava pensando em comida.)

O mais estranho nele era o cabelo. Os cachos malcuidados, a barba e até os braços peludos brilhavam com um toque branco-azulado, como se ele tivesse passado a noite ao ar livre e estivesse coberto de geada.

Quando nos aproximamos, ele ergueu o rosto da corda que estava enrolando.

— Olhem só. Um anão, um elfo e dois humanos chegam no píer... Parece até o começo de uma piada.

— Espero que não — comentei. — Queremos alugar seu barco para uma expedição de pesca. Vamos precisar da isca especial.

Harald soltou um risinho de deboche.

— Vocês quatro em uma das *minhas* expedições? Não vai rolar.

— Big Boy nos mandou.

Harald franziu a testa, e um pouquinho de neve caiu de suas bochechas.

— Big Boy, é? O que ele quer com gente como vocês?

Sam deu um passo à frente.

— Não é da sua conta. — Do bolso do casaco, ela tirou uma moeda grande e a jogou para Harald. — Uma moeda de ouro vermelho agora; mais cinco quando terminarmos. Você vai alugar o barco para nós ou não?

Eu me inclinei na direção dela.

— O que é ouro vermelho?

— A moeda de Asgard e Valhala — explicou ela. — Aceita em todos os mundos.

Harald cheirou a moeda. A superfície dourada brilhou de forma tão calorosa que a moeda pareceu estar em chamas.

— Você tem sangue de gigante, garota? Vejo nos seus olhos.

— Isso também não é da sua conta.

— Hum. O pagamento é suficiente, mas meu barco é pequeno. Dois passageiros no máximo. Levo você e o garoto humano, mas o anão e o elfo... De jeito nenhum.

Blitzen estalou os dedos nas luvas de couro.

— Escuta aqui, Gelado...

— ARG! Nunca chame um gigante do gelo de *Gelado*. Odiamos isso. Além do mais, você já parece meio petrificado, anão. Não preciso de outra âncora. Quanto aos elfos, são criaturas de ar e luz, inúteis em um barco. Só dois passageiros. O acordo é esse. É pegar ou largar.

Olhei para os meus amigos.

— Pessoal, uma conversinha, por favor.

Eu os levei pelo píer até um ponto em que Harald não ouviria.

— O cara é um gigante do gelo?

Hearthstone gesticulou: *Cabelo gelado. Feio. Grande. Sim.*

— Mas... Sabe, ele é grande, mas não *gigante*.

A expressão de Sam me fez desconfiar de que ela não era a professora de geometria mais paciente do mundo.

— Magnus, gigantes não são necessariamente enormes. Alguns são. Alguns podem *crescer* muito se quiserem. Mas são seres ainda mais diversificados do que os humanos. Muitos parecem pessoas normais. Alguns podem assumir a forma de águia ou pombo ou praticamente qualquer coisa.

— Mas o que um gigante do gelo está fazendo no porto de Boston? Podemos confiar nele?

— Primeira resposta — disse Blitzen —, os gigantes do gelo estão por toda parte, principalmente ao norte de Midgard. Se são confiáveis... de jeito nenhum. Ele pode levá-lo direto para Jötunheim e jogá-lo em um calabouço, ou pode usá-lo como isca. Você tem que insistir em levar Hearth e a mim.

Hearth bateu no ombro de Blitz.

O gigante está certo, gesticulou ele. *Eu falei, luz do dia demais. Você está virando pedra. Só é muito teimoso para admitir.*

— Não, estou bem.

Hearthstone olhou ao redor. Viu um balde de metal, pegou e bateu com ele na cabeça de Blitzen. O anão não reagiu, já o balde amassou no formato do crânio dele.

— Tudo bem — admitiu Blitz —, talvez eu esteja ficando um pouco petrificado, mas...

— Saia da luz por um tempo — sugeri. — Vamos ficar bem. Hearth, você consegue encontrar um bom esconderijo subterrâneo para ele ou alguma coisa assim?

Hearth assentiu. *Vamos tentar descobrir mais sobre Fenrir e a corda que o aprisiona. Encontramos você de noite. Na biblioteca?*

— Está ótimo — falei. — Sam, vamos pescar.

Voltamos para Harald, que estava prendendo a corda em um nó perfeito.

— Tudo bem, dois passageiros. Precisamos pescar no ponto mais distante possível da baía de Massachusetts, e precisamos da isca especial.

Harald abriu um sorriso torto. Os dentes pareciam ser do mesmo material da corda desgrenhada que ele estava enrolando.

— Mas é claro, pequeno humano. — Apontou para uma porta corrediça na lateral do armazém. — Escolha sua isca... se conseguir carregar.

Quando Sam e eu abrimos a porta, quase desmaiei com o fedor.

Ela teve ânsia de vômito.

— Pelo olho de Odin, já estive em campos de batalha menos fedorentos.

No armazém, pendurados em ganchos de carne, havia uma coleção realmente impressionante de carcaças em decomposição. A menor era a de um camarão de um metro e meio. A maior era a cabeça decepada de um touro do tamanho de um carro.

Tampei o nariz com a manga da jaqueta. Não ajudou. Parecia que alguém tinha enchido uma granada com ovo podre, metal enferrujado e cebola crua e jogado nas minhas narinas.

— Respirar dói — falei. — Qual dessas gostosuras você acha que é a isca especial?

Sam apontou para a cabeça do touro.

— Que tal a maior e não se fala mais nisso?

Eu me obriguei a observar a cabeça do touro, os chifres pretos e curvos, a língua cor-de-rosa para fora da boca como um colchão de ar peludo, o pelo branco fumegante e as crateras brilhosas cheias de gosma das narinas.

— Como é possível um touro tão grande?

— Deve ser de Jötunheim — disse Sam. — O gado deles pode ser enorme.

— Não me diga. Alguma ideia do que devemos tentar pescar?

— Há muitos monstros marinhos nas profundezas. Desde que não seja... — Seu rosto subitamente ficou sombrio. — Deixa pra lá. Deve ser só um monstro marinho.

— Só um monstro marinho. Que alívio.

Fiquei tentado a pegar o camarão gigante e sair dali, mas tinha a sensação de que precisávamos de uma isca maior se queríamos mesmo causar um tumulto capaz de atrair uma deusa do mar.

— Vai ser a cabeça do touro então — concluí.

Sam levantou o machado.

— Não sei nem se vai caber no barco de Harald, mas...

Ela jogou o machado na corrente do gancho de carne, que quebrou com um estalo. A cabeça do touro caiu no chão como uma pinhata grande e nojenta. O machado voltou voando para a mão de Sam.

Juntos, pegamos o gancho de carne e arrastamos a cabeça para fora do armazém. Mesmo com ajuda, eu não conseguiria deslocá-la se não fosse minha força de einherji.

Morra dolorosamente. Vá para Valhala. Ganhe a habilidade de arrastar cabeças decepadas rançosas e colossais por um píer. Viva.

Quando chegamos ao barco, puxei a corrente com toda a minha força. A cabeça do touro rolou pelo píer e caiu no convés. O *S.S. Harald* quase virou, mas de alguma forma se estabilizou. A cabeça ocupava a metade de trás do navio. A língua caía pela popa. O olho esquerdo rolou para dentro, e a cabeça ficou parecendo enjoada.

Harald se levantou do balde de iscas onde estava sentado. Se ficou surpreso ou irritado de eu ter jogado uma cabeça de vaca de duzentos e vinte quilos no barco, não demonstrou.

— Uma escolha ambiciosa de isca. — Harald olhou para o porto. O céu estava escurecendo. Uma leve chuva de granizo perfurava a superfície da água. — Vamos logo, então. É uma bela tarde para pescar.

TRINTA E DOIS

Meus anos jogando
Bassmasters 2000 compensaram

Era uma tarde horrível para pescar.

O mar estava agitado e eu vomitei na água várias vezes. O frio não me incomodava, mas o granizo espetava meu rosto. O sacolejo do convés deixou minhas pernas bambas. Harald, o gigante do gelo, estava no leme, cantando em uma linguagem gutural que imaginei que fosse jötunnês.

Sam não pareceu incomodada pelo mar agitado. Ficou inclinada na amurada olhando para o céu acinzentado, o lenço voando ao redor do pescoço como guelras.

— Qual é a do lenço, afinal? — perguntei. — Às vezes, você cobre a cabeça. Às vezes, não.

Ela colocou os dedos na seda verde de forma protetora.

— É um hijab. Uso quando quero ou quando acho que devo. Quando levo minha avó à mesquita às sextas, por exemplo, ou...

— Ou quando vê Amir?

Ela murmurou:

— Cheguei a pensar que você ia deixar isso pra lá.

— O pombo disse que Amir é seu *noivo*. Você tem o quê, dezesseis anos?

— Magnus...

— Só estou dizendo, se for um daqueles casamentos forçados, isso é errado. Você é uma valquíria. Devia poder...

— Magnus, pare. Por favor.

O barco se chocou com uma onda e nos encharcou com água do mar.

Samirah segurou a amurada.

— Meus avós são antiquados. Foram criados em Bagdá, mas fugiram para os Estados Unidos quando Saddam Hussein estava no poder.

— E...?

— Eles conhecem os Fadlan desde sempre. São boas pessoas. Parentes distantes. Bem-sucedidos, gentis...

— Eu sei. Abdel é demais. Amir parece legal. Mas casamento forçado se você não ama o cara...

— Arg! Você não entende. Eu sou apaixonada por Amir desde que tinha doze anos.

O barco grunhiu ao passar entre mais ondas. Harald continuou cantando a versão de "Noventa e nove garrafas de cerveja" em jötunnês.

— Ah.

— Não que isso seja da sua conta — acrescentou Samirah.

— Não mesmo.

— Mas, às vezes, quando uma família tenta formar um casal, ela *leva em consideração* a opinião da garota.

— Certo.

— Só percebi quando fiquei mais velha... Depois que minha mãe morreu, meus avós me acolheram, mas, bem, minha mãe não era casada quando eu nasci. A geração dos meus avós ainda considera isso uma falta muito grave.

— É.

Decidi não acrescentar: *Além do mais, você é filha do Loki, a origem de todo o mal.*

Sam pareceu ler meus pensamentos.

— Ela era médica, a minha mãe. Conheceu Loki na sala de emergência. Ele estava... Não sei... Tinha gastado boa parte de seu poder tentando aparecer em Midgard na forma física. Ficou preso de algum jeito, dividido entre os mundos. A manifestação dele em Boston estava sofrendo, fraca e impotente.

— Ela o curou?

Sam limpou uma gota de água do pulso.

— De certa forma. Ela foi gentil; ficou ao lado dele. Loki pode ser muito encantador quando quer.

— Eu sei. — Pisquei. — Quer dizer... pelas histórias. Você já o viu pessoalmente?

Ela me lançou um olhar sombrio.

— Não aprovo as decisões do meu pai. Ele pode ser carismático, mas também é um mentiroso, ladrão e assassino. Já me visitou várias vezes. Eu me recusei a falar com ele, o que o deixou louco. Ele não gosta de ser ignorado. É doido para chamar a atenção.

— Entendi. Loki. Louquinho.

Ela revirou os olhos.

— Enfim. Minha mãe praticamente me criou sozinha. Era uma mulher determinada, diferente. Quando morreu... Bem, onde morávamos eu era considerada uma pessoa ruim, uma bastarda. Meus avós tiveram sorte, *muita* sorte, de terem a bênção dos Fadlan para que eu me casasse com Amir. Eles não têm absolutamente nada a ganhar com o casamento. Não sou rica nem respeitável nem...

— Pare com isso. Você é inteligente, corajosa. É uma valquíria com a bênção de Frigga. E não consigo acreditar que estou procurando motivos para apoiar seu casamento arranjado...

O cabelo castanho voava ao redor do rosto, acumulando pedacinhos de gelo.

— Essa coisa de valquíria é um problema — disse ela. — Minha família... Bem, somos um pouco diferentes. Temos um histórico com os deuses nórdicos.

— Como assim?

Sam abanou a mão e desconversou, como se dissesse: *Daria muito trabalho explicar.*

— Mesmo assim — prosseguiu —, se alguém descobrisse sobre minha vida dupla... Acho que o sr. Fadlan não gostaria que o filho mais velho se casasse com uma garota que faz bico como coletora de almas para deuses pagãos.

— Ah. Falando desse jeito...

— Eu cubro minhas faltas da melhor forma que posso.

— Aulas de matemática.

— E alguns *glamoures* simples de uma valquíria. Mas uma boa muçulmana não deve sair sozinha com caras estranhos.

— Caras estranhos. Obrigado.

Tive uma visão repentina de Sam sentada na aula de inglês e o celular começando a vibrar. A tela pisca: LIGAÇÃO DE ODIN. Ela corre para o banheiro, veste seu traje de Supervalquíria e sai voando pela janela mais próxima.

— Quando você foi expulsa de Valhala... Hã, bom, me desculpe por isso. Mas você não pensou: *Ei, talvez seja uma coisa boa. Posso ter uma vida normal agora*?

— Não. Esse é o problema. Eu quero *as duas coisas*. Quero me casar com Amir na hora certa. Mas também sempre quis voar.

— Voar, tipo, em *aviões* ou mais no estilo *andar por aí em um cavalo mágico*?

— As duas coisas. Aos seis anos, comecei a desenhar aviões. Eu queria ser piloto. Quantas pilotos mulheres árabe-americanas você conhece?

— Você seria a primeira — admiti.

— *Gosto* dessa ideia. Me faça qualquer pergunta sobre aviões, e eu saberei responder.

— Então, quando você se tornou uma valquíria...

— Foi adrenalina pura. Poder sair voando quando eu quisesse foi um sonho virando realidade. Além do mais, senti que estava fazendo uma coisa boa. Procurava pessoas honradas e corajosas que morriam protegendo outras e as levava para Valhala. Você não sabe o quanto sinto falta disso.

A dor estava evidente em sua voz. *Pessoas honradas e corajosas...* Ela me incluía nesse grupo. Depois dos problemas que lhe causei, queria poder assegurar que tudo ficaria bem. Que descobriríamos um jeito de devolver a ela suas duas vidas.

Mas eu não podia prometer nem que sobreviveríamos àquele passeio de barco.

Do leme, Harald gritou:

— Mortais, vocês deviam prender a isca no anzol! Estamos chegando perto da boa pescaria!

Sam balançou a cabeça.

— Não. Vá mais longe!

Harald fez cara feia.

— Não é seguro! Mais longe...

— Você quer seu ouro ou não?

Harald murmurou alguma coisa provavelmente imprópria em jötunnês. E acelerou o barco.

Olhei para Sam.

— Como você sabe que temos que ir mais longe?

— Consigo sentir — disse ela. — Acho que é uma das vantagens do sangue do meu pai. Normalmente, consigo saber onde os piores monstros se escondem.

— Quanta alegria.

Espiei a escuridão. Pensei em Ginnungagap, a névoa primordial entre o gelo e o fogo. Parecíamos estar seguindo diretamente para lá. A qualquer momento, o mar poderia se dissolver, e cairíamos no vazio. Eu torcia para estar errado. Os avós de Sam ficariam furiosos se ela se atrasasse para o jantar.

O barco tremeu. O mar escureceu.

— Pronto — disse Sam. — Você sentiu? Passamos de Midgard para as águas de Jötunheim.

Apontei para bombordo. A algumas centenas de metros, uma torre de granito se projetava em meio à névoa.

— Mas aquilo é Graves Light. Não estamos tão longe do porto.

Sam pegou uma das varas de pesca enormes que talvez fosse mais apropriada para salto com vara.

— Os mundos se sobrepõem, Magnus, principalmente perto de Boston. Vá pegar a isca.

Harald diminuiu a velocidade do barco quando me viu chegando à popa.

— É perigoso demais pescar aqui — avisou ele. — Além do mais, duvido que você consiga usar essa isca.

— Cala a boca, Harald.

Peguei a corrente e arrastei a cabeça do touro, quase derrubando o capitão com um dos chifres do animal.

Quando alcancei Sam, examinamos o gancho de metal, que estava bem enfiado no crânio do touro.

— Isso deve servir como anzol de pesca — concluiu Sam. — Vamos amarrar essa corrente nela.

Passamos alguns minutos prendendo a corrente na linha de pesca, um cabo de aço fino trançado que fez o molinete pesar uns cento e trinta quilos.

Juntos, Sam e eu rolamos a cabeça do touro pela frente do barco. Enquanto afundava lentamente na espuma congelada, o olho morto do touro ficou me olhando como se dissesse: *Isso não foi legal, cara!*

Harald se aproximou carregando uma cadeira grande. Afundou os quatro pés dela em buracos de âncora no convés. Em seguida, prendeu-a com cabos de aço.

— Se eu fosse você, humano — disse ele —, colocaria o cinto de segurança.

Com os arreios de couro, aquilo ficou parecendo uma cadeira elétrica, mas Sam segurou a vara de pescar enquanto eu sentei e me prendi.

— E por que *eu* estou na cadeira? — perguntei.

— A sua promessa — lembrou ela. — Você fez um juramento de fidelidade.

— Fidelidade é uma droga.

No kit de suprimentos do gigante, peguei luvas de couro quatro vezes o meu tamanho e coloquei nas mãos.

Sam me passou a vara e pegou luvas para ela.

Eu tinha parte de uma lembrança de quando tinha dez anos e vi *Tubarão* com minha mãe por insistência dela. Ela me avisou que era superassustador, mas ou eu ficava entediado pelo ritmo lento ou ria do tubarão de borracha ridículo.

— Tomara que eu pesque um tubarão de borracha — murmurei, naquele momento.

Harald desligou o motor. De repente, ficou estranhamente silencioso. O vento parou. O granizo caindo no convés parecia areia batendo no vidro. As ondas se acalmaram, como se o mar estivesse prendendo a respiração.

Sam ficou na amurada, soltando a linha enquanto a cabeça do touro afundava nas profundezas. Finalmente, a linha se esticou.

— Chegou ao fundo? — perguntei.

Sam mordeu o lábio.

— Não sei. Acho...

A linha se retesou fazendo um som que parecia o de um martelo em uma serra. Sam a soltou para não ser jogada no mar. A vara quase foi arrancada das minhas mãos, levando meus dedos junto, mas, de alguma forma, consegui segurar.

A cadeira grunhiu. As tiras de couro afundaram nas minhas clavículas. O barco todo se inclinou para a frente, em direção às ondas, com madeira estalando e parafusos soltando.

— Pelo sangue de Ymir! — gritou Harald. — Vamos afundar!

— Dê linha!

Sam pegou um balde. Jogou água no cabo, que soltava fumaça enquanto corria pela proa.

Trinquei os dentes. Os músculos dos meus braços pareciam massa quente de pão. Quando eu tinha certeza de que não aguentaria mais, o puxão parou. A linha zumbia de tensão, cortando a água cinzenta cem metros a estibordo.

— O que está acontecendo? — perguntei. — Está descansando?

Harald soltou um palavrão.

— Não estou gostando nada disso. Monstros do mar não se comportam assim. Nem os grandalhões...

— Puxe a linha! — gritou Sam. — Agora!

Girei o molinete. Foi como fazer queda de braço com o Exterminador do Futuro. A vara se curvou. O cabo estalou. Sam puxou a linha, deixando-a longe da amurada, mas mesmo com a ajuda dela quase não consegui enrolar.

Meus ombros ficaram dormentes. Senti fisgadas na lombar. Apesar do frio, eu estava coberto de suor e tremendo de exaustão. Parecia que estava puxando um navio de batalha naufragado.

De tempos em tempos, Sam gritava palavras de encorajamento:

— Não, seu idiota! Puxe!

Por fim, na frente do barco, o mar escureceu em uma área de quinze metros de diâmetro. A água se agitou.

No leme, Harald devia ter tido uma visão melhor do que estava emergindo. Quando gritou, não soou nem um pouco como um gigante:

— Cortem a linha!

— Não — respondeu Sam. — Agora vamos até o fim.

Harald pegou uma faca. Jogou no cabo, mas Sam afastou a lâmina com o machado.

— Afaste-se, gigante! — ordenou ela.

— Mas vocês não podem trazer essa coisa aqui para cima! — choramingou Harald. — É o...

— Sim, eu sei!

A vara começou a escorregar das minhas mãos.

— Me ajude!

Sam correu e pegou a vara de pescar. Ela pulou para perto de mim na cadeira a fim de ajudar, mas eu estava cansado e apavorado demais para ficar constrangido.

— Podemos até morrer — murmurou ela — mas isso com certeza *vai* chamar a atenção de Ran.

— Por quê? — perguntei. — O que é essa coisa?

Nossa pesca surgiu na superfície e abriu os olhos.

— Conheça meu irmão mais velho — disse Sam —, a Serpente do Mundo.

TRINTA E TRÊS

O irmão de Sam acorda meio mal-humorado

Quando digo que a serpente abriu os olhos, na verdade quis dizer que ligou faróis verdes do tamanho de camas elásticas. As íris brilhavam com tanta intensidade que tive certeza de que veria tudo tingido da cor de gelatina sabor limão pelo resto da vida.

A boa notícia: minha vida não parecia que duraria muito tempo.

A crista na cabeça e o focinho pontudo do monstro o faziam parecer mais uma enguia do que uma cobra. A pele brilhante tinha tons de verde, marrom e amarelo. (Aqui estou eu, descrevendo-o com toda a calma. Na hora, o único pensamento na minha cabeça era: ECA! COBRA ENORME!)

O monstro abriu a boca e sibilou, e o fedor de cabeça de touro rançosa e veneno era tão forte que minhas roupas começaram a soltar fumaça. Ele podia não usar enxaguante bucal, mas obviamente a Serpente do Mundo passava fio dental. Os dentes brilhavam em fileiras de triângulos brancos perfeitos. A boca rosada era grande o bastante para engolir o barco de Harald e mais uma dezena dos barcos dos amigos dele.

Meu gancho de carne estava preso no fundo da garganta do monstro, bem onde ficaria a úvula em uma boca humana. A serpente não parecia satisfeita.

Ela sacudiu a cabeça de um lado para outro, a linha de aço presa entre os dentes. Minha vara de pescar guinou para o lado. O barco sacudiu de bombordo para estibordo, com as tábuas estalando e gemendo, mas conseguimos ficar na superfície. A linha não se rompeu.

— Sam — chamei em voz baixa. — Por que ele ainda não nos matou?

Ela estava tão perto de mim que consegui senti-la tremendo.

— Acho que está nos estudando, talvez até tentando falar conosco.

— O que está dizendo?

Sam engoliu em seco.

— Meu palpite? *Como você ousa?*

A serpente sibilou, cuspindo gotas de veneno que fervilharam no convés.

Às nossas costas, Harald choramingou:

— Larguem a vara, seus tolos! Querem nos matar?!

Tentei olhar nos olhos da serpente.

— Ei, sr. Jörmungand. Posso chamá-lo de sr. J? Olhe, peço desculpas pelo incômodo. Não é nada pessoal. Só estamos usando você para chamar a atenção de uma pessoa.

O sr. J não gostou disso. A cabeça dele saiu da água e assomou acima de nós, depois bateu com tudo no mar, gerando um anel de ondas de quase doze metros de altura.

Aparentemente, Sam e eu estávamos sentados na área que molha. Comi água salgada no almoço. Meus pulmões descobriram que não conseguiam respirar água. Meus olhos passaram por uma lavagem potente. Mas, por incrível que pareça, o barco não virou. Quando as ondas diminuíram, vi que eu ainda estava vivo, ainda segurando a vara de pescar, e a linha ainda estava presa à boca da Serpente do Mundo. O monstro olhava para mim como quem diz: *Por que você não está morto?*

Pelo canto do olho, vi o tsunami bater no Graves, chegando à base do farol. Eu me perguntei se tinha acabado de inundar Boston.

Então lembrei por que Jörmungand era chamado de Serpente do Mundo. Supostamente, o corpo dele era tão comprido que dava a volta no planeta, esticando-se pelo fundo do mar como um cabo de telecomunicação monstruoso. Na maior parte do tempo, ele ficava com o rabo na boca (ei, eu usei chupeta até os dois anos de idade, não posso julgar ninguém), mas decidiu que nossa isca de cabeça de touro valia a troca.

A questão era: se a Serpente do Mundo estava sacudindo, o mundo todo deveria estar sacudindo junto.

— Então, o que fazemos agora?

— Magnus — disse Sam com um tom estrangulado —, tente não entrar em pânico. Mas olhe para a direita.

Eu não conseguia imaginar o que poderia ser mais assustador do que o sr. J até ver a mulher no redemoinho.

Em comparação à serpente, ela era bem pequena, só tinha uns três metros de altura. Da cintura para cima, usava uma blusa de cota de malha prateada, cheia de pequenos crustáceos. Talvez já tivesse sido bonita, mas a pele perolada estava murcha, os olhos da cor de algas marinhas, leitosos devido à catarata, e o cabelo louro esvoaçante, cheio de fios brancos como plantas secas em um campo de trigo.

Era da cintura para baixo que as coisas ficavam esquisitas. Ao redor dela, como a saia de uma dançarina, uma tromba d'água rodopiava dentro de uma rede de pesca de cem metros de diâmetro. Preso na rede havia uma mistura de pedaços de gelo, peixes mortos, sacos plásticos, pneus de carro, cestinhas de supermercado e outras porcarias variadas. Quando a mulher veio flutuando na nossa direção, a beirada da rede bateu no casco e esbarrou no pescoço da Serpente do Mundo.

Ran falou com voz de barítono:

— Quem ousa interromper minha busca?

Harald, o gigante do gelo, gritou. Ele era ótimo nisso. Correu para a amurada e jogou um punhado de moedas pela lateral. Então se virou para Sam.

— Rápido, garota, o pagamento que você me deve! Dê para Ran!

Sam franziu a testa, mas jogou mais cinco moedas no mar.

Em vez de afundar, o ouro vermelho girou até a rede de Ran e se juntou ao carrossel flutuante de detritos.

— Ah, grandiosa Ran! — choramingou Harald. — Por favor, não me mate! Aqui, pegue minha âncora! Leve esses humanos! Pode até ficar com a minha marmita!

— Silêncio!

A deusa enxotou o gigante do gelo, que fez o que pôde para se encolher, se arrastar e se esconder ao mesmo tempo.

— Vou esperar lá embaixo — disse ele, chorando. — E rezar.

Ran me olhou como se avaliando se eu era grande o bastante para ser cortado em filés.

— Solte Jörmungand, mortal! A última coisa de que preciso hoje é um evento de inundação mundial.

A Serpente do Mundo sibilou, concordando.

Ran se virou para o monstro.

— E você, cale a boca, sua moreia crescida. Todo esse sacolejar está levantando muita areia. Não consigo ver nada aqui embaixo. Quantas vezes já falei para você não pegar nenhuma cabeça rançosa de touro? Cabeças rançosas de touro não são nativas dessas águas!

A serpente rosnou com petulância, puxando o cabo de aço ainda preso à boca.

— Ó, grandiosa Ran — falei. — Sou Magnus Chase. Esta é Sam al-Abbas. Viemos barganhar com você. E, só uma dúvida... por que você não pode cortar a linha de pesca?

Ran soltou uma torrente de xingamentos nórdicos que literalmente fumegaram no ar. Agora que eu estava mais perto, conseguia ver coisas estranhas se mexendo na rede ao redor da deusa: rostos barbados fantasmagóricos, com as bocas abertas e expressões de pavor enquanto tentavam chegar à superfície; as mãos agarrando as cordas.

— Einherji imprestável — disse Ran —, você sabe muito bem o que fez.

— Sei? — perguntei.

— Você é uma cria de vanir! Filho de Njord? — Ran farejou o ar. — Não, o cheiro é mais suave. Talvez neto.

Sam arregalou os olhos.

— É verdade! Magnus, você é filho de Frey, que é filho de Njord, deus dos navios, marinheiros e pescadores. Foi por isso que nosso barco não virou. Foi por isso que você conseguiu pescar a serpente! — Sam olhou para Ran. — Hã, e isso, claro, nós já sabíamos.

A deusa rosnou.

— Depois de trazida para a superfície, a Serpente do Mundo não fica só presa pela sua linha de pesca. Fica ligada a você pelo destino! *Você* precisa decidir agora, e rápido, se vai soltá-la e deixá-la voltar a dormir ou permitir que acorde por completo e destrua este mundo!

Na minha nuca, alguma coisa estalou como uma mola enferrujada, provavelmente o restinho da minha coragem. Olhei para a Serpente do Mundo. Pela primeira vez, reparei que os olhos verdes brilhantes estavam cobertos por uma membrana fina quase transparente, um segundo par de pálpebras.

— Você quer dizer que o monstro está apenas meio acordado?

— Se estivesse realmente acordado — disse a deusa —, a Costa Leste inteira já estaria debaixo d'água.

— Ah...

Precisei resistir à vontade de jogar a vara de pescar longe, soltar o arreio de segurança e sair correndo e gritando pelo convés, como um pequeno Harald.

— Eu vou soltá-lo — falei. — Mas primeiro, grandiosa Ran, você tem que prometer que vai negociar conosco de boa-fé. Queremos fazer uma troca.

— Negociar com vocês? — A saia de Ran girou mais rápido. Gelo e plástico estalaram. Cestinhas de compras bateram umas nas outras. — Por direito, Magnus Chase, você deveria *pertencer* a mim! Você morreu afogado. As almas afogadas são *minha* propriedade.

— Na verdade — disse Sam —, ele morreu em combate, pertence a Odin.

— Detalhes! — interrompeu Ran.

Os rostos na rede da deusa abriam a boca e ofegavam, implorando ajuda. Sam havia me dito: *Existem lugares piores do que Valhala para se passar a vida após a morte.* Ao me imaginar emaranhado naquela rede prateada, senti uma gratidão repentina pela valquíria.

— Tudo bem. Então vou deixar o sr. J acordar totalmente. Eu não tinha planos para hoje, mesmo.

— Não! — sibilou Ran. — Você tem ideia de como é difícil revirar o fundo do mar quando Jörmungand fica agitado? Solte-o!

— E você promete negociar de boa-fé?

— Prometo. Tudo bem. Não estou com paciência para o Ragnarök hoje.

— Diga: "Por minha fidelidade..."

— Eu sou uma deusa! Não sou burra a ponto de jurar fidelidade!

Olhei para Sam, que deu de ombros. Ela me entregou o machado, e cortei a linha de pesca.

Jörmungand afundou entre as ondas, olhando para mim por entre uma nuvem verde borbulhante de veneno, como se dissesse: *NA PRÓXIMA VEZ VOCÊ NÃO TERÁ TANTA SORTE, MORTALZINHO.*

A saia rodopiante de Ran ficou mais lenta, na velocidade de uma tempestade tropical.

— Muito bem, einherji. Eu prometi negociar de boa-fé. O que você quer?

— A Espada do Verão — falei. — Estava comigo quando caí no rio Charles.

Os olhos da deusa brilharam.

— Ah, sim. Posso lhe entregar a espada. Mas, em troca, eu gostaria de uma coisa valiosa. Que tal... a sua alma?

TRINTA E QUATRO

Minha espada quase vai parar no eBay

— Eu acho que não — respondi.

Ran fez um barulho retumbante, como uma baleia com azia.

— Você, o neto daquele intrometido, Njord, vem aqui pedindo para negociar, perturba a Serpente do Mundo, interrompe minha busca e não aceita uma proposta razoável? A Espada do Verão é o artefato mais valioso que veio parar na minha rede nos últimos séculos. Sua alma é um preço pequeno a se pagar em troca!

— Lady Ran. — Sam pegou o machado de volta e desceu da cadeira de pesca. — Magnus já foi reivindicado por Odin. Ele é um einherji. Isso não pode mudar.

— Além do mais — acrescentei —, você não quer minha alma. É muito pequena. Não a uso tanto assim. Duvido que ainda funcione.

A saia aquosa da deusa rodopiou. As almas presas tentaram chegar à superfície. Sacos plásticos estouraram como plástico bolha. O cheiro de peixe podre quase me fez sentir saudade da cabeça do touro.

— O que me oferece pela espada, então? — perguntou Ran. — O que poderia valer mais do que ela?

Boa pergunta, pensei.

Olhei para a rede da deusa e uma ideia começou a se formar.

— Você disse que estava procurando alguma coisa — relembrei. — O quê?

A expressão da deusa se suavizou. Os olhos dela brilharam em um tom de verde mais ganancioso.

— Muitas coisas. Moedas. Almas. Qualquer item de valor, na verdade. Pouco antes de você despertar a serpente, eu estava de olho na calota de um Chevy Malibu que devia valer quarenta dólares *fácil*. Estava lá, no fundo do mar, perto do porto. Mas agora — ela levantou as mãos —, já era.

— Você coleciona lixo. — Eu me corrigi: — Quer dizer... tesouros.

Sam semicerrou os olhos para mim, se perguntando se eu tinha perdido a cabeça, mas estava começando a entender o que chamava a atenção de Ran, aquilo de que ela mais gostava.

A deusa esticou a mão na direção do horizonte.

— Você já ouviu falar da mancha de lixo do oceano Pacífico?

— *Eu* já, lady Ran — respondeu Sam. — É um acúmulo flutuante de lixo do tamanho do Texas. Parece horrível.

— É maravilhoso! — exclamou Ran. — Na primeira vez que vi, fiquei sem palavras! Deixava minha coleção no chinelo. Durante séculos, todos os naufrágios dos mares do norte pertenciam a mim. Qualquer coisa perdida nas profundezas vinha para mim. Mas, quando vi as maravilhas da mancha de lixo, percebi o quanto meus esforços foram insignificantes. Desde então, passo todo o meu tempo procurando no fundo do mar para ver se encontro mais tesouros para a minha rede. Jamais teria encontrado sua espada se não fosse tão rápida!

Assenti em solidariedade. Agora eu conseguia encaixar essa deusa nórdica na visão de mundo de Magnus Chase. Ran era uma acumuladora. Eu sabia lidar com acumuladores.

Espiei o lixo flutuando no mar. Uma colher de prata se equilibrava em um pedaço de isopor. Uma roda de bicicleta passou girando, explodindo a cabeça fantasmagórica de uma alma perdida.

— Lady Ran — falei —, seu marido, Aegir, é o deus do mar, certo? Você mora com ele em um palácio dourado no fundo do oceano?

A deusa pareceu ficar intrigada.

— Onde você quer chegar?

— Bem... o que seu marido acha da sua coleção?

— Aegir! — disparou a deusa com desprezo. — O grande criador de tempestades marinhas! Atualmente, a única coisa que ele quer é fermentar a cerveja dele. Ele *sempre* gostou disso, mas agora está beirando o ridículo. Passa o tempo todo em lojas de lúpulo ou fazendo visitações a pequenos produtores com os amigos. Isso sem falar da camisa de flanela, da calça jeans skinny com a barra dobrada, dos óculos e da forma como ele apara a barba. Ele está sempre falando de cervejarias artesanais. Tem um caldeirão com quase um quilômetro de diâmetro! Como isso pode ser *artesanal*?

— Certo, deve ser bem irritante. Ele não aprecia a importância dos seus tesouros.

— Ele tem o hobby dele — disse Ran. — E eu tenho o meu!

Sam pareceu perplexa, mas tudo isso fazia sentido para mim. Eu conhecia uma acumuladora em Charlestown que herdou uma mansão de seis milhões de dólares do marido em Beacon Hill, mas ficar sentada lá sozinha a deixava solitária e infeliz. Então ela vivia nas ruas, empurrando o carrinho de compras, colecionando objetos decorativos de plástico de jardim e latas de alumínio. *Isso* a fazia se sentir completa.

Ran franziu a testa.

— De que estávamos falando mesmo?

— Da Espada do Verão — respondi. — E do que eu poderia oferecer em troca.

— Sim!

— Eis minha oferta: eu deixo você ficar com a sua coleção.

Gelo se espalhou pelos fios da rede. O tom de Ran ficou perigoso.

— Você está me ameaçando?

— Ah, não. Eu jamais faria isso. Entendo o quanto suas coisas são valiosas...

— Sabe este enfeite de plástico de girassol? Não é mais fabricado! Vale uns dez dólares.

— Certo. Mas, se você não me der a Espada do Verão, Surt e os gigantes do fogo virão atrás dela. E *eles* não vão demonstrar tanto respeito.

Ran deu uma risada com deboche.

— Os filhos de Muspell não podem tocar em mim. Meu reino é mortal para eles.

— Mas Surt tem muitos aliados — comentou Sam, entendendo meu plano. — Eles incomodariam você, atrapalhariam você, tirariam seus... tesouros. Eles farão qualquer coisa para pegar a espada. Quando estiverem com ela, vão causar o Ragnarök. Aí, não vai haver mais buscas. Os oceanos vão evaporar. Sua coleção será destruída.

— Não! — berrou a deusa.

— Sim — falei. — Mas, se você nos der a espada, Surt não vai ter motivo para incomodá-la. Vai ficar em segurança.

Ran olhou de cara feia para as redes, observando os padrões de lixo cintilante.

— E como, filho de Frey, a espada vai estar mais segura com você do que comigo? Você não pode devolvê-la para seu pai. Frey abriu mão dela quando a deu de presente para Skírnir.

Pela milionésima vez, tive vontade de encontrar meu pai, o deus do verão saltitante, e dar um soco nele. Por que ele abriu mão da espada? Por amor? Os deuses não deviam ser inteligentes? Mas, pensando bem, Ran colecionava calotas e Aegir gostava de fazer cerveja artesanal.

— Eu mesmo vou brandi-la — falei. — Ou vou levá-la para Valhala e protegê-la.

— Em outras palavras, você não sabe. — A deusa arqueou as sobrancelhas cheias de algas para Sam. — E você, filha de Loki, por que está do lado dos deuses de Asgard? Seu pai não é aliado deles, não mais.

— Eu não sou meu pai — respondeu Sam. — Eu sou... era uma valquíria.

— Ah, sim. A garota que sonhava em voar. Mas os lordes de Valhala a expulsaram. Por que você ainda tenta conquistar a confiança deles? Você não precisa deles para voar. Sabe muito bem que, devido ao sangue do seu pai...

— Nos dê a espada, lady Ran. — A voz de Sam ficou mais firme. — É o único jeito de adiar o Ragnarök.

A deusa deu um sorriso afetado.

— Você até fala como Loki. Ele era um orador muito persuasivo, em um momento lisonjeiro, no outro, ameaçador. Uma vez, até me convenceu a emprestar minha rede para ele! Isso criou todo tipo de problema. Loki descobriu os segredos de como trançar redes. Os deuses aprenderam e, depois, os humanos. Em pouco tempo, *todo mundo* tinha redes. Minha marca registrada! Não vou me deixar convencer com tanta facilidade de novo. Vou ficar com a espada e tentar a sorte com Surt.

Eu me soltei da cadeira de pesca. Segui até a proa e olhei nos olhos da deusa. Não costumava extorquir acumuladoras, mas precisava fazer Ran me levar a sério. Arranquei a corrente do cinto. Os elos de prata brilharam sob a luz do entardecer.

— Esta corrente é uma espada — expliquei. — Uma lâmina autêntica de Valhala. Quantas dessas você tem na sua rede?

Ran esticou a mão para a corrente, mas se controlou.

— Sim... consigo ver a espada pelo *glamour*. Mas por que eu trocaria...

— Uma espada nova por uma velha? Esta espada é mais lustrosa, só foi usada uma vez em combate. Dá para conseguir vinte pratas por ela, moleza. A Espada do Verão, no entanto, não tem valor comercial.

— Hum, verdade, mas...

— A outra opção é eu *pegar* a Espada do Verão. Ela me pertence.

Ran rosnou. As unhas cresceram e ficaram pontudas como dentes de tubarão.

— Como ousa me ameaçar, mortal?

— Só estou falando a verdade — continuei, tentando parecer calmo. — Consigo sentir a espada na sua rede. — (Pura mentira.) — Já a tirei das profundezas uma vez. Posso fazer de novo. A espada é a arma mais afiada dos nove mundos. Você a quer mesmo cortando sua rede, espalhando suas coisas e libertando as almas presas? Se elas fugissem, você acha que lutariam *por* você ou contra você?

O olhar dela vacilou.

— Você não ousaria.

— Uma espada por uma espada — concluí. — Inclua uma das maçãs de Idun e fechamos negócio.

Ran sibilou.

— Você não falou nada sobre maçã nenhuma!

— Não é um pedido absurdo. Sei que você tem uma maçã da imortalidade extra por aí em algum lugar. Aí, nós vamos embora em paz. Impedimos o Ragnarök e deixamos você voltar às suas buscas. Senão — dei de ombros — você vai descobrir o que o filho de Frey pode fazer com a espada do pai.

Eu tinha certeza de que a deusa riria da minha cara, viraria o barco e acrescentaria nossas almas afogadas à coleção dela. Mas a encarei com intensidade, como se não tivesse nada a perder.

Depois de contar até vinte, tempo suficiente para uma gota de suor escorrer pelo meu pescoço e congelar na gola, Ran soltou outro rosnado:

— Muito bem.

Ela balançou a mão. A Espada do Verão saiu voando da água e pousou na minha mão. Na mesma hora começou a zumbir, agitando todas as moléculas do meu corpo.

Joguei minha corrente no mar.

— Agora, a maçã.

Uma fruta disparou da rede. Teria acertado Sam na testa se não fossem os reflexos rápidos dela. A maçã não parecia nada de mais, era até meio murcha, mas Sam a segurou com cuidado, como se fosse radioativa. Colocou-a no casaco.

— Agora vá, como prometeu — ordenou Ran. — Mas guarde minhas palavras, filho de Frey: sua barganha vai lhe custar caro. Você fez de Ran sua inimiga. Meu marido, Aegir, lorde das ondas, também vai saber disso, se eu conseguir tirá-lo da loja de lúpulo. Pelo seu bem, espero que não esteja planejando viagens pelo mar. Da próxima vez, sua ligação com Njord não vai salvá-lo. Se atravessar minhas águas de novo, vou arrastar sua alma até o fundo pessoalmente.

— Bem — falei —, mal posso esperar.

Ran nos deu às costas. A forma dela se dissolveu em uma nuvem de névoa em forma de funil, as redes a envolvendo como espaguete. Ela afundou nas profundezas e sumiu.

Sam estremeceu.

— Isso foi interessante.

Atrás de nós, a madeira estalou. A cabeça de Harald apareceu, vinda do interior do barco.

— Interessante? — exclamou ele. — Você disse que foi *interessante*?

O gigante saiu com expressão de raiva, os punhos fechados, a barba azul gelada pingando.

— Pescar a Serpente do Mundo é uma coisa. Mas antagonizar Ran? Eu jamais teria aceitado vocês a bordo se soubesse, independentemente do que Big Boy disse! Eu ganho a vida no oceano! Deveria jogar vocês ao mar e...

— Eu dobro seu pagamento — disse Sam. — Dez moedas de ouro vermelho. Só para nos levar de volta ao píer.

Harald piscou.

— Combinado.

O gigante do gelo seguiu para o leme.

Observei a Espada do Verão. Agora que eu estava com ela, não sabia bem o que fazer. O aço brilhava como se tivesse luz própria, com runas prateadas cobrindo a parte achatada da lâmina. A espada irradiava calor e aquecia o ar ao meu redor, derretendo o gelo na amurada e me enchendo da mesma sensação de poder que eu sentia quando curava alguém. Não era como segurar uma arma... era mais como segurar um portal para uma época diferente, caminhando com minha mãe em Blue Hills, sentindo o sol no rosto.

Sam esticou a mão. Ainda com as luvas de couro enormes, ela secou uma lágrima da minha bochecha.

Eu não tinha percebido que estava chorando.

— Desculpe — disse com voz rouca.

Sam me observou, preocupada.

— Você poderia mesmo ter atraído a espada da rede de Ran?

— Não sei.

— Então você é louco. Mas estou impressionada.

Baixei a espada. Ela continuou zumbindo, como se estivesse tentando me dizer alguma coisa.

— O que Ran queria dizer? — perguntei. — Ela falou que você não precisava ser valquíria para voar. Algo a ver com o sangue do seu pai.

A expressão de Sam se fechou mais depressa do que as redes da deusa.

— Não é nada.

— Tem certeza?

Ela prendeu o machado no cinto. Olhou para todos os lugares, menos para os meus olhos.

— Tanta certeza quanto você de conseguir atrair a espada.

Os motores rugiram. O barco começou a dar meia-volta.

— Estarei no leme com Harald — disse Sam, aparentemente ansiosa para se afastar de mim. — Vou cuidar para que ele nos leve de volta para Boston, e não para Jötunheim.

TRINTA E CINCO

Não farás cocô na cabeça da Arte

Depois de me dar a maçã meio murcha da imortalidade, Sam me deixou no porto. Disse que se dependesse dela, não iria embora, mas seus avós iriam matá-la e ela não queria chegar atrasada nesse evento. Combinamos de nos encontrar na manhã seguinte no Public Garden.

Segui na direção da praça Copley. Me senti meio incomodado de andar pelas ruas com uma espada brilhante, então tive uma conversa com a minha arma. (Porque isso não era maluquice nenhuma.)

— Você pode fazer um *glamour* e virar uma coisa menor? De preferência algo que não uma corrente, porque não estamos mais nos anos 1990.

A espada não respondeu (dã), mas imaginei que estivesse zumbindo em um tom mais interrogativo, como: *Tipo o quê?*

— Sei lá. Alguma coisa que caiba no bolso e seja inofensiva. Uma caneta, talvez?

A espada pulsou, quase como se estivesse rindo. Imaginei-a dizendo: *Uma caneta que vira uma espada. É a coisa mais idiota que já ouvi.*

— Você tem uma ideia melhor?

A espada encolheu na minha mão e virou um pingente de runa em uma corrente. A pequena pedra branca tinha um símbolo preto:

ᚠ

— A runa de Frey. Não sou muito fã de bijuterias, mas tudo bem.

Prendi a corrente no pescoço. Descobri que a pedra era presa à corrente por magnetismo, então eu podia puxá-la com facilidade. Assim que fiz isso, a pedra cresceu e se transformou na espada. Se eu a quisesse de volta na forma de pingente, só precisava mentalizar. A espada encolhia e eu podia prender a pedra no cordão.

— Legal.

Talvez a espada tivesse *mesmo* ouvido meu pedido. Talvez tivesse sido eu quem criou o *glamour*. Ou talvez aquilo fosse uma alucinação e eu estivesse usando uma espada enorme pendurada no pescoço.

Eu duvidava de que meu novo medalhão fosse chamar atenção de alguém.

Quem olhasse veria o ᚠ e imaginaria que significava ᚠracasso.

Quando cheguei à praça Copley, já estava escuro. Não havia sinal de Blitz e nem de Hearthstone, o que me deixou apreensivo. A biblioteca estaria fechada até o dia seguinte. Cheguei a me perguntar se Big Boy esperava que eu o encontrasse no telhado. Mas eu não escalaria as paredes da biblioteca.

Foi um dia longo. Com força de superguerreiro einherji ou não, eu estava exausto e tremendo de fome. Se Big Boy quisesse a maçã, ele que viesse buscar. Senão, eu a comeria.

Fiquei sentado na escadaria da frente da biblioteca, com a pedra balançando no pescoço como se ainda estivéssemos no barco de Harald. Eu estava entre duas estátuas de bronze que se reclinavam em um trono de mármore. Lembrei que uma simbolizava a Arte e a outra, a Ciência, mas ambas me pareciam prontas para sair de férias. Estavam apoiadas nos braços, com xales de metal cobrindo a cabeça, olhando na minha direção como se dissessem: *Semaninha difícil, hein?*

Era a primeira vez que eu ficava sozinho sem estar em perigo iminente desde... a capela? Estar acompanhado do próprio cadáver pode ser considerado sozinho?

Eu já devia ter sido enterrado àquela altura. Imaginei meu caixão sendo baixado em um túmulo gelado; tio Randolph apoiado na bengala, franzindo a testa com ressentimento; tio Frederick parecendo perplexo e perturbado com as roupas descombinadas; e Annabeth... eu não conseguia imaginar o que ela estava sentindo.

Ela correu para Boston para me procurar. Ficou sabendo que eu estava morto. Depois, que eu *não estava* morto, mas mesmo assim teve que ir ao meu enterro e sem poder contar a ninguém que tinha me visto.

Eu acreditava que ela cumpriria a promessa, mas nosso encontro me deixou atordoado. Algumas das coisas que ela disse: *Posso ajudar você. Conheço um lugar onde você estará seguro.*

Tirei o panfleto amassado do bolso do casaco. DESAPARECIDO! MAGNUS CHASE, 16 ANOS. LIGUE. Observei o número do celular de Annabeth e tentei memorizá-lo. Eu devia uma explicação para ela, mas ainda não era o momento. Por minha causa, Blitzen ficara meio petrificado, Hearthstone fora nocauteado e Sam fora expulsa das valquírias. Eu não podia correr o risco de arrastar mais alguém para os meus problemas.

De acordo com as Nornas, o lobo Fenrir seria solto em sete dias se eu não impedisse. O Ragnarök começaria. Surt incendiaria os nove mundos. Eu jamais encontraria minha mãe e nem faria justiça pelo assassinato dela.

Apesar disso tudo, cada vez que pensava em encarar um lobo, em encarar *o* Lobo, o próprio Fenrir, sentia vontade de me encolher no meu velho saco de dormir, enfiar os dedos nos ouvidos e cantarolar *Lá lá lá, não está acontecendo.*

Uma sombra encobriu minha cabeça. A águia Big Boy pousou na estátua de bronze à minha esquerda e imediatamente decorou a cabeça dela com titica.

— Cara, você fez cocô na Arte.

— Fiz? — Big Boy levantou as penas da cauda. — Ah, paciência. Imagino que ela esteja acostumada. Estou vendo que você sobreviveu à pescaria!

— Surpreso?

— Na verdade, estou. Conseguiu minha maçã?

Eu a tirei do bolso e joguei para ele. Big Boy pegou com a garra esquerda e começou a comer.

— Ah, é isso mesmo!

Eu tinha visto coisas estranhas recentemente, mas uma águia comendo uma maçã em cima da cabeça cagada da Arte estava entre as vinte melhores.

— Vai me dizer agora quem é você?

Big Boy arrotou.

— Acho que você merece. Vou confessar: não sou uma águia de verdade.

— Devo dizer que estou chocado. Cho-ca-do.

Ele arrancou outro pedaço de maçã.

— Além disso, duvido que você faça amigos entre os deuses quando eles souberem que me ajudou.

— Maravilha. Já estou na lista negra de Ran e Aegir.

— Ah, eles não são *deuses* propriamente. Não são aesires e nem vanires. Acho que estão mais para gigantes, embora a linha entre gigante e deus sempre tenha sido meio indefinida. Nossos clãs se casaram entre si muitas vezes ao longo dos anos.

— *Nossos clãs*. O que quer dizer...

A águia cresceu. Sombras se dobraram ao redor dele, aumentando seu tamanho como uma bola de neve ganhando massa. Ele assumiu a forma de um enorme velho deitado no colo da Arte. Usava botas com detalhes de ferro, uma bombacha de couro e uma túnica de penas de águia que devia estar ajudando na extinção da espécie. O cabelo era grisalho e o rosto, envelhecido. No antebraço, usava um bracelete dourado cheio de entalhes, o tipo de proteção de braço usado pelos lordes de Valhala.

— Você é um lorde?

— Um rei, na verdade. — Big Boy comeu outro pedaço de maçã. Na mesma hora, seu cabelo escureceu e algumas rugas sumiram. — Utgard-Loki, ao seu dispor!

Fechei os dedos ao redor da espada-pingente.

— Loki, tipo, *Loki* Loki?

O gigante fez cara feia.

— Você não faz ideia de quantas vezes ouço essa pergunta. *Você é o "famoso" Loki?* — Ele colocou famoso entre aspas. — Ugh! Ganhei esse nome antes de *ele* aparecer. É um nome popular entre gigantes! De qualquer modo, não, Magnus Chase, não sou parente do *famoso* Loki. Sou Utgard-Loki, o que quer dizer Loki das Terras Distantes, rei dos gigantes das montanhas. Estou observando você há anos.

— Eu ouço muito isso.

— Ah, você é bem mais interessante do que aqueles filhos burros de Thor que costumam me desafiar. Você vai ser um inimigo maravilhoso!

Senti pressão nos canais auditivos.

— Somos inimigos agora?

— Não precisa puxar sua espada ainda. Mas é um belo pingente. Algum dia, vamos nos encontrar em lados opostos. É inevitável. Mas, por enquanto, fico feliz em observar. Espero que você aprenda a usar a espada sem morrer. Isso seria divertido. Surt, aquele saco de fumaça velha, merece ser humilhado.

— Ah, fico feliz em entreter você.

O gigante jogou o resto da maçã na boca e a engoliu inteira. Agora aparentava ter uns vinte e cinco anos, com cabelo preto como carvão, o rosto belo e anguloso sem rugas.

— Falando em Surt — disse ele —, o lorde do fogo nunca vai deixar você ficar com essa espada. Você tem... provavelmente até amanhã de manhã para que ele descubra que a encontrou.

Larguei o pingente. Meus braços pareciam sacos de areia molhados.

— Eu empalei Surt, cortei o nariz dele e o joguei em um rio com água gelada. Isso nem o atrasou?

— Ah, atrasou, sim! Agora, ele não passa de uma bola de fogo furiosa sem nariz, resmungando em Muspellheim. Surt vai precisar conservar todo o poder para se manifestar de novo no dia da lua cheia.

— Quando vai tentar libertar o lobo.

Talvez eu não devesse estar batendo papo sobre isso com um inimigo autodeclarado, mas alguma coisa me dizia que Utgard-Loki já sabia.

O gigante assentiu.

— Surt está mais ansioso do que qualquer um para que o Ragnarök aconteça. Ele sabe que vai consumir os nove mundos em chamas, e é o que espera desde o começo dos tempos. Já eu gosto do jeito como as coisas estão! Estou me divertindo. Mas gigantes do fogo... ah, não dá para dialogar com eles. Só querem queimar, queimar, queimar. A boa notícia é que Surt não vai poder matar você pessoalmente antes da lua cheia. Ele está fraco demais. A má notícia: ele tem muitos aliados.

— Odeio aliados.

— Surt não é o único atrás de você. Seus antigos amigos de Valhala o estão procurando. Não estão felizes de você ter saído sem permissão.

Pensei na capitã Gunilla e a cartucheira cheia de martelos. Imaginei um girando na direção do meu rosto.

— Ah, mas que perfeito.

— Se eu fosse você, Magnus, sairia de Midgard ao amanhecer. Isso despistaria os perseguidores, ao menos temporariamente.

— Sair da Terra. Simples assim.

— Eu sabia que você era esperto, garoto. — Utgard-Loki deslizou do colo da estátua. De pé, ele tinha uns três metros e meio. — Nós vamos nos encontrar de novo, Magnus Chase. Um dia, você vai precisar de um favor que só Utgard-Loki vai poder conceder. Mas agora... seus amigos querem conversar. Adeus!

O gigante foi envolvido por sombras e sumiu. No lugar dele estavam Blitzen e Hearthstone.

Hearth pulou para longe de mim como um gato assustado.

Blitzen largou a bolsa.

— Pela corneta de Heimdall, garoto! De onde você veio?

— De onde eu... Eu estou aqui há quase uma hora. Estava conversando com um gigante.

Hearth se aproximou de mim lentamente e me cutucou no peito para ver se eu era de verdade.

Estamos aqui há horas, disse ele. *Esperando você. Nós conversamos com o gigante. Então você apareceu.*

Tive um mau pressentimento.

— Acho que devíamos comparar as histórias.

Contei para eles o que aconteceu desde que nos separamos: o barco do gigante Harald, o sr. J e a Acumuladora Ran (o que seria um nome incrível para uma dupla de rappers) e minha conversa com Utgard-Loki.

— Ah. Isso não é nada bom. — Blitzen coçou a barba. Tinha deixado de lado o equipamento para afastar o sol e estava usando agora um terno de três peças berinjela com uma camisa malva e um cravo verde na lapela. — O gigante nos contou as mesmas coisas, mas... não o nome dele.

Hearth gesticulou *Surpresa* abrindo os dedos esqueléticos dos dois lados dos olhos, o que, nesse contexto, concluí que significava *CARAMBA!*

Utgard-Loki. Ele soletrou o nome. *O feiticeiro mais poderoso de Jötunheim. Capaz de criar ilusões.*

— Tivemos sorte — disse Blitz. — Utgard-Loki poderia ter nos levado a ver ou fazer *qualquer coisa*. Poderia ter nos feito pular de um telhado, matar uns aos outros acidentalmente ou até comer steak tartar. Na verdade — Blitz semicerrou os olhos —, ainda podemos estar em uma ilusão. Qualquer um de nós pode ser um gigante.

Blitzen deu um soco no braço de Hearthstone.

AI!, disse ele e pisou nos dedos do pé do anão.

— Ou talvez não — decidiu Blitzen. — Ainda assim, isso não é nada bom. Magnus, você deu uma maçã da imortalidade para um rei gigante.

— E... o que isso quer dizer exatamente?

Blitz mexeu no cravo.

— Para ser sincero, não sei. Nunca entendi como essas maçãs funcionam. Imagino que vá deixar Utgard-Loki mais forte e mais jovem. E não se engane, quando o Ragnarök chegar, ele não vai estar do nosso lado.

Hearthstone gesticulou: *Quem dera eu soubesse que era Utgard-Loki. Podia ter tirado umas dúvidas sobre magia.*

— Humf — resmungou Blitz. — Você sabe muita coisa. Além do mais, não dá para confiar que um gigante dará respostas diretas. Agora, vocês dois precisam dormir. Elfos não conseguem ficar acordados muito tempo sem luz do sol. E Magnus parece que vai desmaiar.

Blitz estava certo. Eu já estava começando a ver dois Blitzens e dois Hearthstones, e acho que não tinha nada a ver com ilusões.

Acampamos na porta da biblioteca, como antigamente, só que com suprimentos melhores. Blitz pegou três sacos de dormir na bolsa, junto com uma muda de roupa para mim e alguns sanduíches, que comi tão rápido que nem senti o gosto. Hearth se acomodou no saco de dormir e começou a roncar na mesma hora.

— Descanse — disse Blitz. — Vou ficar de vigia. Amanhã, visitamos meus parentes.

— No mundo anão? — Meus pensamentos estavam ficando embaçados. — Na sua casa?

— Na minha casa. — Blitzen pareceu inquieto. — Parte da pesquisa que Hearth e eu fizemos hoje... Parece que vamos precisar de mais informações sobre a corda que amarra Fenrir. Só vamos conseguir isso em Nídavellir. — Ele se concentrou na corrente no meu pescoço. — Posso ver? A espada?

Peguei o pingente e coloquei a espada entre nós, a luz fazendo o rosto de Blitz cintilar como um pedaço de cobre no escuro.

— De tirar o fôlego — murmurou ele. — Aço de osso... ou alguma coisa mais exótica.

— Aço de osso... T.J. lá de Valhala mencionou isso.

Blitz não tocou na lâmina, mas passou a mão por cima com reverência.

— Para fazer aço, o ferro é derretido com carbono. A maioria dos ferreiros usa carvão, mas também é possível usar ossos... Os ossos de inimigos, de monstros, de ancestrais.

— Ah...

Olhei para a lâmina e me perguntei se meus tataravós podiam estar em algum lugar dela.

— Se forjado corretamente — disse Blitz —, o aço de osso pode ferir criaturas sobrenaturais, até mesmo gigantes e deuses. É claro que é preciso encharcar a espada de sangue para endurecê-la, de preferência o sangue do tipo de criatura contra a qual você quer que a arma seja mais letal.

Os sanduíches não estavam caindo bem no meu estômago.

— Essa lâmina foi feita assim?

— Não sei — admitiu Blitz. — A espada de Frey é trabalho vanir, o que é um mistério para mim. Talvez esteja mais próxima da magia élfica de Hearth.

Meu ânimo murchou. Eu sabia que anões eram bons em forjar armas. No fundo, torcia para que Blitz pudesse me contar alguma coisa sobre os segredos da lâmina.

Olhei para Hearth, ainda roncando pacificamente.

— Você disse que Hearth sabia muita magia. Não estou criticando, mas nunca o vi fazer nenhuma... Bem, talvez só para abrir uma porta. O que mais ele sabe fazer?

Blitz colocou a mão ao lado dos pés de Hearth de forma protetora.

— A magia o exaure. Ele a usa com cuidado. Além do mais, a família dele...

Ele respirou fundo.

— Os elfos modernos não aprovam o estudo da magia. Os pais dele o envergonharam muito. Ele ainda tem vergonha de fazer magia na frente dos outros. Hearthstone não foi o filho que os pais queriam, considerando a magia e, você sabe...

Blitz bateu nos ouvidos.

Senti vontade de xingar os pais de Hearthstone em linguagem de sinais.

— Não é culpa dele ser surdo.

— Elfos. — Blitz deu de ombros. — Eles são intolerantes com qualquer coisa que não seja perfeita: música, artes, aparências. Os próprios filhos.

Senti vontade de protestar pelo quanto aquilo era errado. Mas pensei nos humanos e concluí que não éramos muito melhores.

— Durma um pouco, garoto — pediu Blitz. — Amanhã vai ser um grande dia. Para deixarmos Fenrir preso, vamos precisar da ajuda de um certo anão... e essa ajuda não vai ser barata. Vamos precisar de você com toda a sua força quando pularmos para Nídavellir.

— Pular... O que você quer dizer com *pular*?

Ele me olhou com preocupação, como se eu pudesse vir a ter outro enterro muito em breve.

— De manhã, você vai tentar subir na Árvore do Mundo.

TRINTA E SEIS

Patos!

Podem me chamar de maluco.

Eu esperava que a Árvore do Mundo fosse uma árvore. Não uma fileira de patos de bronze.

— Aqui está! — disse Blitzen. — O eixo do universo!

Hearthstone se ajoelhou com reverência.

Olhei para Sam, que tinha se juntado a nós após uma fuga ousada da aula de física. Ela não estava rindo.

— Então... — falei. — Vou fazer apenas um comentário: essa é a estátua *Abra caminho para os patos*.

— Você acha que é coincidência? — perguntou Blitzen. — Nove mundos? Nove patos? O simbolismo grita *portal*! Este ponto é o crucial da criação, o centro da árvore, o lugar mais fácil de se pular de um pato, quer dizer, de um mundo para o outro.

— Se você diz.

Eu já tinha passado pelos patinhos de bronze mil vezes. Nunca achei que eram um eixo. Não li o livro infantil que deu origem a essa história, mas imaginei que fosse sobre uma mamãe pata e os bebês atravessando uma rua de Boston, então colocaram uma escultura no Public Garden.

No verão, os pais tiravam fotos das criancinhas sentadas na sra. Mallard. No Natal, os patos ganhavam gorrinhos de Papai Noel. No momento, estavam nus e sozinhos, enterrados até o pescoço com neve recém-caída.

Hearthstone passou as mãos pelas estátuas como se estivesse verificando calor na boca de um fogão.

Ele olhou para Blitz e balançou a cabeça.

— Como eu temia — disse Blitz. — Hearth e eu estamos viajando muito. Não vamos conseguir ativar os patos. Magnus, vamos precisar de você.

Esperei uma explicação, mas Blitz só estudou as esculturas. Ele estava experimentando um chapéu novo esta manhã, um chapéu de safári com uma rede escura que cobria até os ombros. De acordo com Blitz, o tecido da rede era criação dele. Bloqueava noventa e oito por cento da luz do sol, permitindo que víssemos seu rosto e, de tabela, suas roupas elegantes. Fazia com que ele parecesse um criador de abelhas de luto.

— Tudo bem, deixa comigo — falei. — Como faço para ativar os patos?

Sam observou os arredores. Ela parecia não ter dormido muito. Os olhos estavam inchados. As mãos estavam machucadas e cheias de bolhas por causa da nossa expedição de pesca. Ela tinha colocado um sobretudo preto, mas de resto vestia o mesmo que no dia anterior: o hijab verde, o machado, o escudo, uma calça jeans, botas de inverno e todos os apetrechos de uma ex-valquíria na moda.

— Não importa o que for fazer — disse ela —, seja rápido. Não gosto do quanto estamos perto dos portões de Valhala.

— Mas não sei como — protestei. — Vocês não pulam entre mundos o tempo todo?

Hearth disse: *Até demais.*

— Garoto — disse Blitz —, quanto mais você viaja entre mundos, mais difícil fica. É meio como superaquecer um motor. Em determinado ponto, você tem que parar e deixar o motor esfriar. Além do mais, pular aleatoriamente de um mundo para o outro é uma coisa. Viajar em uma missão... é diferente. Não temos certeza de onde exatamente precisamos ir.

Eu me virei para Sam.

— E você?

— Quando eu era valquíria, não teria sido problema. Mas agora? — Ela balançou a cabeça. — Você é filho de Frey. Seu pai é o deus da colheita e da fertilidade. Você devia conseguir atrair os galhos da Yggdrasill para perto o bastante para pularmos. Além do mais, a missão é sua. Você tem as melhores chances de navegar. Concentre-se nas esculturas. Encontre o caminho mais rápido para nós.

Ela teria se saído melhor explicando cálculo para mim.

Eu me senti um idiota, mas me ajoelhei ao lado da escultura. Toquei no pato no fim da fila. Uma sensação fria subiu pelo meu braço, como gelo, névoa e escuridão, alguma coisa desagradável e nada acolhedora.

— Este — concluí — é o caminho mais curto para Niflheim.

— Excelente — disse Blitz. — Não vamos por aí.

Eu estava esticando a mão para o pato seguinte quando alguém gritou:

— MAGNUS CHASE!

A duzentos metros, do outro lado da rua Charles, a capitã Gunilla estava flanqueada por duas outras valquírias. Atrás dela havia uma fila de einherjar. Não consegui identificar as expressões deles, mas o corpo cinza enorme de X, o meio troll, era inconfundível. Gunilla tinha escalado meus próprios amigos para me capturar.

Meus dedos tremeram de raiva. Eu queria pegar um gancho de carne e fazer a Gunilla de isca. Segurei o pingente.

— Magnus, não — disse Sam. — Concentre-se nos patos. Temos que ir para outro mundo *agora*.

Dos dois lados de Gunilla, as valquírias tiraram lanças cintilantes das costas. Gritaram para os einherjar prepararem as armas. Gunilla sacou dois martelos e os atirou em nossa direção.

Sam rebateu um com o escudo. Acertou o outro com o machado, desviando o martelo para o salgueiro mais próximo, onde ele se cravou até o cabo. Do outro lado da rua, as três valquírias levantaram voo.

— Não posso lutar contra todas — avisou Sam. — Temos que ir agora ou seremos capturados.

Minha raiva virou pânico. Olhei para a fileira de patos de bronze, mas minha concentração estava em frangalhos.

— Eu... eu preciso de mais tempo.

— Não *temos* tempo!

Sam afastou outro martelo. A força do golpe rachou o escudo dela no meio.

— Hearth. — Blitzen cutucou o braço do elfo. — Agora seria um bom momento.

Surgiu uma ruga nos cantos da boca de Hearthstone. Ele enfiou a mão na bolsa e pegou uma runa. Escondeu-a nas mãos e murmurou silenciosamente para ela, como se falando com um pássaro capturado. Jogou a pedra no ar.

A pedra explodiu acima de nós, criando uma runa de luz dourada chamejante.

ᚱ

Entre a equipe de caça de Gunilla e nós, a distância pareceu aumentar. As valquírias voaram em nossa direção a toda velocidade; meus colegas einherjar ergueram as armas e atacaram; mas não fizeram progresso.

A situação me lembrou aqueles desenhos baratos dos anos 1970 em que um personagem corre, mas o cenário atrás dele continua o mesmo. A rua Charles espiralou ao redor dos nossos perseguidores como uma gigantesca rodinha de hamster. Pela primeira vez, entendi o que Sam me disse sobre as runas serem capazes de alterar a realidade.

— *Raidho* — disse Blitzen com admiração. — Significa roda, a viagem. Hearthstone ganhou tempo para você.

Só alguns segundos, gesticulou Hearth. *Se apresse.*

Ele desabou na mesma hora nos braços de Sam.

Passei as mãos rapidamente pelos patos de bronze. No quarto, parei. Senti calor, segurança... uma sensação boa.

— Este.

— Então abra! — gritou Blitzen.

Eu me levantei. Sem saber direito o que estava fazendo, puxei o pingente da corrente. A Espada do Verão ganhou forma na minha mão. A lâmina ronronava como um gato feliz. Bati com ela no pato de bronze e fiz um corte para cima.

O ar se abriu como uma cortina. À minha frente, em vez de uma calçada, havia uma área de galhos de árvore. O mais próximo, tão largo quanto a rua Beacon, corria diretamente abaixo de nós, talvez a um metro, suspenso sobre o grande abismo. Infelizmente, o corte que fiz no tecido de Midgard já estava se fechando.

— Andem! — falei. — Pulem!

Blitzen não hesitou. Pulou na abertura.

Na rua Charles, Gunilla gritou de fúria. Ela e as valquírias ainda estavam voando a toda pela rodinha de hamster de desenho animado, os einherjar cambaleando atrás.

— Você está condenado, Magnus Chase! — gritou Gunilla. — Vamos perseguir você até o fim dos...

Com um *POP* alto, o feitiço de Hearth parou de funcionar. Os einherjar caíram de cara no chão. As três valquírias dispararam para cima de nós. A julgar pelo som de vidro se quebrando, deviam ter batido em um prédio na rua Arlington.

Não esperei meus velhos colegas de corredor recuperarem os sentidos.

Peguei o braço esquerdo de Hearth enquanto Sam pegava o direito. Juntos, pulamos na Árvore do Mundo.

TRINTA E SETE

Sou insultado por um esquilo

Eu sempre gostei de escalar árvores.

Minha mãe aceitava bem esse meu lado. Só ficava nervosa se eu subisse mais de seis metros. Nesse caso, um pouco de tensão surgia na voz dela. "Docinho, esse galho pode não aguentar você. Pode descer um pouco?"

Na Árvore do Mundo, *todos* os galhos me aguentariam. Os maiores eram mais largos do que uma avenida. Os menores, da largura do tronco de uma sequoia. O tronco da Yggdrasill era imensurável. Cada ranhura na superfície parecia levar a um mundo novo, como se alguém tivesse enrolado casca de árvore em uma coluna de monitores de televisão passando um milhão de filmes diferentes.

O vento soprava e sacudia minha jaqueta nova. Acima da copa da árvore, não vi nada além de um brilho branco difuso. Abaixo não havia chão, só mais galhos atravessando o vazio. A árvore tinha que estar com as raízes presas em algum lugar, mas me senti tonto e desequilibrado, como se Yggdrasill e tudo que ela continha, inclusive meu mundo, estivessem flutuando livremente na Névoa, o Ginnungagap.

Se eu caísse ali, no melhor cenário, bateria em outro galho e quebraria o pescoço. No pior, continuaria caindo para sempre no Grande Vazio Branco.

Eu devia estar me inclinando para a frente, porque Blitzen segurou meu braço.

— Cuidado, garoto. A primeira vez na árvore deixa a gente meio tonto.

— É, eu reparei.

Hearthstone ainda estava se apoiando em mim e na Sam. Ele tentou ficar de pé sozinho, mas as pernas continuavam cedendo sob seu peso.

Sam cambaleou. O escudo quebrado escorregou da mão dela e tombou para o abismo.

Ela se agachou, a expressão tomada pelo pânico reprimido.

— Eu gostava bem mais da Yggdrasill quando podia voar.

— E Gunilla e os outros? — perguntei. — Vão conseguir nos seguir?

— Dificilmente — disse Sam. — Eles podem abrir outro portal, mas não necessariamente vai levar ao mesmo galho da árvore. Mesmo assim, devíamos seguir em frente. Ficar na Yggdrasill não é bom para a sanidade.

Hearthstone conseguiu ficar de pé sozinho. Ele sinalizou: *Estou bem. Vamos.* Se bem que as mãos dele estavam tão trêmulas que parecia mais: *Você é um túnel de coelho.*

Seguimos adiante no galho.

A Espada do Verão zumbia na minha mão, me puxando como se soubesse para onde estávamos indo. Eu esperava que soubesse, pelo menos.

Ventos fortes nos empurravam de um lado para outro. Galhos oscilavam, criando áreas de sombra e círculos brilhantes de luz pelo caminho. Uma folha do tamanho de uma canoa passou voando por nós.

— Fique concentrado — aconselhou Blitzen. — Sabe aquela sensação que você teve quando abriu o portal? Procure-a de novo. Encontre uma saída.

Depois de andar uns quatrocentos metros, encontramos um galho mais fino atravessado bem abaixo do nosso. Minha espada zumbiu mais alto e me puxou para a direita.

Olhei para os meus amigos.

— Acho que precisamos pegar essa saída.

Mudar de galho podia parecer fácil, mas envolvia escorregar três metros de uma superfície curva para outra, com o vento uivando e os galhos oscilando. Por sorte, conseguimos fazer isso sem ninguém ser esmagado e nem cair no abismo.

Percorrer o galho mais estreito foi pior. Ele balançava com mais violência sob nossos pés. Em determinado ponto, fui soterrado por uma folha, como uma lona verde surgindo do nada e caindo em cima de mim. Em outro momento, olhei para baixo e percebi que estava sobre uma rachadura no tronco. Oitocentos quilômetros abaixo, *dentro* do galho, eu conseguia ver uma cadeia montanhosa com picos cobertos de neve, como se estivesse de pé em um avião com piso de vidro.

Seguimos pelo labirinto de amontoados de líquen que pareciam colinas de marshmallow derretido. Cometi o erro de tocar em um deles. Minha mão afundou até o pulso e eu quase não consegui soltá-la.

Finalmente, o líquen se espalhou em amontoados menores, como pufes de marshmallow derretido. Seguimos nosso galho até ele se dividir em seis galhos finos impossíveis de escalar. A Espada do Verão parecia ter adormecido na minha mão.

— E agora? — perguntou Sam.

Espiei pela lateral. Uns dez metros abaixo de nós, um galho maior oscilou. No meio dele, um nó do tamanho de um ofurô brilhava com uma luz suave e calorosa.

— É ali — falei. — É nossa saída.

Blitzen fez uma careta.

— Tem certeza? Nídavellir não é quente e brilhante.

— Estou dizendo, a espada parece pensar que devemos ir para lá.

Sam assobiou baixinho.

— É uma queda e tanto. Se errarmos o buraco...

Hearthstone soletrou: *P-L-O-F-T.*

Uma rajada de vento nos atingiu, e Hearth cambaleou. Antes que eu conseguisse segurá-lo, ele caiu para trás em um amontoado de líquen. As pernas foram engolidas na mesma hora pela gosma parecida com marshmallow.

— Hearth!

Blitzen correu para o lado dele. Puxou os braços do elfo, mas o líquen grudento segurava suas pernas como um bebê carente.

— Vamos precisar cortar — disse Sam. — Sua espada, meu machado. Mas vai levar tempo. E vamos ter que tomar cuidado com as pernas dele. Mas poderia ser pior.

É claro que as coisas ficaram piores. De algum ponto acima de nós veio um *AU!* muito alto.

Blitzen se encolheu debaixo do chapéu.

— Ratatosk! Aquele maldito esquilo *sempre* aparece na pior hora. Andem logo com isso!

Sam cortou o líquen com o machado, mas a lâmina ficou presa.

— É como cortar pneus derretidos! Vai demorar.

VÃO!, sinalizou Hearth. *Fujam.*

— Isso não é uma opção — respondi.

AAAAUUU! O som foi bem mais alto desta vez. Uns dez galhos acima, uma sombra grande passou em meio às folhas.

Levantei a espada.

— Vamos lutar com o esquilo. Podemos fazer isso, não é?

Sam olhou para mim como se eu fosse louco.

— Ratatosk é invulnerável. Não dá para lutar com ele. Nossas opções são correr, nos esconder ou morrer.

— Não podemos fugir. E já morri duas vezes só essa semana.

— Então vamos nos esconder. — Sam desenrolou o hijab. — Pelo menos, Hearth e eu. Só consigo cobrir duas pessoas. Você e Blitz fujam, vão procurar os anões. Nos encontramos mais tarde.

— O quê? — Eu me perguntei se Utgard-Loki tinha mexido com o cérebro dela de alguma forma. — Sam, não dá para se esconder debaixo de um pedaço de seda verde! O esquilo não pode ser burro a esse ponto...

Ela balançou o tecido. Ficou do tamanho de um lençol de casal, as cores tremeluzindo até o hijab ficar do mesmo tom de marrom, amarelo e branco do líquen.

Ela está certa, sinalizou Hearth. *VÃO.*

Sam se agachou ao lado dele e puxou o lenço sobre os dois. Eles desapareceram, perfeitamente camuflados no líquen.

— Magnus. — Blitz puxou meu braço. — É agora ou nunca.

Ele apontou para o galho abaixo. O nó estava se fechando.

Naquele momento, Ratatosk surgiu na folhagem acima. Se você conseguir imaginar um tanque coberto de pelo avermelhado, descendo pela lateral de uma árvore... bom, o esquilo era *bem mais* apavorante do que isso. Os dentes da frente eram lâminas gêmeas de terror branco esmaltado. As garras pareciam cimitarras. Os olhos eram amarelos, sulfúricos, queimando de fúria.

AU! O grito de guerra do esquilo perfurou meus tímpanos. Mil insultos estavam inseridos naquele único som, todos invadindo meu cérebro e impedindo qualquer pensamento racional.

Você fracassou.

Ninguém gosta de você.

Você está morto.

O chapéu do anão é ridículo.

Você não foi capaz de salvar sua mãe.

Eu caí de joelhos. Um soluço ficou engasgado na minha garganta. Eu teria morrido bem ali se Blitz não tivesse me puxado com toda a sua força de anão e me dado um tapa na cara.

Não consegui ouvi-lo, mas li os lábios dele:

— RÁPIDO, GAROTO!

Segurando minha mão com dedos ásperos e calejados, ele pulou do galho e me carregou junto para o vento.

TRINTA E OITO

Caí em um Volkswagen

Eu estava em uma pradaria ensolarada, sem lembrança alguma de como tinha chegado ali.

Ao longe, flores campestres cobriam colinas verdes. A brisa tinha cheiro de alfazema. A luz era quente e intensa, como se o ar tivesse virado manteiga.

Meus pensamentos se arrastavam. Luz... a luz do sol era ruim para os anões. Eu tinha quase certeza de que estava viajando com um anão que me deu um tapa na cara e salvou minha vida.

— Blitz?

Ele estava à minha esquerda, segurando o chapéu ao lado do corpo.

— Blitz, seu chapéu!

Eu estava com medo de ele já ter sido petrificado.

Blitz se virou. Seus olhos estavam enevoados e distantes.

— Está tudo bem, garoto. Isso não é luz do sol comum. Não estamos mais em Midgard.

Ele parecia estar falando com papel de seda na boca. O latido do esquilo tinha deixado meus ouvidos zunindo e pensamentos corrosivos sacudindo minha mente.

— Ratatosk...

Não consegui terminar a frase. Só a menção ao nome dele me dava vontade de me encolher em posição fetal.

— É — disse Blitz. — Seu latido é mesmo pior do que sua mordida. Ele... — Blitz olhou para baixo e piscou rapidamente. — Ele é a criatura mais destrutiva da Árvore do Mundo. Passa o tempo todo correndo para cima e para baixo pelo tronco, levando insultos da águia que mora no alto até Nidhogg, o dragão que vive nas raízes.

Olhei para as colinas. Uma música baixinha parecia vir daquela direção, ou talvez fosse só impressão.

— Por que um esquilo faria isso?

— Para perturbar a árvore — explicou Blitz. — Ratatosk mantém a águia e o dragão em estado de agitação. Conta mentiras, boatos, fofocas horríveis sobre os dois. As palavras dele são capazes... Bem, você sabe o que as palavras dele são capazes de fazer. O dragão Nidhogg está sempre mastigando as raízes da Árvore do Mundo, tentando matá-la. A águia bate as asas e cria tempestades que arrancam galhos e provocam destruição pelos nove mundos. Ratatosk cuida para que os dois monstros fiquem zangados e competindo um com o outro, para ver qual consegue destruir sua ponta da Yggdrasill mais rápido.

— Mas isso é... loucura. O esquilo *mora* na árvore.

Blitz fez uma careta.

— Todos nós moramos, garoto. As pessoas têm impulsos destrutivos. Alguns de nós querem ver o mundo queimar só por diversão... mesmo se formos destruídos no processo.

As palavras de Ratatosk ecoavam na minha cabeça. *Você fracassou. Você não foi capaz de salvar sua mãe.* O esquilo me deixou desesperado, mas consegui ver como o guincho dele poderia despertar outras emoções: ódio, amargura, autodepreciação.

— Como você não ficou louco? — perguntei a Blitz. — Quando o esquilo guinchou, o que você ouviu?

Blitzen passou os dedos gorduchos pela aba do chapéu e segurou a beirada do véu preto.

— Nada que eu não diga a mim mesmo o tempo todo, garoto. Nós temos que ir.

Ele saiu andando na direção da colina. Apesar do passo curto, precisei me esforçar para acompanhá-lo.

Atravessamos um riacho onde um sapinho pitoresco estava sentado em uma flor de lótus. Pombas e falcões sobrevoavam o lugar como se estivessem brincando de pique-pega. Eu estava esperando que um coral de animais fofinhos aparecesse no meio das flores e começasse a cantar uma música da Disney.

— Acho que não estamos em Nídavellir — falei, enquanto subíamos a colina.

Blitzen soltou um risinho debochado.

— Não. Muito pior.

— Álfaheim?

— Pior. — Blitzen parou antes do cume e respirou fundo. — Venha. Vamos acabar logo com isso.

No alto da colina, parei.

— Nossa.

Do outro lado, campos verdes se estendiam até o horizonte. Campinas estavam cobertas de toalhas de piquenique. Multidões ocupavam o espaço: comendo, rindo, conversando, tocando música, soltando pipa, jogando bola. Era o maior e mais relaxado show ao ar livre do mundo, só que não havia show. Algumas pessoas estavam vestidas com tipos variados de armaduras. A maioria carregava armas, mas não parecia muito interessada em usá-las.

Na sombra de um carvalho, duas jovens lutavam com espadas, mas, depois de alguns golpes, elas se entediaram, largaram as armas e começaram a conversar. Outro cara estava acomodado em uma cadeira de praia, flertando com a garota à sua esquerda enquanto se defendia dos ataques de um cara à direita.

Blitz apontou para o topo da colina seguinte, a uns oitocentos metros de distância, onde um estranho palácio brilhava. Parecia uma Arca de Noé de cabeça para baixo feita de ouro e prata.

— Sessrúmnir — disse Blitzen. — O Salão dos Muitos Assentos. Se tivermos sorte, talvez ela não esteja em casa.

— Quem?

Em vez de responder, ele se encaminhou para o meio da multidão.

Não tínhamos andado nem seis metros quando um cara sentado em uma toalha de piquenique ali perto gritou:

— Oi, Blitzen! E aí, cara?

Blitzen trincou os dentes com tanta força que consegui ouvi-los estalando.

— Oi, Miles.

— Ah, estou bem!

Miles levantou a espada distraidamente quando outro cara de sunga e regata cavada o atacava com um machado.

O atacante gritou:

— MORRA! Ha, ha, brincadeirinha.

Depois saiu andando, comendo uma barra de chocolate.

— E então, Blitz — continuou Miles —, o que traz você à Casa dos Incríveis?

— É bom ver você, Miles.

Blitzen segurou meu braço e saiu me puxando.

— Tudo bem! — gritou Miles. — Volte mais vezes!

— Quem era? — perguntei.

— Ninguém.

— De onde você o conhece?

— Não conheço.

Enquanto seguíamos na direção da mansão de arca virada de cabeça para baixo, mais pessoas pararam para dar oi para Blitzen. Alguns me cumprimentaram e elogiaram minha espada, meu cabelo ou meus sapatos. Uma garota disse: "Ah, belas orelhas!", o que não fez o menor sentido.

— Todo mundo é tão...

— Idiota? — sugeriu Blitzen.

— Eu ia dizer *tranquilo*.

Ele grunhiu.

— Aqui é Fólkvangr, o Campo do Exército... Ou podemos também traduzir como o Campo de Batalha do Povo.

— Então aqui é Volkswagen.

Observei a multidão, me perguntando se veria minha mãe, mas não conseguia imaginá-la em um lugar como aquele. Havia descanso demais e pouca ação. Minha mãe teria obrigado esses guerreiros a se levantarem e partirem para uma caminhada de quinze quilômetros, e ainda teria insistido que montassem o próprio acampamento se quisessem jantar.

— Não parece um exército.

— Pois é — disse Blitz —, esses mortos são tão poderosos quanto os einherjar, mas o comportamento deles é diferente. Este reino é uma pequena subseção de Vanaheim, tipo, a versão de Valhala dos deuses vanires.

Tentei me imaginar passando a eternidade aqui. Valhala tinha pontos fortes, mas até onde vi, não tinha piqueniques nem bolas, e eu não a descreveria como tranquila. Ainda assim... não sabia se gostava tanto de Fólkvangr.

— Então metade dos mortos honrados vem para cá — relembrei — e metade vai para Valhala. Como escolhem quem vai para onde? Par ou ímpar?

— Isso faria mais sentido, na verdade.

— Mas eu estava tentando ir para Nídavellir. Por que viemos parar aqui?

Blitzen olhou para a mansão no alto da colina.

— Você estava procurando o caminho que deveríamos seguir para nossa missão. Esse caminho nos levou por Fólkvangr. Infelizmente, acho que sei por quê. Vamos prestar nossas homenagens antes que eu perca a coragem.

Quando nos aproximamos do portão, percebi que Sessrúmnir não tinha sido apenas construída para parecer um navio de cabeça para baixo. *Era* mesmo um navio de cabeça para baixo. As fileiras de janelas altas eram buracos para remo. As paredes curvadas do casco eram feitas de tábuas douradas encaixadas e presas com pregos prateados. A entrada principal tinha um toldo comprido que serviria como prancha.

— Por que é um barco? — perguntei.

— O quê? — Blitzen mexeu no cravo com nervosismo. — Não é tão incomum. Muitas construções dos seus ancestrais nórdicos eram barcos virados de cabeça para baixo. No caso de Sessrúmnir, quando o Dia do Juízo Final chegar, eles vão virar o palácio e *voilà*, é uma embarcação grande o suficiente para todos os guerreiros de Fólkvangr navegarem nobremente para a morte. Mais ou menos como estamos fazendo agora.

Ele me levou para dentro.

Eu estava esperando um interior escuro como o interior de um navio, mas o Salão dos Muitos Assentos parecia mais uma catedral. O teto ia até a quilha. As janelas de buraco para remo enchiam o ar com feixes de luz. O espaço todo era aberto, sem divisão de cômodos, apenas amontoados de sofás, cadeiras confortáveis, almofadas e redes que não estavam presas a nada, a maioria ocupada por guerreiros roncando. Esperava que o meio milhão de habitantes de Fólkvangr gostassem de ficar juntos, porque *não* havia privacidade nenhuma. Eu, claro, logo me perguntei qual seria o tamanho do banheiro.

No centro do salão havia um corredor de tapetes persas, ladeados por braseiros com esferas brilhantes de luz dourada. Na extremidade, um trono erguia-se em uma plataforma.

Blitz marchou nessa direção, ignorando os guerreiros que o cumprimentavam com "Oi, cara!" e "E aí, anão!" e "Bem-vindo de volta!".

Bem-vindo de volta?

Na frente da plataforma havia fogo aconchegante estalando na lareira. Pilhas de joias e pedras preciosas cintilavam em alguns cantos, como se alguém as tivesse varrido só para tirar do caminho. Dos lados da escadinha havia dois gatos malhados do tamanho de um tigre-dentes-de-sabre.

O trono era entalhado em uma madeira tão macia e amanteigada quanto a luz; tília, talvez. As costas estavam cobertas com uma capa de penas delicadas, como a barriga de um falcão. No trono estava a mulher mais bonita que já vi.

Ela parecia ter uns vinte anos e estava cercada por uma aura de esplendor dourado que me fez perceber o que Blitzen quis dizer mais cedo, quando falou que a luz do dia ali não era normal. O reino todo de Fólkvangr era quente e iluminado, não por causa do sol, mas porque estava envolvido pelo poder daquela mulher.

O cabelo louro dela caía pelo ombro em uma única trança. A blusa de alcinha branca mostrava os ombros bronzeados e a barriga chapada. A saia até os joelhos tinha um cinto dourado trançado com uma faca embainhada e um molho de chaves. Ao redor do pescoço havia uma joia impressionante, um colar rendado de ouro e pedras preciosas, como a rede de Ran em miniatura, só que com rubis e diamantes em vez de almas de marinheiros e calotas.

A deusa grudou os olhos azul-claros em mim. Quando sorriu, uma intensa onda de calor foi das pontas das minhas orelhas até os dedos dos pés. Eu teria feito qualquer coisa para que ela ficasse sorrindo para mim. Se a mulher me mandasse pular da Árvore do Mundo para o abismo, eu teria obedecido na mesma hora.

Lembrei da imagem dela no meu velho livro de mitologia e percebi como subestimavam ridiculamente sua beleza.

A deusa do amor era muito bonita! Ela tinha gatos!

Eu me ajoelhei diante da minha tia, a irmã gêmea do meu pai.

— Freya.

— Meu querido Magnus — disse ela —, como é bom conhecê-lo pessoalmente!

Ela se virou para Blitzen, que encarava as próprias botas de cara emburrada.

— E como você está, Blitzen? — perguntou a deusa.

Blitzen suspirou.

— Estou bem, mãe.

TRINTA E NOVE

Freya é bonita!
Ela tem gatos!

— *MÃE?* — Fiquei tão surpreso que não tive certeza se falei em voz alta ou não. — Espere... Você, Blitzen. *Mãe?*

Blitzen me deu um chute na canela.

— Meu filho não contou? — Freya continuou sorrindo. — Ele é bem modesto. Blitzen querido, você está muito bonito, mas pode ajeitar sua gola?

Blitzen ajeitou, murmurando, baixinho:

— Andei meio ocupado tentando salvar minha vida.

— E querido — continuou Freya —, tem certeza quanto ao colete?

— Tenho, mãe — resmungou Blitz. — Tenho certeza quanto ao colete. Coletes estão voltando à moda.

— Ah, você deve saber melhor do que eu. — Freya piscou para mim. — Blitzen é um *gênio* com tecidos e moda. Os outros anões não apreciam o ofício dele, mas acho maravilhoso. Ele quer abrir o próprio...

— Então — disse Blitzen, um pouco alto demais —, estamos em uma missão...

Freya bateu palmas.

— Eu sei! É muito empolgante. Vocês estão tentando chegar a Nídavellir para descobrir mais sobre a corda Gleipnir. E, naturalmente, a Árvore do Mundo mandou vocês para mim primeiro.

Um dos gatos dela passou as garras no tapete persa, transformando vários milhares de dólares de tecelagem em farrapos. Tentei não imaginar o que o gato podia fazer comigo.

— Então, lady Freya — falei —, você pode nos ajudar?

— É claro! Mas o mais importante é que você pode *me* ajudar.

Blitzen suspirou.

— Aí vamos nós.

— Filho, seja educado. Primeiro, Magnus, como você está lidando com sua espada?

Hesitei por um momento.

Acho que ainda não pensava na Espada do Verão como *minha*. Puxei o pingente, e a espada ganhou forma na minha mão. Na presença de Freya, permaneceu silenciosa e imóvel, como se estivesse se fingindo de morta. Talvez tivesse medo de gatos.

— Não tive muito tempo para usar — contei. — Acabei de pegá-la com Ran.

— Sim, eu sei. — Freya franziu o nariz com um leve toque de repulsa. — E você entregou uma maçã para Utgard-Loki em troca. Talvez não tenha sido o gesto mais inteligente do mundo, mas não vou criticar suas escolhas.

— Acabou de criticar — disse Blitzen.

A deusa ignorou o comentário.

— Pelo menos, você não *me* prometeu para Utgard-Loki. Às vezes, quando gigantes fazem exigências, eles querem maçãs *e* a minha mão em casamento. — Ela jogou a trança por cima do ombro. — É muito cansativo.

Tive dificuldade de encarar Freya sem ser indiscreto. Não havia nenhum lugar seguro para onde olhar: os olhos, os lábios, o umbigo. Mentalmente, eu chamei minha atenção: *É a mãe de Blitzen! É minha tia!*

Decidi me concentrar na sobrancelha esquerda. Não havia nada apelativo em uma sobrancelha esquerda.

— De qualquer modo — falei —, eu ainda não matei nada com a sobrancelha, quer dizer, com a espada.

Freya se inclinou para a frente.

— *Matar*? Ah, querido, isso não é nada. Sua primeira tarefa é ficar amigo da espada. Você já fez isso?

Imaginei a espada e eu sentados lado a lado em uma sessão de cinema, com um pote de pipoca entre nós dois. Imaginei passear no parque com a espada em uma coleira.

— Como fico amigo de uma espada?

— Ah... bem, você precisa perguntar...

— Escute, tia Freya, eu não posso deixar a espada aqui com você? É uma arma vanir. Você é irmã de Frey. Tem algumas centenas de milhares de guerreiros bem armados e a postos para protegê-la de Surt...

— Ah, não — respondeu ela com tristeza. — A espada já está nas suas mãos, Magnus. Você a tirou do rio. Você a reivindicou. O melhor que podemos fazer é torcer para que a *Sumarbrander*, a Espada do Verão, permita que você a empunhe. Protegê-la de Surt é *seu* trabalho pelo resto da vida.

— Odeio meu trabalho.

Blitz me cutucou.

— Não diga isso, garoto. Vai ofender a espada.

Olhei para as runas cintilantes na lâmina.

— Me desculpe, pedaço comprido e afiado de metal. Magoei seus sentimentos? Mas, se você pode permitir ou não que as pessoas segurem você, por que deixaria um gigante do fogo do mal fazer isso? Por que não voltar para Frey, ou ao menos ficar com a adorável irmã dele?

A espada não respondeu.

— Magnus — disse a deusa —, isso não é assunto para brincadeira. A espada está destinada a pertencer a Surt mais cedo ou mais tarde. Você sabe disso. A espada não pode escapar do destino dela, assim como você não pode escapar do seu.

Visualizei Loki rindo enquanto relaxava no Alto Trono de Odin. *Nossas escolhas podem alterar os detalhes. É assim que nos rebelamos contra o destino.*

— Além do mais — continuou Freya —, a espada jamais me permitiria empunhá-la. Sumarbrander me considera parcialmente responsável pela perda dela... Ressente-se de mim quase tanto se ressente de Frey.

Talvez fosse minha imaginação, mas a espada pareceu ficar mais fria e pesada.

— Mas é a espada de Frey — protestei.

Blitzen grunhiu.

— *Era*. Eu já falei, garoto, ele abriu mão dela por amor.

A gata tricolor à direita de Freya rolou e se espreguiçou. A barriga pintada era bem fofa, exceto pelo fato de que eu ficava imaginando quantos guerreiros podia digerir de uma vez só.

— Quando Frey se sentou no trono de Odin, ele o fez por *minha* causa. Foi uma época sombria para mim. Eu estava vagando pelos nove mundos, sofrendo e perdida. Frey esperava que, ao se sentar no trono, ele pudesse me encontrar. Mas o trono mostrou o desejo de seu coração: uma giganta do gelo chamada Gerd. Ele se apaixonou perdidamente por ela.

Fiquei olhando para a sobrancelha de Freya. A história dela não estava ajudando minha opinião sobre meu pai.

— Ele se apaixonou à primeira vista... por uma giganta do gelo.

— Ah, ela era linda — disse Freya. — Era a prata para o ouro de Frey, frio para o calor dele, inverno para o seu verão. Você já ouviu falar que os opostos se atraem? Ela era o par perfeito para ele. Mas era uma giganta. Jamais aceitaria se casar com um vanir. Sua família não permitiria. Sabendo disso, Frey entrou em desespero. Plantações pararam de crescer. O verão perdeu o calor. Por fim, o servo e melhor amigo de Frey foi perguntar a ele o que havia de errado.

— Skírnir — concluí. — O cara que ficou com a espada.

Freya franziu a testa.

— Sim. *Ele*.

Blitzen deu um passo para trás, como se estivesse com medo de a mãe explodir. Pela primeira vez, percebi o quanto a deusa podia ser apavorante; linda, sim, mas também apavorante e poderosa. Imaginei-a armada com um escudo e uma lança, cavalgando com as valquírias. Se eu a visse no campo de batalha, sairia correndo na direção oposta.

— Skírnir prometeu que conseguiria levar Gerd para ele em nove dias — disse Freya. — Ele só pediu uma coisinha pelo serviço: a Espada do Verão. Frey estava tão apaixonado que não fez perguntas. A espada... mal consigo imaginar como ela se sentiu quando foi traída pelo dono. Ela permitiu que Skírnir a brandisse, mas não com alegria.

Freya suspirou.

— É por isso que a espada jamais voltará a permitir que Frey a use. E é por isso que, no Ragnarök, Frey está destinado a morrer, porque não vai estar com a arma dele.

Eu não sabia o que dizer. *Que saco* não parecia ser suficiente. Eu me lembrei do aviso de Loki sobre sentar no trono de Odin e procurar o que meu coração mais deseja. O que eu procuraria? O paradeiro da minha mãe. Eu abriria mão de uma espada para encontrá-la? Claro. Arriscaria ser morto ou até adiantar o Juízo Final? Com certeza. Talvez eu não pudesse julgar meu pai.

Blitz segurou meu braço.

— Não fique tão deprimido, garoto. Tenho fé em você.

A expressão de Freya se suavizou.

— Sim, Magnus. Você *vai* aprender a usar a espada, e não estou falando de sacudi-la como um bruto. Quando descobrir as verdadeiras habilidades dela, vai ser incrível.

— Acho que ela não vem com manual, não é?

A deusa soltou um risinho.

— Me desculpe por não ter trazido você para Fólkvangr, Magnus. Você teria sido um belo acréscimo aos meus seguidores. Mas Valhala chamou você primeiro. Era seu destino.

Tive vontade de argumentar que as Nornas, os einherjar e a capitã das valquírias não concordavam com isso.

Pensar em Gunilla me fez lembrar de nossa fuga para a Árvore do Mundo, e em Sam e Hearthstone escondidos de um esquilo assassino debaixo de um véu.

— Nossos amigos... Nós nos separamos deles na Yggdrasill. Freya, você sabe se chegaram aqui em segurança?

Freya olhou ao longe.

— Eles não estão em Fólkvangr. Estou vendo... Sim. Espere. Perdi de novo. Ah! — Ela fez uma careta. — Foi por pouco, mas eles estão bem por enquanto. São uma dupla habilidosa. Sinto que não virão para cá. Vocês precisam seguir e encontrá-los em Nídavellir. O que nos leva à sua missão.

— E a como podemos ajudar você — concluiu Blitz.

— Exatamente, querido. Sua necessidade trouxe vocês aqui. A *necessidade* fala mais alto quando se viaja pela Árvore do Mundo. Afinal, foi assim que meu pobre filho acabou virando servo de Mímir.

— Não vamos ter essa discussão de novo — disse Blitz.

Freya virou as lindas mãos.

— Tudo bem. Continuando: como vocês bem sabem, os anões criaram a corda Gleipnir, que prende o lobo Fenrir...

— Sim, mãe — disse Blitz, revirando os olhos. — Todo mundo aprende esse versinho no jardim de infância.

Eu olhei para ele.

— Versinho?

— *"Gleipnir, Gleipnir, forte e resistente, prendeu o focinho do Lobo fortemente."* Os humanos não aprendem isso?

— Hã... acho que não.

— De qualquer modo — continuou a deusa —, os anões vão poder contar mais sobre como a corda foi feita e como pode ser substituída.

— Substituída? — Fiz com que a espada voltasse ao formato de pingente. Mesmo assim, pendurada no meu pescoço, parecia pesar cinquenta quilos. — Pensei que a ideia fosse impedir que a corda fosse destruída.

— Ah... — Freya bateu nos lábios. — Magnus, não quero desanimar você, mas eu diria que tem uma boa chance, talvez de setenta e cinco por cento, de que, mesmo que Surt não pegue a espada, o gigante do fogo consiga encontrar um jeito de libertar o lobo Fenrir. Nesse caso, você precisa estar preparado.

Minha língua parecia quase tão pesada quanto o pingente-espada.

— É, isso não é nada desanimador. Na última vez que o Lobo esteve livre, não foi preciso todos os deuses trabalharem juntos para prendê-lo?

Freya assentiu.

— Foram necessárias três tentativas e muita malícia. O coitado do Tyr perdeu a mão. Mas não se preocupe. O Lobo não vai cair de novo no truque da mão na boca. Se chegar a isso, você vai precisar pensar em outra forma de amarrá-lo.

Eu apostava que Miles, lá no Campo de Batalha do Povo, não tinha esse tipo de problema. Fiquei pensando se ele ficaria interessado em trocar de lugar por um tempo, ir atrás do lobo Fenrir enquanto eu jogava vôlei.

— Freya, você pode ao menos nos dizer onde o Lobo *está*?

— Em Lyngvi, a Ilha das Urzes. — A deusa bateu no queixo. — Vamos ver, hoje é dia de Thor, dia dezesseis.

— Como é?

— Quis dizer quinta-feira. A ilha vai surgir na lua cheia daqui a seis dias, dia vinte e dois, no dia de Odin.

— Dia de Odin? — perguntei.

— Quarta-feira. Você deve ter tempo suficiente para pegar meus brincos antes de ir procurar o Lobo. Infelizmente, a localização da ilha muda a cada ano, pois os galhos da Yggdrasill balançam nos ventos do abismo. Os anões devem poder ajudar você a localizá-la. O pai de Blitzen sabia o caminho. Talvez outros também saibam.

À menção do pai, o rosto de Blitz se fechou. Cuidadosamente, ele tirou o cravo do colete e o jogou no fogo da lareira.

— E o que você quer, mãe? Qual é sua parte nisso?

— Ah, minhas necessidades são simples. — Os dedos dela tocaram o colar de renda dourada. — Quero que vocês encomendem brincos que combinem com meu colar Brisingamen. Um par bonito. Não exagerado, mas digno de nota. Blitzen, você tem um ótimo gosto. Confio em você.

Blitzen olhou com irritação para a pilha mais próxima de riquezas, que continha dezenas, talvez centenas de brincos.

— Você sabe com quem tenho que falar em Nídavellir. Só um anão tem a capacidade de substituir Gleipnir.

— Sim — concordou Freya. — Por sorte, ele também é excelente joalheiro, então vai poder realizar os dois pedidos.

— Para o nosso azar — interrompeu Blitzen —, esse anão em particular me quer morto.

Freya descartou a objeção dele.

— Ah, não é possível. Não depois de todo esse tempo.

— Anões têm memória muito boa, mãe.

— Ah, um pagamento bem generoso vai melhorar a atitude dele. Posso ajudar com isso. — Então ela gritou: — Dmitri, preciso de você!

De um dos amontoados de almofadas, três caras ficaram de pé, pegaram os instrumentos musicais e se aproximaram. Usavam camisas havaianas, bermudas e sandálias iguais. O cabelo estava cheio de gel e penteado para trás. O primeiro cara segurava um violão. O segundo, bongôs. O terceiro estava com um triângulo.

O cara do violão fez uma reverência para Freya.

— Ao seu serviço, minha senhora!

A deusa deu um sorriso conspiratório para mim, como se tivesse um segredo maravilhoso para compartilhar.

— Magnus, estes são Dmitri e os Do-Runs, a melhor banda da qual você nunca ouviu falar. Eles morreram em 1963, quando estavam quase estourando. Tão triste! Desviaram o carro com valentia na Route One para salvar um ônibus cheio de criancinhas de uma colisão horrível. Para honrar suas mortes altruístas, eu os trouxe aqui para Fólkvangr.

— E somos muito gratos, minha senhora — disse Dmitri. — Ser a sua banda oficial tem sido um ótimo trabalho!

— Dmitri, eu preciso chorar. Você pode tocar a música sobre meu marido perdido? Adoro essa música.

— Eu odeio essa música — murmurou Blitzen, baixinho.

O trio cantarolou.

Dmitri tocou um acorde.

— Por que sua mãe precisa chorar? — sussurrei para o anão.

Ele se virou para mim e fez o gesto de enfiar o dedo na garganta.

— Fique olhando. Você já vai descobrir.

Dmitri começou a cantar:

"Ah, Odur! Od, Od, Odur,
Onde está Odur; onde está meu amor?"

Os outros dois músicos se juntaram no refrão:

"Od saiu por aí, Odur está a caminhar,
Como é estranho não poder beijar
Meu Odur! Meu doce Od Odur!"

Triângulo.

Solo de bongô.

Blitzen sussurrou:

— O marido dela era um aesir chamado Odur, Od para os mais chegados. Eu não sabia qual nome era pior.

— Ele desapareceu? — tentei adivinhar.

— Dois mil anos atrás — respondeu Blitzen. — Freya saiu à procura dele, desapareceu por quase um século em sua busca. Nunca o encontrou, mas foi por isso que Frey se sentou no trono de Odin, para procurar a irmã.

A deusa se inclinou para a frente e tapou o rosto. Inspirou fundo, trêmula. Quando ergueu o rosto, estava chorando, mas as lágrimas eram pequenas gotas de ouro vermelho. Ela chorou até estar com as mãos cheias de gotas brilhantes.

— Ah, Odur! — disse ela, chorando. — Por que você me deixou? Ainda sinto a sua falta! — Freya fungou e assentiu para os músicos. — Obrigada, Dmitri. Já basta.

Dmitri e os amigos fizeram uma reverência. A melhor banda que eu desejava nunca ter ouvido se afastou.

Freya ergueu as mãos em concha. Uma bolsinha de couro surgiu como que vinda do nada e pairou acima do colo dela. Freya colocou as lágrimas na bolsinha.

— Aqui, meu filho. — A deusa entregou a bolsinha para Blitzen. — Deve ser o suficiente se Eitri Júnior for minimamente razoável.

Blitzen olhou de mau humor para o saco de lágrimas.

— O único problema é que ele não é.

— Você vai conseguir! — disse Freya. — O destino dos meus brincos está nas suas mãos!

Eu cocei a nuca.

— Hã, lady Freya... obrigado pelas lágrimas e tudo o mais, mas você não poderia ir até Nídavellir e escolher os próprios brincos? Ir às compras não é metade da diversão?

Blitzen me lançou um olhar de advertência.

Os olhos azuis de Freya ficaram alguns graus mais frios. Os dedos dela acompanharam o formato do colar.

— Não, Magnus, eu *não posso* simplesmente ir fazer compras em Nídavellir. Você *sabe* o que aconteceu quando comprei Brisingamen dos anões. Quer que aconteça de novo?

Na verdade, eu não fazia ideia do que a deusa estava falando, mas ela não esperou uma resposta.

— Tenho problemas toda vez que vou a Nídavellir. Não é minha culpa! Os anões *sabem* da minha fraqueza por joias bonitas. Acredite em mim, é *bem* melhor vocês irem no meu lugar. Agora, se me dão licença, está na hora do luau com combate opcional. Adeus, Magnus. Adeus, meu querido Blitzen!

O chão se abriu sob nossos pés e caímos na escuridão.

QUARENTA

Meu amigo evoluiu de um...
Não. Não posso dizer

Não me lembro de aterrissar.

Quando dei por mim estava em uma rua escura em uma noite fria e nublada. Casas de madeira de três andares se enfileiravam na calçada. No final do quarteirão, as janelas sujas de uma taverna brilhavam com quadros em néon anunciando bebidas.

— Aqui é Southie — falei. — Perto da rua D.

Blitzen balançou a cabeça.

— Aqui é Nídavellir, garoto. Parece South Boston... ou melhor, South Boston é que é parecido com Nídavellir. Eu falei, Boston é o vórtice. Os nove mundos se juntam lá e afetam uns aos outros. Southie tem um clima anão no ar.

— Achei que Nídavellir seria subterrâneo. Com túneis claustrofóbicos e...

— Garoto, aquilo acima da sua cabeça é um teto de caverna. Só é bem alto e fica escondido pela poluição do ar. Não temos dia aqui. É escuro o tempo todo.

Olhei para as nuvens pesadas. Depois de estar no reino de Freya, o mundo dos anões parecia opressivo, mas também era mais familiar, mais... genuíno. Na minha opinião, nenhum morador de Boston confiaria em um lugar que fosse ensolarado e agradável o tempo todo. Mas um bairro sombrio, constantemente frio e escuro? Era só acrescentar algumas lojas de donuts e eu me sentiria em casa.

Blitz enrolou o chapéu na rede escura. Tudo se transformou em um lencinho preto, que ele guardou no bolso do casaco.

— Temos que ir.

— Não vamos falar sobre o que aconteceu lá em Volkswagen?

— O que há para dizer?

— Por exemplo, que somos primos.

Blitz deu de ombros.

— Fico feliz em ser seu primo, garoto, mas os filhos dos deuses não dão muita bola para esse tipo de relação. As linhagens familiares de deuses são tão enroladas, ficar pensando nisso vai deixar você maluco. Todo mundo é parente de todo mundo.

— Mas você é um semideus. Isso é uma coisa boa, não é?

— Odeio a palavra *semideus*. Prefiro *nascido com um alvo nas costas*.

— Pare com isso, Blitz. Freya é sua mãe. É uma informação importante que você se esqueceu de mencionar.

— Freya é minha mãe — concordou ele. — Muitos elfos negros são descendentes de Freya. Aqui embaixo, isso não é nada de mais. Ela mencionou como conseguiu Brisingamen? Alguns milênios atrás, estava passeando por Nídavellir, sabe-se lá por quê, e encontrou quatro anões que estavam moldando o colar. Ela ficou obcecada. Tinha que conseguir aquele colar. Os anões aceitaram na hora, mas pelo preço certo. Freya deveria se casar com cada um dos quatro, um por dia.

— Ela... — Tive vontade de dizer: *Que esquisito, ela se casou com quatro caras?* Mas imediatamente lembrei que a história era sobre a mãe dele. — Ah.

— É. — Blitz pareceu infeliz. — Ela teve quatro filhos anões, um de cada casamento.

Franzi a testa.

— Espera aí. Se ela ficou casada um dia com cada anão e uma gravidez dura... Os cálculos não batem.

— Não me pergunte. As deusas seguem as próprias regras. Ela acabou conseguindo o colar. Sentiu vergonha de ter se casado com quatro anões e tentou manter isso em segredo. Mas a questão era que ela *amava* as joias dos anões. Ficou voltando a Nídavellir para escolher novas peças, e cada vez que vinha...

— Uau.

Blitzen ficou desanimado.

— Essa é a maior diferença entre os elfos negros e os elfos comuns. Nós somos mais altos e mais bonitos porque temos sangue vanir. Somos descendentes de Freya. Você diz que sou um semideus. Eu digo que sou um recibo. Meu pai fez um par de brincos para Freya, que foi casada com ele por um dia. Ela não conseguiu resistir à habilidade dele. Ele não conseguiu resistir à beleza dela. Agora, ela me manda embarcar em uma viagem para comprar um novo par de brincos porque está cansada dos velhos, e Asgard a proibiu de engravidar de um novo pequeno Blitzen.

A amargura na voz dele poderia ter derretido ferro. Eu quis dizer que entendia o que ele estava sentindo, mas a verdade é que não entendia, não. Mesmo sem conhecer meu pai, eu tinha minha mãe. Isso sempre bastou para mim. Para Blitzen... nem tanto. Eu não sabia o que havia acontecido com o pai dele, mas lembrei o que ele disse na lagoa da Esplanade: *Você não é o único que perdeu familiares para os lobos, garoto.*

— Venha — disse ele. — Se ficarmos mais tempo na rua, vão nos roubar esse saco de lágrimas. Anões conseguem sentir o cheiro de ouro vermelho a quilômetros de distância. — Ele apontou para o bar na esquina. — Eu pago uma bebida na Taverna do Nabbi.

Nabbi restaurou a minha fé nos anões, porque era na verdade um túnel claustrofóbico. O teto era baixo e perigoso. As paredes, cobertas de velhos pôsteres de lutas como DONNER, O DESTRUIDOR VS MINIASSASSINATO, SÓ UMA NOITE!, com imagens de anões musculosos rosnando com máscaras de luta.

Nas mesas e cadeiras descombinadas havia uma dezena de anões descombinados, alguns elfos negros como Blitzen, que poderiam passar facilmente por humanos, e alguns caras bem mais baixos que poderiam passar facilmente por gnomos de jardim. Alguns clientes olharam para nós, mas ninguém pareceu chocado comigo... talvez não tivessem percebido que eu era humano. A ideia de ser confundido com um anão era bem perturbadora.

A coisa mais irreal no bar era "Blank Space", de Taylor Swift, tocando em alto e bom som nos alto-falantes.

— Anões gostam de música humana? — perguntei a Blitzen.

— Você quer dizer que humanos gostam da *nossa* música.

— Mas... — Tive uma visão repentina da mãe da Taylor Swift e Freya em uma noitada em Nídavellir. — Deixa pra lá.

Quando nos encaminhamos para o bar, percebi que a mobília não era apenas descombinada. Cada mesa e cadeira eram únicas, aparentemente feitas à mão a partir de vários pedaços de metais, com designs e estofamentos diferentes. Uma mesa tinha a forma de roda de carroça de bronze com tampo de vidro. A superfície de outra era um tabuleiro de xadrez de estanho e bronze. Algumas cadeiras tinham rodas. Outras, assentos ajustáveis. Outras ainda tinham controles de massagem ou hélices nas costas.

Perto da parede esquerda, três anões jogavam dardos. Os anéis do alvo giravam e sopravam vapor. Um anão jogou o dardo, que zumbiu na direção do alvo como um pequeno drone. Enquanto ainda estava voando, outro anão disparou. O dado dele voou na direção do dardo-drone e explodiu, derrubando-o.

O primeiro anão só grunhiu.

— Belo disparo.

Finalmente, chegamos ao bar de carvalho polido, onde o próprio Nabbi esperava. Consegui perceber quem ele era por causa da minha mente dedutiva altamente treinada, e também porque seu avental amarelo manchado dizia: OI! SOU NABBI.

Achei que ele era o anão mais alto que eu já tinha visto até perceber que estava de pé em uma plataforma atrás do balcão. Nabbi tinha só sessenta centímetros de altura, incluindo o cabelo preto espetado como um ouriço-do-mar. O rosto barbeado me fez entender por que anões eram barbudos. Sem barba, Nabbi era feio demais. Não tinha queixo. A boca parecia um botão, as bochechas inchadas.

Ele olhou para nós como se estivéssemos sujos de lama.

— Cumprimentos, Blitzen, filho de Freya. Nada de explosões no meu bar hoje, espero...

Blitzen fez uma reverência.

— Cumprimentos, Nabbi, filho de Loretta. Para ser justo, não fui eu que trouxe as granadas. E este é meu amigo Magnus, filho de...

— Hã. Filho de Natalie.

Nabbi assentiu para mim. Suas sobrancelhas cabeludas eram fascinantes. Pareciam taturanas.

Fui na direção do banco do bar, mas Blitzen me deteve.

— Nabbi — disse ele, formalmente —, meu amigo pode usar esse banco? Qual é o nome e a história dele?

— Esse banco é o Descanso de Traseiros — informou Nabbi. — Feito por Gonda. Já sustentou o bumbum do mestre ferreiro Alviss. Use com conforto, Magnus, filho de Natalie. E Blitzen, você pode se sentar em Lar de Retaguarda, famoso dentre os bancos, feito por este que vos fala. Sobreviveu à Grande Briga de Bar de 4109 DV!

— Meus agradecimentos. — Blitzen subiu no banco dele, que era de carvalho polido com assento estofado vermelho. — É um belo Lar de Retaguarda!

Nabbi olhou para mim com expectativa. Experimentei meu banco, que era de aço duro sem almofada. Não era exatamente um Descanso de Traseiros. Era mais um Massacre no Magnus, mas tentei dar um sorriso.

— É, esse banco é ótimo mesmo!

Blitzen bateu com os dedos no balcão do bar.

— Hidromel para mim, Nabbi. E para o meu amigo...

— Há, refrigerante, talvez? — Eu não sabia se queria andar pelo Southie Anão com a cabeça cheia de hidromel.

Nabbi encheu duas canecas e colocou na nossa frente. O cálice de Blitzen era dourado por dentro, prateado por fora e decorado com imagens de anãs dançarinas.

— Esse cálice é a Vasilha Dourada — revelou Nabbi. — Foi feito pelo meu pai, Darbi. E este — indicou minha caneca de metal — é Bum Papai, feito por mim. Sempre peça pelo refil antes de chegar ao fundo. Senão... — ele abriu os dedos subitamente —, bum, papai!

Eu torcia para ele estar brincando, mas decidi tomar pequenos goles.

Blitz bebeu o hidromel.

— Hum. Uma delícia! E agora que cumprimos as formalidades, Nabbi... precisamos falar com Júnior.

Uma veia latejou na têmpora esquerda de Nabbi.

— Você quer morrer?

Blitz enfiou a mão na bolsinha. Colocou uma única lágrima de ouro na bancada.

— Esta é para você — disse ele, em voz baixa. — Só para fazer o contato. Diga a Júnior que temos mais. Só queremos uma oportunidade de negociar.

Depois da minha experiência com Ran, a palavra *negociar* me deixava ainda mais desconfortável do que o Descanso de Traseiros. Nabbi olhou para Blitzen e para a lágrima, com a expressão oscilando entre apreensão e ganância. Finalmente, a ganância venceu. O dono do bar pegou a gota de ouro.

— Vou fazer o contato. Aproveitem as bebidas.

Ele desceu da plataforma e desapareceu na cozinha.

Eu me virei para Blitz.

— Tenho algumas perguntas.

Ele riu.

— Só algumas?

— O que quer dizer 4109 DV? É a hora ou...

— Anões contam os anos a partir da criação da nossa espécie — explicou Blitz. — DV quer dizer *depois dos vermes*.

Concluí que meus ouvidos ainda deviam estar prejudicados por causa dos latidos de Ratatosk.

— Como é?

— A criação do mundo... Ah, você conhece a história. Os deuses mataram o maior dos gigantes, Ymir, e usaram a carne dele para criar Midgard. Nídavellir se desenvolveu *debaixo* de Midgard, onde os vermes comeram a carne morta do gigante e criaram túneis. Alguns desses vermes evoluíram, com um pouco da ajuda dos deuses, e viraram anões.

Blitzen pareceu orgulhoso do conhecimento histórico. Decidi fazer o máximo para apagar essa história da minha memória de longo prazo.

— Outra pergunta — falei. — Por que meu copo tem nome?

— Anões são artesãos — respondeu Blitzen. — Levamos a sério as coisas que fazemos. Vocês, humanos, fazem mil cadeiras ruins todas parecidas e com prazo de validade de um ano. Quando *nós* fazemos uma cadeira, ela dura a vida toda, é uma cadeira diferente de qualquer outra no mundo. Copos, móveis, armas... todo item feito à mão tem alma e nome. Não se pode admirar uma coisa se não for boa o bastante para ter um nome.

Observei a caneca, que era minuciosamente entalhada com runas e desenhos de onda. Preferia que tivesse um nome diferente, como *Impossível de Explodir*, mas eu tinha que admitir que era um belo copo.

— E chamar Nabbi de filho de Loretta? — perguntei. — Ou a mim de filho de Natalie?

— Anões são matriarcais. Acompanhamos a linhagem pela mãe. Mais uma vez, faz bem mais sentido do que seu jeito patrilineal. Afinal, uma pessoa pode nascer de uma mãe biológica solteira. A não ser que você seja o deus Heimdall. Ele teve nove mães biológicas. Mas essa é outra história.

Sinapses derreteram no meu cérebro.

— Seguindo em frente. As lágrimas de Freya... ouro vermelho? Sam me disse que essa é a moeda de Asgard.

— É. Mas as lágrimas de Freya são cem por cento puras. O melhor ouro vermelho que existe. Pela bolsa de lágrimas que carregamos, a maioria dos anões daria o olho direito.

— Então esse cara, Júnior... ele vai negociar com a gente?

— Ou isso — disse Blitz — ou vai nos picar em pedacinhos. Quer nachos enquanto espera?

QUARENTA E UM

Blitz faz um mau negócio

Eu tinha que tirar o chapéu para Nabbi. Ele servia nachos pré-morte deliciosos.

Estava na metade do meu prato de gostosura potencializada por guacamole quando Júnior apareceu. Ao bater os olhos nele, me perguntei se não seria mais rápido só beber tudo que havia na Bum Papai e explodir logo, porque não gostei das nossas chances de negociar com o velho anão.

Júnior parecia ter duzentos anos. Tufos de cabelo grisalho se projetavam da cabeça cheia de manchas. A barba ilustrava perfeitamente a palavra *desgrenhada*. Os olhos castanhos maliciosos disparavam pelo bar como se ele estivesse pensando? *Odeio isso. Odeio aquilo. E odeio* muito *aquilo lá.* Ele não era fisicamente intimidante, tinha um passo arrastado apoiado em um andador dourado, mas estava escoltado por uma dupla de guarda-costas anões tão corpulentos que poderiam ser jogadores de futebol americano.

Os outros clientes se levantaram e saíram em silêncio, como em uma cena de filme de faroeste. Blitzen e eu ficamos de pé.

— Júnior. — Blitzen fez uma reverência. — Obrigado por vir se encontrar conosco.

— Quanta coragem! — vociferou Júnior.

— Quer meu banco? — ofereceu Blitzen. — É Lar de Retaguarda, feito por...

— Não, obrigado. Vou ficar de pé, tenham a honra de conhecer meu andador, Arrastador de Vovó, famoso entre produtos geriátricos, feito pela enfermeira Bambi, minha assistente particular.

Mordi o lábio. Acho que gargalhar não seria um gesto diplomático.

— Este é Magnus, filho de Natalie — apresentou Blitzen.

O velho anão olhou para mim de cara feia.

— Sei quem ele é. Encontrou a Espada do Verão. Não dava para esperar até eu morrer? Estou velho demais para essa bobagem de Ragnarök.

— Foi mal — falei. — Eu devia ter consultado você antes de ser atacado por Surt e enviado para Valhala.

Blitzen tossiu. Os guarda-costas me avaliaram como se eu tivesse acabado de tornar o dia deles mais interessante.

Júnior riu.

— Gostei de você. É grosseiro. Vamos ver essa espada, então.

Mostrei a ele o truque do pingente mágico. Nas luzes fracas de néon do bar, as runas da lâmina brilharam em laranja e verde.

O velho anão estalou a língua.

— É mesmo a espada de Frey. Má notícia.

— Então você está disposto a nos ajudar? — perguntou Blitzen.

— *Ajudar vocês?* — Júnior ofegou. — Seu pai era meu nêmesis! *Você* denegriu minha reputação. E agora quer minha ajuda. Você tem entranhas de ferro, Blitzen, tenho que admitir.

Os tendões no pescoço de Blitz pareciam prestes a explodir na gola engomada.

— A questão aqui não é nossa desavença pessoal, Júnior. A questão é a corda. É prender Fenrir.

— Ah, claro. — Júnior olhou de cara feia para os guarda-costas. — O fato de *meu pai*, Eitri Sênior, ter sido o único anão talentoso o bastante para *fazer* Gleipnir e seu pai, Bilì, ter passado a vida questionando a qualidade da corda... não tem nada a ver com a história!

Blitzen apertou a algibeira de lágrimas de ouro vermelho. Eu estava com medo de que ele tacasse o saquinho na cabeça de Júnior.

— A Espada do Verão está bem aqui. Surt está planejando libertar o Lobo em seis noites midgardianas. Vamos fazer o que estiver ao nosso alcance para impedi-lo. Mas você *sabe* que a corda Gleipnir passou da validade. Precisamos de informações sobre as amarras do Lobo. Mais importante, precisamos de uma corda substituta por garantia. Só você tem o talento para fazer isso.

Júnior colocou a mão em concha ao redor do ouvido.

— Diga essa última parte de novo.

— Você é talentoso, seu velho cascudo... — Blitz hesitou. — É o único que tem a habilidade para fazer uma nova corda.

— Verdade. — Júnior deu um sorrisinho debochado. — Acontece que já *tenho* uma corda substituta pronta. Não por causa de problemas com Gleipnir, fique sabendo, nem por causa das acusações escandalosas da sua família sobre a qualidade dela, mas só porque gosto de estar preparado. Ao contrário do *seu* pai, devo acrescentar, que foi sozinho como um idiota dar uma olhada no lobo Fenrir e acabou morto.

Tive que entrar na frente de Blitzen para impedir que ele atacasse o velho anão.

— Tudo bem, então — falei. — Rapazes, não é hora para isso. Júnior, se você tem uma corda nova, ótimo. Vamos falar sobre o preço. E, hã, também vamos precisar de um belo par de brincos.

— Ah. — Júnior limpou a boca. — Não me diga. Para a mãe de Blitzen, sem dúvida. O que oferecem como pagamento?

— Blitzen, mostre para ele.

Blitz ainda estava com um olhar selvagem de fúria, mas abriu a algibeira e virou algumas lágrimas de ouro vermelho na palma da mão.

— Hã! — exclamou Júnior. — Um preço aceitável... ou *seria*, se não fosse Blitzen. Vou vender o que você quer por essa bolsinha de lágrimas, mas a honra da minha família vem primeiro. Já está mais do que na hora de acertarmos essa briga. O que você diz, filho de Freya? Uma competição, você e eu. As regras tradicionais, a aposta tradicional.

Blitzen recuou até o bar. Contorceu-se tanto que quase consegui enxergar a herança dos ancestrais vermes. (APAGAR. Não me sabote, memória de longo prazo. APAGAR!)

— Júnior — disse ele —, você sabe que eu não... Eu não poderia...

— Devemos marcar amanhã, ao esmusguear? — perguntou Júnior. — O painel de jurados pode ser comandado por uma pessoa neutra. Talvez Nabbi, que certamente está escutando atrás do bar neste instante.

Alguma coisa bateu na plataforma. Atrás do balcão, a voz abafada de Nabbi disse:

— Seria uma honra.

— Aí está! — Júnior sorriu. — E então, Blitzen? Desafiei você de acordo com nossos antigos costumes. Você vai defender a honra da sua família?

— Eu... — Blitzen abaixou a cabeça, desanimado. — Onde vamos nos encontrar?

— Nas forjas na praça Kenning — disse Júnior. — Ah, vai ser divertido. Vamos, rapazes. Tenho que contar para a enfermeira Bambi!

O velho anão foi embora, seguido pelos guarda-costas. Assim que eles saíram, Blitzen desabou no Lar de Retaguarda e bebeu tudo o que havia na Vasilha Dourada.

Nabbi apareceu atrás da bancada. As sobrancelhas de taturana se contraíam de preocupação enquanto ele enchia a taça de Blitz.

— Este é por conta da casa, Blitzen. Foi um prazer conhecer você.

Ele voltou para a cozinha e me deixou sozinho com Blitz e Taylor Swift cantando "I Know Places". A letra ganhou um novo significado em um mundo anão subterrâneo.

— Você vai explicar o que acabou de acontecer? — perguntei. — O que é essa disputa ao esmusguear? Aliás, o que é o esmusguear?

— Esmusguear... — Blitzen olhou para o copo. — A versão anã do amanhecer. Quando o musgo começa a brilhar. Quanto à disputa... — Engoliu em seco. — Não é nada. Tenho certeza de que você vai conseguir prosseguir na missão sem mim.

Nesse momento, a porta do bar se abriu. Sam e Hearthstone entraram cambaleando, como se tivessem sido empurrados de um carro em movimento.

— Eles estão vivos! — Eu me levantei com um pulo. — Blitz, olhe!

Hearthstone estava tão empolgado que não conseguia nem gesticular. Correu e quase derrubou Blitzen do banco.

— Oi, amigão. — Blitz bateu nas costas dele de forma distraída. — É, também estou feliz em ver você.

Sam não me abraçou, mas conseguiu dar um sorriso. Estava arranhada e coberta de folhas e galhos, mas não parecia muito machucada.

— Magnus, estou feliz por você ainda não ter morrido. Quero estar presente quando isso acontecer.

— Obrigado, al-Abbas. O que houve com vocês?

Ela deu de ombros.

— Ficamos escondidos embaixo do hijab pelo tempo que conseguimos.

Com todas as outras coisas que estavam acontecendo, eu tinha me esquecido disso.

— É, e qual é a do lenço? Você tem um hijab da invisibilidade?

— Não me torna invisível. É apenas camuflagem. Todas as valquírias ganham capas de cisne, que nos ajudam a nos esconder quando necessário. Eu transformei a minha em um hijab.

— Mas você não virou cisne. Virou musgo de árvore.

— A capa pode fazer coisas diferentes. De qualquer modo, esperamos o esquilo ir embora. O latido me deixou abalada, mas felizmente Hearth não foi afetado. Subimos pela Yggdrasill e ficamos lá por um tempo...

Um alce tentou nos comer, sinalizou Hearth.

— Como é? — perguntei. — Um alce?

Hearth grunhiu de exasperação. Ele soletrou: *C-E-R-V-O. O gesto é o mesmo para os dois.*

— Ah, bem melhor — comentei. — Um cervo tentou comer vocês.

— É — concordou Sam. — Dvalinn ou talvez Duneyrr, um dos cervos que vivem na Árvore do Mundo. Nós fugimos, pegamos uma entrada errada para Álfaheim...

Hearthstone estremeceu e fez um sinal: *Ódio*.

— E aqui estamos nós. — Sam olhou para Blitzen, ainda inexpressivo de choque. — E então... o que está acontecendo?

Contei sobre nosso encontro com Freya, depois sobre a conversa com Júnior. Hearthstone se apoiou no bar e soletrou com uma das mãos: *c-o-n-f-e-c-ç-ã-o?* Depois balançou a cabeça com veemência.

— O que você quer dizer com *confecção?* — perguntei.

— É a competição anã que testa a capacidade de forjar coisas — murmurou Blitzen, com a boca no cálice.

Sam tamborilou no machado.

— A julgar pela sua expressão, suponho que você não confie nas suas habilidades.

— Sou péssimo em forjar coisas.

Não é verdade, protestou Hearth.

— Hearthstone — disse Blitzen —, mesmo que eu fosse *excelente* em forjar, Júnior é o anão mais habilidoso que existe. Ele vai me destruir.

— Pare com isso — falei. — Você vai se sair bem. E, se perder, vamos encontrar outro jeito de pegar aquela corda.

Blitzen olhou para mim com tristeza.

— É pior do que isso, garoto. Se eu perder, tenho que pagar o preço tradicional: minha cabeça.

QUARENTA E DOIS

Temos uma festinha de pré-decapitação com rolinhos primavera

Dormir no apartamento de Blitzen foi o ponto alto da nossa viagem. Não que isso significasse muita coisa.

Blitz alugava o terceiro andar de uma casa em frente ao Svartalfar Mart (é, isso existe). Considerando o fato de que seria decapitado no dia seguinte, ele foi um bom anfitrião. Pediu desculpas por não ter feito uma arrumaçãozinha antes (embora o local me parecesse impecável), esquentou rolinhos primavera no micro-ondas e comprou um litro de refrigerante e um pacote de seis unidades de Hidromel Espumante Fjalar, com garrafas feitas à mão; cada vidro de uma cor diferente.

Tinha pouca mobília, mas a decoração era estilosa: um sofá em forma de L e duas poltronas futuristas. Deviam ter nomes e serem famosos no mundo da mobília de sala de estar, mas Blitzen não os apresentou. Na mesa de centro havia uma pilha organizada de revistas de moda de anões e de design de interiores.

Enquanto Sam e Hearth tentavam consolar Blitz, eu caminhei pela sala. Senti raiva e culpa por ter colocado Blitz em uma situação tão delicada. Ele já tinha arriscado muita coisa por mim. Passou dois anos nas ruas me vigiando quando poderia estar aqui, relaxando, comendo rolinhos primavera e bebendo hidromel espumante. Tentou me proteger atacando o lorde dos gigantes do fogo com uma placa. Agora, ia perder a cabeça em uma disputa de confecção com um idoso do mal.

Além do mais... a filosofia do ofício dos anões me perturbou. Em Midgard, a maioria das coisas era descartável e substituível. Eu *vivi* desse lixo pelos últimos dois anos, catando o que as pessoas jogavam fora, encontrando coisas que pudesse usar ou vender, ou que ao menos servissem para fazer uma fogueira.

Então me perguntei como seria morar em Nídavellir, onde cada objeto era fabricado para ser uma obra de arte para a vida toda, até um copo ou uma cadeira. Talvez fosse irritante ter que recitar cada detalhe dos sapatos antes de calçá-los de manhã, mas pelo menos saberíamos que eram sapatos incríveis.

Pensei na Espada do Verão. Freya me mandou fazer amizade com ela. Deu a entender que a arma tinha pensamentos e sentimentos.

Todo item feito à mão tem alma, dissera Blitz.

Talvez eu não tivesse me apresentado direito. Talvez devesse tratar a espada como uma companheira...

— Blitz, você deve ter uma especialidade — disse Samirah. — O que estudou na escola de comércio?

— Moda. — Blitzen fungou. — Criei meu próprio curso de graduação. Mas moda não é um ofício reconhecido. Eles esperam que eu modele lingotes derretidos ou conserte máquinas! Não sou bom nisso!

É, sim, sinalizou Hearth.

— Não sob pressão — disse Blitz.

— Não entendo — falei. — Por que quem perde tem que morrer? Como escolhem o vencedor?

Blitzen olhou para a capa da *Anão Quinzenal: Novos visuais para a primavera! 100 usos para couro de warg!*

— Cada participante confecciona três itens. Pode ser qualquer coisa. No fim do dia, o júri pontua cada item de acordo com utilidade, beleza, qualidade, essas coisas. Eles podem pontuar como bem entenderem. O participante com o maior número de pontos gerais vence; o outro, morre.

— Você não deve ter participado de muitas competições — observei — se o perdedor é sempre decapitado.

— Essa é a aposta tradicional — explicou Blitz. — A maioria das pessoas não insiste mais nela. Júnior é antiquado. E, além disso, me odeia.

— Tem a ver com Fenrir e seu pai?

Hearth balançou a cabeça tentando fazer com que eu parasse de falar, mas Blitzen bateu no joelho dele.

— Tudo bem, amigão. Eles merecem saber.

Blitz se recostou no sofá. Pareceu subitamente mais calmo em relação à morte iminente, o que achei perturbador. Eu queria que ele estivesse socando as paredes.

— Sabe quando eu falei que os objetos dos anões duram para a vida toda? Bem... para um anão, *a vida* pode ter centenas de anos.

Observei a barba de Blitz e me perguntei se ele pintava os fios brancos.

— Quantos anos você tem?

— Vinte — respondeu ele. — Mas Júnior... está chegando a quinhentos. O pai dele, Eitri, foi um dos artesãos mais famosos da história dos anões. Viveu mais de mil anos, construiu alguns dos objetos mais importantes dos deuses.

Samirah mordeu um rolinho primavera.

— Até *eu* já ouvi falar dele. Está nas histórias antigas. Fez o martelo de Thor.

Blitz assentiu.

— E a corda Gleipnir... pode-se dizer que foi seu trabalho mais importante, ainda mais do que o martelo de Thor. A corda impede que Fenrir se solte e dê início ao Juízo Final.

— Estou acompanhando até aqui — falei.

— A questão é que a corda foi feita às pressas. Os deuses estavam clamando por ajuda. Já tinham tentado prender Fenrir com duas correntes enormes. Eles sabiam que a janela de oportunidade estava se fechando. O Lobo estava ficando mais forte e mais selvagem a cada dia. Em pouco tempo, ficaria incontrolável. Assim, Eitri... bem, ele fez o que pôde. Obviamente, a corda aguentou esse tempo todo. Mas mil anos é muita coisa, mesmo para uma corda anã, principalmente quando o lobo mais forte do universo está lutando contra ela dia e noite. Meu pai, Bili, era um grande fazedor de cordas. Passou anos tentando convencer Júnior de que Gleipnir precisava ser substituída. Júnior não lhe dava ouvidos. Disse que ia à ilha do Lobo de tempos em tempos para inspecionar a corda e jurou que Gleipnir estava ótima. Ele achava que meu pai só estava insultando a reputação da família dele. Finalmente, meu pai...

A voz de Blitz falhou.

Hearthstone gesticulou: *Não precisa contar.*

— Estou bem. — Blitzen limpou a garganta. — Júnior usou toda a influência dele para virar as pessoas contra meu pai. Nossa família perdeu negócios. Ninguém queria comprar as confecções de Bili. Finalmente, papai foi até a ilha de Lyngvi. Queria ver a corda, provar que precisava ser trocada. E nunca voltou. Alguns meses depois, uma patrulha anã encontrou...

Ele olhou para baixo e balançou a cabeça.

Hearthstone sinalizou: *Roupas. Rasgadas. Caídas na beira da água.*

Ou Samirah estava começando a aprender linguagem de sinais ou captou a ideia geral. Tapou a boca com a mão.

— Blitz, sinto muito.

— Bem... — Ele deu de ombros com apatia. — Agora vocês sabem. Júnior ainda guarda ressentimento. A morte do meu pai não bastou. Ele quer me envergonhar e *me* matar.

Coloquei minha bebida na mesa de centro.

— Blitz, acho que falo por todos nós quando digo que Júnior pode enfiar o andador dele...

— Magnus... — Sam chamou minha atenção.

— O quê? Aquele anão velho precisa ser decapitado do pior jeito. O que podemos fazer para ajudar Blitz a vencer a competição?

— Eu agradeço, garoto. — Blitz ficou de pé. — Mas não há o que fazer. Eu... Se você me der licença...

Ele cambaleou até o quarto e fechou a porta.

Samirah repuxou os lábios. Ela ainda estava com um galho da Yggdrasill enfiado no bolso do casaco.

— Tem alguma chance de Júnior não ser *tão* bom? Ele está muito velho agora, não está?

Hearthstone desenrolou o cachecol e o jogou no sofá. Ele parecia não se sentir bem na escuridão de Nídavellir. As veias verdes no pescoço estavam mais saltadas do que o habitual. O cabelo flutuava com estática, como vinhas procurando o sol.

Júnior é muito bom. Ele gesticulou como se rasgasse ao meio uma folha de papel e jogasse os pedaços fora: *Não tem jeito.*

Senti vontade de jogar garrafas de Hidromel Espumante Fjalar pela janela.

— Mas Blitz *sabe* fazer coisas, não sabe? Ou você só estava sendo encorajador?

Hearth se levantou. Andou até um aparador encostado na mesa da sala de jantar. Eu não tinha prestado muita atenção à mesa, mas Hearth apertou alguma coisa na superfície, talvez um interruptor escondido, e o tampo se abriu como uma concha. A parte de baixo era um painel de luz grande, que acendeu, brilhando em dourado, caloroso.

— Uma câmara de bronzeamento artificial. — Assim que falei aquilo, a verdade surgiu. — Quando você veio para Nídavellir pela primeira vez, Blitzen salvou sua vida. Foi assim. Ele deu um jeito de fornecer luz do sol a você.

Hearth assentiu. *Na primeira vez que usei runas para fazer magia. Errei. Caí em Nídavellir. Quase morri. Blitzen... sabe fazer coisas. É gentil e inteligente. Mas não funciona bem sob pressão. Uma competição... não.*

Sam abraçou os joelhos.

— E o que vamos fazer? Você tem alguma magia que possa ajudar?

Hearth hesitou. *Um pouco. Vou usar antes da competição. Não vai ajudar.*

Traduzi para Sam e perguntei:

— O que eu posso fazer?

Protegê-lo, sinalizou Hearth. *Júnior vai tentar s-a-b-o-t-a-r.*

— Sabotar? — Franzi a testa. — Isso não é roubar?

— Já ouvi falar sobre isso — disse Sam. — Em competições anãs, você pode atrapalhar seu competidor desde que não seja pego. A interferência tem que parecer acidente, ou pelo menos algo que os juízes não possam rastrear até você. Mas parece que Júnior não precisa trapacear para vencer.

Ele vai trapacear. Hearth fez um sinal de gancho prendendo em uma fivela. *Por maldade.*

— Tudo bem — falei. — Vou manter Blitz em segurança.

Ainda não vai ser o bastante. Hearth deu uma espiada em Sam. *O único jeito de vencer é atrapalhando Júnior.*

Quando traduzi para Sam o que ele disse por meio de sinais, ela ficou tão cinza quanto um anão na luz do sol.

— Não. — Ela balançou o dedo para Hearth. — Não, de jeito nenhum. Eu falei.

Blitz vai morrer, sinalizou Hearth. *Você já fez isso antes.*

— Do que ele está falando? — perguntei. — O que você já fez antes?

Ela se levantou. A tensão na sala chegou de repente em alerta vermelho.

— Hearthstone, você disse que não comentaria nada sobre isso. Você prometeu. — Ela se virou para mim, com a expressão se fechando a qualquer outra pergunta. — Com licença. Preciso de ar.

E saiu do apartamento.

Fiquei olhando para Hearthstone.

— O que foi isso?

Ele abaixou os ombros. O rosto estava vazio, sem esperança. Ele sinalizou: *Um erro*. Em seguida, entrou na câmara de bronzeamento e se virou para a luz, o corpo criando uma sombra em forma de lobo no chão.

QUARENTA E TRÊS

Que comece a elaboração de patinhos decorativos de metal

A PRAÇA KENNING PARECIA UMA QUADRA de basquete sem cestas. Uma grade de metal envolvia a área de asfalto rachado. De um lado, havia uma fileira de pilares de pedra entalhados como totens, com cabeças de dragão, centopeias e rostos de troll. Do outro, arquibancadas cheias de espectadores anões. Na quadra, onde ficariam as linhas de lance livre, duas oficinas de ferreiro a céu aberto estavam armadas e prontas para uso. Cada uma tinha uma forja com foles para alimentar o fogo, uma variedade de bigornas, algumas mesas sólidas e estantes de ferramentas que mais pareciam equipamentos de tortura.

A multidão parecia preparada para ficar um bom tempo ali. Estava com coolers, cobertores e cestas de piquenique. Alguns anões empreendedores pararam caminhões de *food truck* ali perto. A placa dizendo GOSTOSURAS CASEIRAS DE IRI mostrava um cone de casquinha com um palácio de três andares de sorvete. O BURRITOS DE CAFÉ DA MANHÃ DE BUMBURR tinha uma fila de vinte anões, o que me fez lamentar ter comido os donuts velhos na casa de Blitz.

Quando nos aproximamos da quadra, Blitzen foi ovacionado pela multidão. Não vi Sam em lugar nenhum. Ela não voltou para o apartamento na noite anterior. Eu não sabia se devia ficar preocupado ou irritado.

Júnior estava esperando, apoiado no andador dourado. Os dois guarda-costas estavam atrás do velho anão, vestidos como o chefe, de macacão e luvas de couro.

— Ora, ora, Blitzen. — O velho anão fez cara de desprezo. — O esmusguear começou há dez minutos. Você estava no seu sono da beleza?

Blitzen parecia não ter dormido nada. Tinha olheiras profundas e os olhos estavam vermelhos. Ele havia passado a última hora pensando no que vestir e finalmente se decidiu por uma calça cinza, uma camisa branca com suspensórios pretos, sapatos pretos de bico fino e um chapéu Pork Pie. Blitz talvez não vencesse pela habilidade de artesão, mas com certeza ganharia o concurso de anão mais bem-vestido.

Ele olhou ao redor, distraído.

— Vamos começar?

A multidão comemorou. Hearthstone acompanhou Blitzen até a forja. Depois de uma noite na câmara de bronzeamento, o rosto do elfo tinha um tom dourado, como se ele tivesse sido salpicado com páprica. Antes de sairmos do apartamento, ele jogou uma runa para Blitz para ajudá-lo a se sentir descansado e concentrado, o que deixou Hearth exausto e desconcentrado. Mesmo assim, Hearth alimentou a forja enquanto Blitzen arrumava a estação de trabalho, olhando com hesitação para as estantes de ferramentas e cestas de minério.

Enquanto isso, Júnior se deslocava com o andador, gritando para um dos guarda-costas pegar um pedaço de ferro e um saco de lascas de osso. O outro guarda-costas ficou vigiando, de olho em qualquer coisa que pudesse atrapalhar o trabalho do chefe.

Tentei fazer a mesma coisa por Blitz, mas duvidava que eu parecesse tão intimidante quanto um anão musculoso de macacão. (E sim, isso era deprimente.)

Depois de uma hora, a onda de adrenalina inicial passou. Comecei a entender por que os espectadores levaram cestas de piquenique. Forjar não era um esporte de ação. De vez em quando, a plateia batia palmas ou murmurava com aprovação quando Júnior dava um bom golpe com o martelo ou mergulhava um pedaço de metal na tina de resfriamento com um chiado satisfatório. Nabbi e mais dois juízes andavam entre as estações, fazendo anotações em uma prancheta. Mas eu passei boa parte da manhã de pé segurando a Espada do Verão, tentando não parecer um idiota.

Algumas vezes, precisei trabalhar. Em uma ocasião, um dardo veio voando do nada, na direção de Blitz. A Espada do Verão entrou em ação. Antes que eu soubesse o que estava acontecendo, a lâmina cortou o dardo no ar. A multidão aplaudiu, o que teria sido gratificante se eu tivesse feito alguma coisa.

Um pouco depois, um anão qualquer me atacou vindo da arquibancada, balançando um machado e gritando "SANGUE!". Eu o acertei na cabeça com o cabo da espada. Ele desabou. Mais aplausos educados. Dois espectadores puxaram o anão pelos tornozelos.

Júnior estava ocupado martelando um cilindro incandescente do tamanho de um cano de espingarda. Ele já tinha criado uma dezena de mecanismos menores que, supus, encaixariam no cilindro, mas não consegui identificar o que o produto final deveria ser. O andador do velho anão não o atrapalhava em nada. Ele tinha um pouco de dificuldade para se deslocar, mas não para ficar de pé no mesmo lugar. Apesar da idade, os braços eram musculosos por causa de uma vida batendo com martelos em bigornas.

Enquanto isso, Blitzen estava inclinado sobre a mesa de trabalho com uma pinça fina, ligando folhas finas de metal curvo para formar algum tipo de estatueta. Hearthstone estava por perto, ensopado de suor de ficar acionando os foles.

Tentei não me preocupar com o quanto Hearth parecia exausto, nem com onde Sam estava e nem com quantas vezes Blitzen largava as ferramentas e começava a chorar, desolado.

Finalmente, Nabbi gritou:

— Dez minutos para a primeira pausa!

Blitzen não parou de chorar. Prendeu outra folha de metal no projeto, que estava começando a parecer um pato.

A maior parte da plateia se concentrava na outra estação de trabalho, onde Júnior prendia vários mecanismos ao cilindro. Ele foi até a forja e reaqueceu a montagem toda até o metal estar vermelho e brilhando.

Com cuidado, colocou o cilindro sobre a bigorna e a segurou com a pinça. Em seguida, levantou o martelo.

Na hora em que foi martelar, alguma coisa deu errado. Júnior gritou. O martelo desceu torto, achatou o cilindro e espalhou os mecanismos para todo lado. O velho anão cambaleou para trás com as mãos no rosto.

Os guarda-costas correram para ajudá-lo, gritando:

— O quê? O que foi?

Não consegui ouvir a conversa toda, mas parece que algum tipo de inseto mordeu Júnior no meio da testa.

— Você acertou ele? — perguntou um dos guarda-costas.

— Não! O maldito saiu voando! Rápido, antes que o cilindro esfrie...

— Tempo! — gritou Nabbi.

Júnior bateu o pé e falou um palavrão. Olhou com raiva para o projeto destruído e gritou com os guarda-costas.

Fui dar uma olhada em Blitzen, que estava jogado sobre a bigorna. O chapéu Pork Pie estava torto. A alça esquerda do suspensório tinha arrebentado.

— Como está indo, campeão? — perguntei.

— Horrível. — Ele apontou para o projeto. — Eu fiz um pato.

— É... — Procurei um elogio. — É um pato muito bonito. Isso é o bico, não é? E aquilo são as asas?

Hearthstone se sentou ao nosso lado no asfalto. *Patos*, sinalizou ele. *Sempre os patos.*

— Desculpe — gemeu Blitz. — Quando estou estressado, sempre escolho fazer aves. Não sei por quê.

— Não tem problema — falei. — Júnior teve um contratempo. O primeiro projeto dele está estragado.

Blitz tentou tirar as cinzas da camisa branca.

— Não importa. O primeiro item de Júnior é sempre o aquecimento. Ele tem mais duas chances de me destruir.

— Ei, pare com essa atitude negativa.

Remexi na nossa bolsa de suprimentos e passei cantis de água e biscoitos com manteiga de amendoim.

Hearthstone comeu como um elfo faminto. Depois, se sentou e acendeu uma lanterna virada para o rosto para tentar absorver os raios. Blitzen quase não bebeu água.

— Eu nunca quis fazer isso — murmurou Blitz. — Competições de forja, itens mágicos. Só queria criar roupas de qualidade e vendê-las por preços justos na minha própria loja.

Olhei para a gola encharcada de suor e pensei no que Freya dissera: *Blitzen é um gênio com tecidos e moda. Os outros anões não apreciam o ofício dele, mas acho maravilhoso.*

— Esse é o seu sonho — percebi. — Foi por isso que você bebeu do Poço de Mímir, para saber como abrir uma loja de roupas?

Blitzen fez expressão de desprezo.

— Era mais do que isso. Eu queria seguir meu sonho. Queria que os outros anões parassem de rir de mim. Queria vingar a morte do meu pai e restaurar a honra da família! Mas essas coisas não combinam. Procurei Mímir em busca de conselhos.

— E... o que ele disse?

Blitzen deu de ombros, impotente.

— Quatro anos de serviço, esse foi o preço por beber do poço. Ele disse que o custo do conhecimento também era a resposta. Ao servi-lo, eu teria o que queria. Mas não tive. E agora, vou morrer.

Não, sinalizou Hearth. *Um dia, você vai realizar seu sonho.*

— Como exatamente? — perguntou Blitz. — É meio difícil cortar e costurar tecido sem a cabeça.

— Isso não vai acontecer — afirmei.

No meu estômago, várias ideias começaram a se unir e fazer um rebuliço, a não ser que a sensação fosse só os biscoitos com manteiga de amendoim. Pensei na minha espada, que podia virar pingente, e no hijab de Sam, que era uma camuflagem mágica de alta tecnologia.

— Blitz, seus próximos dois itens vão ser incríveis.

— Como você sabe? Eu posso entrar em pânico e fazer mais patos!

— Você quer fazer roupas, não quer? Então faça roupas.

— Garoto, isso é uma *forja*, não uma máquina de costura. Além do mais, a moda não é um ofício reconhecido.

— E armaduras?

Blitz hesitou.

— Bem, é, mas...

— E uma roupa moderna que também serve de armadura?

Blitz ficou boquiaberto.

— Pelas joias de Balder... Garoto, você pode ter tido uma boa ideia!

Ele ficou de pé e começou a andar pela oficina, recolhendo ferramentas.

Hearth abriu um sorriso luminoso para mim, literalmente, pois ainda estava com a lanterna virada para o rosto. Ele bateu com a mão livre na cabeça, o sinal que significava *gênio*.

Quando Nabbi avisou do fim do intervalo, assumi os foles para dar um descanso a Hearth. Ele ficou de guarda. Avivar o fogo era tão divertido quanto andar de bicicleta ergométrica dentro de um forno.

Depois de um tempo, Blitzen me tirou dos foles e me mandou ajudar com a confecção. Eu era péssimo, mas ser obrigado a me dar instruções pareceu aumentar a confiança de Blitz.

— Não, coloque aquilo lá. Não, use o alicate grande! Segure com firmeza, garoto! Isso não é firme o bastante!

Perdi a noção do tempo. Não prestei muita atenção ao que Blitz estava fazendo — alguma coisa pequena, tecida a partir de uma corrente. Fiquei pensando na Espada do Verão, agora em forma de pingente pendurada no meu pescoço.

Eu me lembrei de quando andei da doca até a praça Copley, meio delirante de fome e exaustão, e da conversa imaginária que tive com a espada. Pensei em como ela zumbia ou ficava em silêncio, guiava minha mão ou ficava pesada e inerte. Se tinha alma e emoções, eu não estava dando crédito suficiente a ela. Eu a vinha tratando como um objeto perigoso. Mas deveria tratar a espada como uma pessoa.

— Obrigado — disse, baixinho, tentando não me sentir ridículo. — Quando você acertou aquele dardo mais cedo, salvou meu amigo. Eu deveria ter agradecido antes.

O pingente pareceu ficar mais quente, embora fosse difícil ter certeza considerando que eu estava ao lado da forja.

— Sumarbrander. É assim que você gosta de ser chamada? Desculpe por ter ignorado você.

Hum, zumbiu o pingente com ceticismo.

— Você é muito mais do que uma espada — falei. — Não serve só para cortar coisas. Você...

Do outro lado do pátio, Nabbi gritou:

— Dez minutos para o intervalo do almoço!

— Ah, deuses — murmurou Blitzen. — Não consigo... Garoto, rápido! Me passe aquele martelo de textura.

As mãos dele voaram, pegando várias ferramentas, fazendo ajustes menores à criação. Não parecia muita coisa, só um pedaço achatado e estreito de cota de malha, mas Blitz trabalhou como se a vida dele dependesse daquilo. E dependia mesmo.

Ele dobrou e espremeu a cota de malha até a forma final, depois soldou a costura.

— É uma gravata! — concluí. — Blitzen, eu consegui reconhecer o que você fez!

— Obrigado. Agora cale a boca. — Ele levantou a solda e anunciou: — Pronto!

Na mesma hora, um estrondo reverberou na estação de trabalho de Júnior.

— GAAHHH! — gritou o velho anão.

A multidão toda ficou de pé.

Júnior estava caído no chão, escondendo o rosto nas mãos. Na mesa de trabalho havia um amontoado de ferro achatado e sem forma definida esfriando.

Os guarda-costas correram para ajudá-lo.

— Maldito inseto! — uivou Júnior. O nariz dele estava sangrando. Ele olhou para as palmas das mãos, mas aparentemente não encontrou o inseto esmagado. — Eu o acertei desta vez, tenho certeza! Onde está?

Nabbi e os outros juízes franziram a testa na nossa direção, como se pudéssemos ter orquestrado um ataque camicaze de insetos. Acho que parecemos surpresos o bastante para eles concluírem que não.

— Hora do almoço — anunciou Nabbi. — Mais um item será feito à tarde!

Comemos rapidamente, porque Blitz estava doido para voltar ao trabalho.

— Peguei o jeito da coisa agora. *Peguei* mesmo. Garoto, estou em débito com você.

Olhei para a estação de Júnior. Os guarda-costas estavam olhando com raiva para mim, estalando os dedos.

— Vamos acabar logo com isso — falei. — Eu queria que Sam estivesse conosco. Talvez precisemos lutar para sair daqui.

Hearth me olhou de um jeito curioso quando mencionei Sam.

— O quê? — perguntei.

Ele balançou a cabeça e voltou a comer o sanduíche de agrião.

A sessão da tarde passou rápido. Fiquei tão ocupado montando guarda que nem tive tempo de pensar. Júnior devia ter contratado sabotadores novos, porque a cada meia hora mais ou menos eu tinha que lidar com uma nova ameaça: uma lança jogada da plateia, uma maçã podre mirada na cabeça de Blitzen, um drone movido a vapor e um par de anões com macacões verdes de lycra armados com tacos de beisebol. (Quanto menos for dito sobre isso, melhor.) A cada vez, a Espada do Verão guiou minha mão e neutralizou a ameaça. A cada vez, eu me lembrei de agradecer à espada.

Quase conseguia discernir a voz dela agora: *Ah, tudo bem. Aham. Acho que sim.* Foi como se ela estivesse passando lentamente a gostar de mim, a superar a raiva de ter sido ignorada.

Hearthstone corria ao redor da estação de trabalho pegando materiais e ferramentas adicionais. Blitz estava trançando um pedaço de tecido de metal maior e mais complicado. O que quer que fosse, ele pareceu satisfeito.

Finalmente, o anão soltou o cinzel na bancada e gritou:

— Sucesso!

Na mesma hora, Júnior sofreu seu fracasso mais espetacular. Os guarda-costas estavam perto, prontos para outro ataque camicaze de inseto, mas não fez diferença. Quando Júnior desceu o martelo para o golpe final, um ponto preto surgiu voando do céu. A mosca mordeu Júnior no rosto com tanta força que ele girou por causa do impulso do martelo. Gritando e cambaleando, ele derrubou os dois guarda-costas, que caíram, inconscientes, destruiu o que havia em duas bancadas de trabalho e derrubou a terceira invenção na forja antes de cair de cara no chão.

Não devia ter sido engraçado um anão idoso sendo humilhado assim. Mas foi, mais ou menos. Provavelmente porque esse anão idoso era vingativo e mau.

No meio da agitação, Nabbi tocou um sininho.

— A competição está encerrada! — anunciou. — É hora de julgar os objetos produzidos... e matar o perdedor!

QUARENTA E QUATRO

Júnior ganha um saco de lágrimas

SAM ESCOLHEU ESSE MOMENTO PARA APARECER.

Ela abriu caminho entre a multidão, o lenço cobrindo o rosto. O casaco estava sujo de cinzas, como se ela tivesse dormido numa chaminé.

Tive vontade de reclamar por ter sumido por tanto tempo, mas minha raiva evaporou quando vi que ela estava com um olho roxo e o lábio inchado.

— O que aconteceu? Você está bem?

— Uma briguinha boba — disse ela. — Não se preocupe. Vamos aguardar o julgamento.

Os espectadores se reuniram ao redor das duas mesas nas laterais, onde os trabalhos de Júnior e de Blitzen estavam sendo exibidos. Blitzen estava com as mãos unidas atrás das costas, parecendo confiante apesar do suspensório arrebentado, da camisa manchada de graxa e do chapéu encharcado de suor.

O rosto de Júnior estava uma imundície sangrenta. Ele mal conseguia se sustentar com o andador. O brilho alucinado nos olhos dele lhe dava um ar de assassino em série exausto depois de um dia intenso de trabalho.

Nabbi e os outros juízes circulavam pelas mesas, inspecionando os itens elaborados e fazendo anotações em suas pranchetas.

Finalmente, Nabbi se virou para a plateia, arqueou as sobrancelhas peludas e tentou dar um sorriso.

— Muito bem, então! Obrigado a todos por virem a essa competição, patrocinada pela Taverna do Nabbi, famosa entre as tavernas, construída por Nabbi e local de venda da Cerva do Nabbi, o único hidromel de que você vai precisar na vida. Agora, nossos competidores vão nos contar sobre seus primeiros itens. Blitzen, filho de Freya!

Blitzen apontou para sua escultura de metal.

— É um pato.

Nabbi piscou.

— E... o que ele faz?

— Quando aperto suas costas... — Blitzen fez isso. O pato ficou três vezes maior, como um baiacu assustado. — Ele aumenta.

O segundo juiz coçou a barba.

— Só isso?

— Bem, é — disse Blitz. — Chamo de Expande-Pato. É perfeito se você precisa de um pato pequeno de metal. Ou de um pato grande de metal.

O terceiro juiz se virou para os colegas.

— Enfeite de jardim, talvez? Assunto de conversa? Isca?

Nabbi tossiu.

— Sim, obrigado, Blitzen. E agora você, Eitri Júnior, filho de Edna. Qual é sua primeira criação?

Júnior limpou o sangue dos olhos e ergueu o cilindro de ferro achatado, com várias molas e fivelas penduradas.

— Isto é um míssil perseguidor de trolls autoguiado! Se não estivesse danificado, poderia destruir qualquer troll a uma distância de oitocentos metros. E é reutilizável!

A multidão murmurou, admirada.

— Hã, mas funciona? — perguntou o segundo juiz.

— Não! Estragou na última martelada. Mas, se *funcionasse*...

— Mas não funciona — observou o terceiro juiz. — Então no momento o que ele é?

— É um cilindro de metal inútil! — vociferou Júnior. — E não é culpa minha!

Os juízes confabularam e fizeram anotações.

— Portanto, na primeira rodada — resumiu Nabbi —, temos um pato expansível contra um cilindro de metal inútil. Nossos competidores estão praticamente empatados. Blitzen, qual é seu segundo item?

Blitzen ergueu com orgulho o enfeite de pescoço de cota de malha.

— Uma gravata à prova de balas!

Os juízes baixaram as pranchetas em sincronia perfeita.

— O quê? — perguntou Nabbi.

— Ah, vamos lá! — Blitzen se virou para a plateia. — Quantos de vocês já passaram pelo constrangimento de ter que usar um colete à prova de balas mas não tinham nenhuma gravata à prova de balas que combinasse?

No fundo da multidão, um anão levantou a mão.

— Exatamente! — afirmou Blitzen. — Além de estar na moda, ela também impede a passagem de qualquer coisa até o calibre .30-06. E também pode ser usada como *cravat*.

Os juízes franziram a testa e fizeram anotações, mas algumas pessoas na plateia pareceram impressionadas. Examinaram as próprias camisas, talvez percebendo o quanto se sentiam malvestidas sem uma gravata de cota de malha.

— Júnior — disse Nabbi —, qual é sua segunda confecção?

— O Cálice do Infinito! — Júnior indicou um pedaço deformado de ferro. — Aguenta uma quantidade ilimitada de qualquer líquido, é perfeito para longas viagens por desertos.

— Hã... — Nabbi apontou com a caneta. — Parece meio esmagado.

— Foi a porcaria da mosca de novo! — protestou ele. — Me mordeu bem na testa! Não é *minha* culpa se um inseto transformou minha invenção brilhante em um monte de lixo.

— Monte de lixo — repetiu Nabbi, escrevendo na prancheta. — E Blitzen, seu item final?

Blitzen ergueu um pedaço cintilante de tecido de metal trançado.

— Um colete de cota de malha! Para ser usado com um terno de três peças de cota de malha. Ou, se você quiser se vestir de forma mais casual, pode usar com calça jeans e uma camisa bonita.

E um escudo, sugeriu Hearthstone.

— Sim, e um escudo — confirmou Blitzen.

O terceiro juiz se inclinou para a frente e apertou os olhos.

— Imagino que ofereça o mínimo de proteção. Se você fosse esfaqueado nas costas em uma boate, por exemplo.

O segundo juiz anotou alguma coisa.

— Tem alguma habilidade mágica?

— Ah, não — disse Blitz. — Mas é dupla face: prateado por fora e dourado por dentro. Dependendo do tipo de joia que estiver usando ou da cor da armadura...

— Entendi. — Nabbi anotou alguma coisa na prancheta e se virou para Júnior. — E seu item final, senhor?

Os punhos de Júnior tremeram de raiva.

— Isso é injusto! Eu nunca perdi uma competição. Todos vocês conhecem minhas habilidades. Esse intrometido, esse *exibido* do Blitzen conseguiu de alguma forma estragar meu...

— Eitri Júnior, filho de Edna — interrompeu Nabbi —, qual é seu terceiro item?

Ele indicou a forja com impaciência.

— Meu terceiro item está lá dentro! Não *importa* o que era, porque agora é uma gosma fervente!

Os juízes se aproximaram e conferiram. A multidão ficou agitada.

Nabbi olhou para a plateia.

— Julgar está sendo difícil. Pesamos os méritos da gosma fervente, do monte de lixo e do cilindro de metal inútil de Júnior contra o colete de cota de malha, a gravata à prova de bala e o Expande-Pato. Foi difícil. No entanto, julgamos que o vencedor desta batalha é Blitzen, filho de Freya!

Os espectadores aplaudiram. Alguns arfaram, incrédulos. Uma anã de roupa de enfermeira, possivelmente Bambi, famosa entre as enfermeiras anãs, desmaiou.

Hearthstone deu pulinhos, e com isso as pontas do cachecol ondularam. Procurei Sam, mas ela estava na beirada da multidão.

Júnior olhou com raiva para os punhos, como se tentando decidir se devia bater em si mesmo.

— Tudo bem — resmungou ele. — Cortem minha cabeça! Não quero viver em um mundo em que Blitzen vence concursos de confecção.

— Júnior, não quero matar você — disse Blitzen.

Apesar da vitória, ele não estava orgulhoso nem se gabava. Tinha um aspecto cansado, talvez até triste.

Júnior piscou.

— Você... não quer?

— Não. Só me dê os brincos e a corda, como prometeu. Ah, e uma admissão pública de que meu pai estava certo o tempo todo sobre Gleipnir. Você devia ter trocado a corda séculos atrás.

— Nunca! — gritou Júnior. — Você está colocando em dúvida a reputação do meu pai! Não posso...

— Tudo bem, vou buscar meu machado — disse Blitzen em tom resignado. — Infelizmente, a lâmina está meio cega...

Júnior engoliu em seco. E olhou com desejo para a gravata à prova de balas.

— Muito bem. Talvez... talvez Bilì tivesse razão. A corda precisa ser trocada.

— E você errou ao manchar a reputação dele.

Os músculos faciais do velho anão entraram em convulsão, mas ele conseguiu dizer as palavras:

— E eu estava... errado. É.

Blitzen olhou para a escuridão e sussurrou alguma coisa. Eu não era bom em leitura labial, mas tinha quase certeza de que ele tinha dito: *Eu te amo, pai. Adeus.*

Voltou a se concentrar em Júnior.

— Agora, quanto ao que você me prometeu...

Júnior estalou os dedos. Um dos guarda-costas se aproximou, a cabeça recém--enfaixada por causa do encontro com um martelo ocorrido havia pouco tempo. Ele entregou uma caixinha de veludo para Blitzen.

— Brincos para sua mãe — disse Júnior.

Blitzen abriu a caixa. Dentro havia dois gatinhos feitos de filigrana de ouro, como Brisingamen. Enquanto eu olhava, os gatos se espreguiçaram, piscaram os olhos de esmeralda e balançaram os rabos de diamante.

Blitz fechou a caixa.

— Adequados. E a corda?

O guarda-costas jogou para ele uma bola de linha de pipa.

— Você está de brincadeira — falei. — Isso vai prender Fenrir?

Júnior olhou para mim de cara feia.

— Menino, sua ignorância é de tirar o fôlego. Gleipnir era tão fina e leve quanto esta, mas os ingredientes paradoxais lhe davam uma incrível força. Esta corda é igual, porém melhor!

— Ingredientes paradoxais?

Blitz segurou a ponta da corda e assobiou de tanta admiração.

— Ele quer dizer coisas que supostamente não existem. Ingredientes paradoxais são difíceis de usar para confecção, são perigosos. Gleipnir continha o passo de um gato, o cuspe de um pássaro, o bafo de um peixe e a barba de uma mulher.

— Não sei se esse último é tão paradoxal assim — observei. — A Alice Maluca de Chinatown tem uma barba bem grande.

Júnior bufou.

— A questão é que essa corda é ainda melhor! Eu a chamo de Andskoti, o Adversário. É trançada com os paradoxos mais poderosos dos nove mundos: wi-fi sem lag, sinceridade de político, uma impressora que realmente imprime, comida frita saudável e uma aula de gramática interessante!

— Está certo — admiti. — Essas coisas não existem.

Blitz colocou a corda na mochila. Pegou a bolsa de lágrimas e a entregou para o velho anão.

— Obrigado, Júnior. Considero nossa barganha completa, mas quero perguntar mais uma coisa. Onde fica a ilha do Lobo?

Júnior pegou seu pagamento.

— Se pudesse contar, Blitzen, eu contaria. Ficaria feliz de ver Fenrir fazer picadinho de você, como fez com seu pai. Mas eu não sei!

— Mas...

— Sim, eu disse que verificava a corda de tempos em tempos. Era mentira! A verdade é que poucos deuses e anões sabem onde a ilha do Lobo aparece. A maioria jurou segredo. Não sei como seu pai encontrou o lugar, mas, se você quiser fazer o mesmo, a melhor pessoa a quem perguntar é Thor. Ele sabe onde fica a ilha e tem boca grande.

— Thor — falei. — Onde encontramos Thor?

— Não faço ideia — admitiu Júnior.

Hearthstone sinalizou: *Sam talvez saiba. Ela sabe muita coisa sobre os deuses.*

— É. — Eu me virei. — Sam, venha aqui! Por que está se escondendo?

A multidão se abriu ao redor da ex-valquíria.

Assim que Júnior bateu os olhos nela, deu um gritinho estrangulado.

— Você! Foi você?

Sam tentou cobrir o lábio machucado.

— Me desculpe. Nós nos conhecemos?

— Ah, não banque a inocente comigo. — Júnior se deslocou com o andador, e o couro cabeludo vermelho deixou o cabelo grisalho cor-de-rosa. — Já vi metamorfose antes. Esse lenço é da mesma cor das asas da mosca. E o olho roxo foi de quando bati em você! Você está mancomunada com Blitzen! Amigos, colegas, anões honestos, matem esses trapaceiros!

Senti orgulho por nós quatro reagirmos como uma equipe. Em um movimento sincronizado, como uma máquina de combate bem lubrificada, demos meia-volta e saímos correndo.

QUARENTA E CINCO

Tenho a oportunidade de conhecer Jacques

Sou bom em fazer várias coisas ao mesmo tempo, então achei que conseguia fugir apavorado e discutir sem problemas.

— Mosca? — gritei para Sam. — Você consegue se transformar em mosca?

Sam se abaixou quando um dardo passou voando por cima da cabeça dela.

— Não é hora para isso!

— Ah, me desculpe. Eu devia esperar a *hora certa para falar sobre virar uma mosca*.

Hearthstone e Blitzen foram na frente. Atrás de nós, uma multidão de trinta anões se aproximava depressa. Não gostei das expressões assassinas e nem da variedade de armas confeccionadas à mão.

— Por aqui!

Blitzen entrou em um beco.

Infelizmente, Hearthstone não estava olhando. O elfo simplesmente seguiu em frente.

— Mãe! — xingou Blitzen.

Ao menos, achei que fosse um xingamento, até Sam e eu chegarmos na esquina e pararmos.

Alguns passos depois, no beco, Blitz estava preso em uma rede de luz. Ele se contorceu e falou palavrões enquanto a rede cintilante o erguia.

— É minha mãe! — gritou ele. — Ela quer a porcaria dos brincos. Vão! Alcancem Hearthstone! Encontro vocês...

POP! Nosso anão desapareceu em uma explosão de luz.

Olhei para Sam.

— O que foi isso?

— Temos outros problemas. — Ela pegou o machado.

A multidão havia nos alcançado. Eles se espalharam formando um semicírculo furioso de barbas, caras feias, tacos de beisebol e espadas. Eu não sabia o que estavam esperando. E então, ouvi a voz de Júnior em algum lugar lá atrás.

— Esperem! — gritou, ofegante. — Eu... — *Ofegou.* — Mato... — *Ofegou.* — Primeiro!

A multidão se abriu. Ladeado pelos guarda-costas, o velho anão empurrou o andador na nossa direção.

Ele olhou para mim e depois para Sam.

— Onde estão Blitzen e o elfo? — murmurou Júnior. — Ah, não importa. Vamos encontrá-los. Não ligo muito para você, garoto. Corra agora e talvez eu tenha piedade. A garota é obviamente uma filha de Loki. Ela me mordeu e estragou meu trabalho! Ela vai morrer.

Peguei meu pingente. A Espada do Verão ficou do tamanho normal. A multidão de anões recuou. Acho que sabiam reconhecer uma espada perigosa.

— Não vou a lugar nenhum — falei. — Vocês vão ter que encarar nós dois.

A espada zumbiu, chamando atenção.

— Correção — acrescentei —, vão ter que encarar nós *três*. Esta é Sumarbrander, a Espada do Verão, feita por... Na verdade, não sei direito, mas é famosa entre as espadas, e agora vai dar uma surra no traseiro coletivo de vocês.

— Obrigado — disse a espada.

Sam guinchou. A cara de choque dos anões deixou claro que aquilo não tinha sido minha imaginação.

Levantei a espada.

— Você consegue falar? Quer dizer... é claro que consegue. Você tem muitas, hã, habilidades incríveis.

— Era o que eu estava dizendo.

A voz da espada era masculina. Emanava das runas na lâmina, que vibravam e cintilavam a cada palavra, como as luzes de um equalizador estéreo.

Lancei um olhar arrogante para os anões, como se dissesse: *É, isso aí. Tenho uma espada falante pirotécnica e vocês, não.*

— Sumarbrander — falei —, o que você acha de encarar essa galera?

— Claro — respondeu a espada. — Você quer vê-los mortos ou...?

A multidão recuou de alarme.

— Não — concluí. — Só faça com que vão embora.

— Você não é nada divertido. Tudo bem, então, vamos.

Hesitei. Não queria segurar uma espada piscante, falante e sibilante, mas largar a arma não era bem um primeiro passo natural rumo à vitória.

Júnior devia ter sentido que eu estava relutante.

— Podemos enfrentá-lo! — gritou. — É um garoto com uma espada que ele não sabe usar!

Sam rosnou:

— E eu, uma ex-valquíria com um machado que *sei* usar.

— Aff! — bufou Júnior. — Vamos pegá-los, garotos! Arrastador de Vovó, ativar!

Fileiras de lâminas de adagas surgiram na parte da frente do andador. Dois motores de foguete em miniatura se acenderam atrás, impulsionando o velho anão na nossa direção em uma velocidade impressionante de um quilômetro e meio por hora. Os colegas dele rugiram e partiram para o ataque.

Soltei a espada. Ela ficou suspensa por uma fração de segundos. Depois, entrou em ação. Mais rápido do que você poderia dizer *filho de Edna*, cada anão foi desarmado. As armas foram partidas ao meio, rachadas no eixo, derrubadas no chão ou cortadas em cubos do tamanho de canapés. As adagas e os motores do andador de Júnior foram arrancados. As pontas cortadas de trinta barbas caíram no chão, deixando trinta anões chocados com cinquenta por cento a menos de pelos faciais.

A Espada do Verão pairou entre mim e a multidão.

— Alguém quer mais? — perguntou a espada.

Os anões se viraram e fugiram.

Júnior gritou por cima do ombro enquanto saía cambaleando atrás dos guarda--costas, que já estavam uma quadra na frente.

— Isso não acabou, garoto! Vou voltar com reforços!

Sam baixou o machado.

— Isso foi... Uau.

— É — concordei. — Obrigado, Sumarbrander.

— De nada — respondeu a espada. — Mas, sabe, Sumarbrander é um nome muito comprido, e nunca gostei muito dele.

— Tudo bem. — Eu não sabia bem para onde olhar quando falava com a espada. Para as runas brilhantes? Para a ponta da lâmina? — Como você quer ser chamado?

A espada zumbiu, pensativa.

— Qual é seu nome?

— Magnus.

— É um bom nome. Me chame de Magnus.

— Você não pode ser Magnus. *Eu* sou Magnus.

— Então qual é o nome dela?

— Sam. Você também não pode ser Sam. Seria confuso demais.

A lâmina balançou de um lado para outro.

— Ah, mas qual *é* um bom nome? Uma coisa que combine com minha personalidade e meus muitos talentos?

— Não conheço você tão bem quanto gostaria.

Olhei para Samirah, que só balançou a cabeça como se dissesse: *Ei, é sua espada falante.*

— Sinceramente, não sei o que dizer, já que...

— Jacques! — gritou a espada. — Perfeito!

O problema de espadas falantes... é que é difícil saber quando estão brincando. Elas não têm expressão facial. Nem rosto.

— Então... quer que eu chame você de Jacques.

— É um nome nobre — argumentou a espada. — Bom para reis e implementos afiados de corte!

— Tudo bem — falei. — Muito bem, então, Jacques, obrigado por nos salvar. Você se importa se...?

Estiquei a mão para o punho da espada, mas Jacques flutuou para longe de mim.

— Eu não faria isso ainda — avisou ele. — O preço das minhas habilidades incríveis: assim que você me embainhar, me transformar em pingente ou sei lá o quê, vai se sentir tão cansado quanto se tivesse executado todas as minhas ações.

Os músculos dos meus ombros se contraíram. Pensei no quanto eu me sentiria esgotado se tivesse destruído todas aquelas armas e cortado todas aquelas barbas.

— Ah. Não reparei nisso antes.

— Porque você não tinha me usado para nada incrível ainda.

— Certo.

Ao longe, um alarme de ataque aéreo soou. Eu duvidava de que houvesse ataques aéreos em um mundo subterrâneo, então concluí que aquilo tinha a ver conosco.

— Temos que ir — disse Sam com urgência. — Temos que encontrar Hearthstone. Duvido que Júnior estivesse brincando sobre os reforços.

Encontrar Hearthstone foi a parte fácil. A duas quadras dali, demos de cara com ele, que estava voltando para nos procurar.

Mas que H-e-l-h-e-i-m? Onde está Blitzen?

Contei sobre a rede dourada de Freya.

— Vamos encontrá-lo. Agora, Júnior está convocando a Guarda Nacional dos Anões.

Sua espada está flutuando, observou Hearth.

— Seu elfo é surdo — reparou Jacques.

Eu me virei para a espada.

— Eu sei disso. Ah, me desculpe, as apresentações. Jacques, Hearth. Hearth, Jacques.

Hearth sinalizou: *Ela está falando? Não leio lábios de espada.*

— O que ele está dizendo? — perguntou Jacques. — Não leio mãos de elfo.

— Pessoal!

Sam apontou para trás de nós. A algumas quadras, um veículo com placas de ferro, lagartas no lugar de rodas e um torreão em cima virava lentamente na nossa rua.

— É um tanque — falei. — Júnior tem um *tanque*?

— Temos que ir — disse Jacques. — Sou incrível, mas se tentar destruir um tanque, o esforço é capaz de matar você.

— É — concordei. — Como saímos de Nídavellir?

Hearthstone bateu palmas para chamar minha atenção. *Por aqui.*

Corremos atrás dele, ziguezagueando por becos, derrubando latas de lixo cuidadosamente confeccionadas que com certeza tinham nome e alma.

De algum lugar atrás de nós, um *BUM!* alto sacudiu janelas e fez chover pedrinhas em nós.

— O tanque está sacudindo o *céu?* — gritei. — Isso *não* pode ser bom.

Hearthstone nos levou por outra rua de casas de madeira. Havia anões sentados em escadas, batendo palmas e gritando conforme passávamos correndo. Alguns nos filmaram em smartphones elaborados. Concluí que nossa tentativa de fuga se tornaria o próximo viral na internet anã, famosa entre as internets.

Finalmente chegamos ao que seria a fronteira sul de South Boston. Do outro lado da avenida, em vez da praia M Street, o chão despencava em um abismo.

— Ah, isso é muito útil — disse Sam.

Atrás de nós, na escuridão, a voz de Júnior gritou:

— Bazucas, pelo flanco direito!

Hearthstone nos levou pela beirada do cânion. Abaixo de nós, um rio rugiu.

Ele gesticulou: *Vamos pular.*

— Está falando sério? — perguntei.

Blitzen e eu já fizemos isso. O rio leva para fora de Nídavellir.

— Para onde?

Depende, gesticulou Hearthstone.

— Isso não é muito tranquilizador — disse Sam.

Hearthstone apontou para a avenida. A multidão anã estava se reunindo, tanques e jipes e lança-mísseis e um monte de anões geriátricos muito zangados com andadores cobertos de armadura.

— Vamos pular — concluí.

Jacques, a espada, pairou ao meu lado.

— É melhor me segurar agora, chefe. Senão posso me perder de novo.

— Mas você disse que a exaustão...

— Pode fazer você desmaiar — completou a espada. — O lado bom é que pelo jeito você vai morrer de qualquer jeito.

Ele tinha razão. Peguei a espada e a transformei novamente em um pingente. Mal tive tempo de prender na corrente e minhas pernas cederam.

Sam me segurou.

— Hearthstone! Pegue o outro braço dele!

Conforme minha visão foi escurecendo, Sam e Hearth me ajudaram a pular do penhasco. Afinal, para que servem os amigos?

QUARENTA E SEIS

A bordo do bom e velho navio *Unha do Pé*

Eu sabia que estava encrencado quando acordei no sonho.

Vi que estava ao lado de Loki no convés de um navio enorme.

— Aí está você! — disse o deus. — Eu estava começando a ficar preocupado.

— Como...? — Reparei na roupa dele. — O que você está vestindo?

— Gostou?

Os lábios cheios de cicatrizes se retorceram em um sorriso. O casaco branco de almirante brilhava com medalhas, mas Loki não estava exatamente usando-o de acordo com os parâmetros militares. Estava jogado sobre uma camisa preta com a cara do Jack Nicholson em *O Iluminado*. A legenda dizia: AQUIIIII ESTÁ LOKI!

— Onde estamos? — perguntei.

Loki poliu as medalhas com a manga do casaco.

— Ah, nenhum de nós dois está aqui *de verdade*, claro. Ainda estou preso em um pedaço de rocha com veneno de cobra pingando no rosto. Você está morrendo nas margens de um rio em Jötunheim.

— Estou o quê?

— Quer você viva ou não, essa pode ser nossa última conversa. Eu queria que você visse isso, *Naglfar*, o Navio das Unhas! Está quase completo.

O navio entrou em foco, um drácar viking bem maior do que um porta-aviões. O convés principal poderia receber a maratona de Boston. Escudos gigantescos formavam a amurada. Na frente e atrás havia carrancas de nove metros com formato de lobos rosnando. Claro que tinham que ser lobos.

Espiei pela lateral, entre dois escudos. Trinta metros abaixo, cabos trançados de ferro prendiam o navio a uma doca. O mar cinzento estava coberto de gelo.

Passei a mão pela amurada. A superfície era irregular e áspera, coberta com fragmentos brancos e cinzentos, como escamas de peixe ou raspas de pérolas. A princípio, achei que o convés fosse feito de aço, mas agora percebi que o navio todo era feito desse material estranho, meio transparente. Não era metal nem madeira, mas alguma coisa estranhamente familiar.

— O que é isso? — perguntei a Loki. — Não vejo madeira e nem pregos. Por que se chama Navio de Unhas?

Loki riu.

— Esse não é um nome figurativo, Magnus. *Naglfar* é feito das unhas das mãos e dos pés de homens mortos.

O convés pareceu se inclinar sob meus pés. Eu não sabia se era possível vomitar em um sonho, mas fiquei tentado. Não foi só a nojeira óbvia de estar em um barco feito de unhas cortadas que me deixou enjoado, foi também a *quantidade* delas. Quantos cadáveres tiveram que contribuir com suas unhas para fazer um navio daquele tamanho?

Quando consegui controlar a respiração, olhei para Loki.

— Por quê?

Mesmo com as cicatrizes nos lábios e no rosto, o sorriso de Loki era tão contagioso que quase retribuí. *Quase.*

— Incrivelmente nojento, não é? — comentou ele. — Antigamente, seus ancestrais sabiam que as unhas carregavam parte do seu espírito, da sua essência... do seu DNA, como vocês chamam agora. Durante toda a vida, os mortais tomavam o cuidado de queimar qualquer unha cortada. Quando eles morriam, as unhas eram aparadas, e os pedaços, destruídos, para que não contribuíssem para este grande navio. Mas, às vezes — Loki deu de ombros —, como você pode ver, as precauções adequadas não foram tomadas.

— Você construiu um navio feito de unhas do pé.

— Ah, o navio está se construindo *sozinho*. E, tecnicamente, *Naglfar* pertence a Surt e aos gigantes do fogo, mas, quando o Ragnarök chegar, vou guiar este navio para fora do porto. Vamos ter um exército de gigantes liderado pelo capitão Hrym, além de centenas de milhares de mortos desonrados de Helheim, todos que foram descuidados ou azarados de morrer sem uma espada na mão, sem um enterro apropriado e sem uma boa manicure no *post-mortem*. Vamos velejar até Asgard e destruir os deuses. Vai ser demais.

Olhei sobre a popa esperando ver um exército se reunindo na margem, mas a névoa estava tão densa que não consegui enxergar o fim da doca. Apesar da minha resistência habitual a temperaturas extremas, o ar úmido penetrou nos meus ossos e me fez tremer de frio.

— Por que você está me mostrando isso? — perguntei.

— Porque gosto de você, Magnus. Você tem senso de humor. Tem *vida*. É tão raro em um semideus! Mais raro ainda entre os einherjar. Estou feliz por minha filha ter encontrado você.

— Samirah... é por isso que ela consegue virar uma mosca. Ela é uma metamorfa como você.

— Ah, ela é a filhinha do papai mesmo. Não gosta de admitir, mas herdou muitas coisas de mim: meus poderes, minha beleza estonteante, meu intelecto apurado. Também consegue identificar talento. Afinal, ela escolheu você, amigo.

Botei a mão na barriga.

— Não estou me sentindo muito bem.

— Dã! Você está à beira da morte. Pessoalmente, espero que acorde, porque, se bater as botas agora, sua morte vai ser sem sentido e nada do que você fez até agora vai ter qualquer importância.

— Obrigado pelo apoio.

— Escute, eu trouxe você aqui para ter um pouco de perspectiva. Quando chegar o Ragnarök, *todos* os laços vão se romper, e não só as cordas que prendem Fenrir. As cordas deste navio: *snap*. As amarras que me prendem: *snap*. Independente de você impedir que Surt bote as mãos na espada, é só uma questão de tempo. Um laço vai se romper e todos os outros vão começar a se soltar, desfiando como uma tapeçaria enorme.

— Você está tentando me desencorajar? Pensei que quisesse adiar o Ragnarök.

— Ah, eu quero! — Ele levantou as mãos. Os pulsos estavam vermelhos e sangrando, como se tivesse sido algemado com muita força. — Estou do seu lado, Magnus! Olhe para as figuras da proa. Os focinhos dos lobos não estão prontos. Tem alguma coisa mais constrangedora do que velejar para a batalha com esculturas mal-acabadas?

— Então o que você quer?

— A mesma coisa que sempre quis — disse Loki. — Ajudar você a lutar contra seu destino. Que outro deus além de mim se deu ao trabalho de falar com você como amigo e igual?

Os olhos dele eram como os de Sam, brilhantes e intensos, de uma cor ardente, mas havia alguma coisa fria e calculista no olhar de Loki, algo que não combinava com o sorriso simpático. Eu me lembrei de como Sam o descreveu: *mentiroso, ladrão e assassino*.

— Somos amigos agora? — perguntei. — Iguais?

— Poderíamos ser — disse ele. — Na verdade, tenho uma ideia. Esqueça essa história de ir para a ilha de Fenrir. Esqueça a ideia de enfrentar Surt. Conheço um lugar onde a espada vai estar em segurança.

— Com você?

Loki riu.

— Não me tente, garoto. Não, não. Eu estava pensando no seu tio Randolph. Ele entende o valor da espada. Passou a vida procurando-a, se preparando para estudá-la. Você pode não saber, mas a casa dele é *muito* fortificada com magia. Se você levasse a espada para ele... bem, o coroa não pode usá-la. Mas ele a guardaria. Manteria a espada longe das mãos de Surt. E é isso o que importa, não é? Daria mais tempo para nós.

Fiquei com vontade de rir na cara de Loki e negar na mesma hora. Achei que ele estivesse tentando me enganar. Mas não conseguia ver o que ele ganharia com aquilo.

— Você acha que é uma armadilha — afirmou o deus. — Eu entendo. Mas deve ter se perguntado por que Mímir disse para você levar a espada para a ilha do Lobo, o exato lugar onde Surt *quer* usá-la. Qual é o sentido disso? E se Mímir estiver enganando você? Pense bem. Aquela velha cabeça decapitada tem uma rede de cassinos! Se você não levar a espada para a ilha, Surt não vai poder colocar as mãos nela. Para que correr o risco?

Lutei para ficar com a mente lúcida.

— Você... você é bom de papo. Seria um ótimo vendedor de carros usados.

Loki deu uma piscadela.

— Acho que o termo é *seminovo*. Você vai ter que fazer uma escolha em breve, Magnus. Talvez não possamos conversar de novo. Mas, se quiser um gesto de boa-fé, posso melhorar o acordo. Minha filha Hel e eu... nós andamos conversando.

Meu coração deu um salto.

— Conversando sobre...

— Vou deixar que ela conte para você. Mas agora... — Ele inclinou a cabeça para escutar alguma coisa. — Sim, não temos muito tempo. Você está acordando.

— Por que você foi punido? — A pergunta saiu antes de eu ter percebido que estava pensando nela. — Eu lembro que você matou alguém...

O sorriso dele ficou rígido. As linhas de fúria ao redor dos olhos o fizeram envelhecer dez anos.

— Você sabe estragar uma conversa — disse Loki. — Matei Balder, o deus da luz. O belo, perfeito e *incrivelmente* irritante filho de Odin e Frigga. — Ele andou na minha direção e cutucou meu peito para enfatizar cada palavra. — E--faria-tudo-de-novo.

No fundo do meu cérebro, meu bom senso gritava: MUDE DE ASSUNTO! Mas, como vocês já devem ter percebido, não dou muita atenção ao meu bom senso.

— Por que você o matou?

Loki soltou uma gargalhada. O hálito dele tinha cheiro de amêndoas, como cianeto.

— Eu já falei que ele era irritante? Frigga ficou *tão* preocupada com ele. O pobre bebê estava tendo pesadelos sobre seu destino. Bem-vindo à realidade, Balder! *Todos* nós temos pesadelos. Mas Frigga não conseguia aceitar a ideia de que seu anjo precioso podia machucar o pezinho. Ela fez tudo na criação prometer não machucar o belo filho dela: pessoas, deuses, árvores, pedras... Você consegue imaginar como é arrancar uma promessa de uma pedra? Frigga conseguiu. Depois, os deuses fizeram uma festa para comemorar. Começaram a jogar coisas em Balder só por diversão. Flechas, espadas, pedras, uns aos outros... nada o machucava. Era como se o idiota estivesse cercado por um campo de força. Bem... *sinto muito,* mas a ideia de o senhor perfeito também ser o senhor invulnerável me deu enjoo.

Eu pisquei para tentar afastar o ardor dos olhos. A voz de Loki estava tão cheia de ódio que parecia fazer o ar queimar.

— Você encontrou um jeito de matá-lo.

— Visgo! — O sorriso de Loki se iluminou. — Você consegue imaginar? Frigga esqueceu uma plantinha. Fiz um dardo de visgo e o ofereci para o irmão cego de Balder, um deus chamado Hod. Eu não queria que ele ficasse de fora da diversão de jogar objetos mortais em Balder, então direcionei a mão de Hod e... bem, os piores medos de Frigga viraram realidade. Balder *mereceu.*

— Por ser bonito e popular.

— Sim!

— Por ser amado.

— Exatamente! — Loki se inclinou para a frente até nossos narizes estarem quase se tocando. — Não me diga que *você* não fez a mesma coisa. Os carros que arrombou, as pessoas que roubou... você escolhia gente de quem não gostava, não era? Escolhia os ricos metidos, bonitos e arrogantes que *irritavam* você.

Comecei a tremer com mais força.

— Eu nunca *matei* ninguém.

— Ah, por favor. — Loki deu um passo para trás e me examinou com expressão de decepção. — É só uma questão de grau. Eu matei um deus. E daí! Ele foi para Helheim e virou convidado de honra no palácio da minha filha. E a *minha* punição? Você quer saber sobre a *minha* punição?

— Você foi amarrado a uma pedra — respondi. — Com veneno de cobra pingando no rosto. Eu sei.

— *Sabe?* — Loki puxou as mangas e me mostrou as cicatrizes em carne viva nos pulsos. — Os deuses não ficaram contentes em me punir com a tortura eterna. Descontaram a ira nos meus dois filhos favoritos, Vali e Narvi. Transformaram Vali em lobo e assistiram com diversão quando ele estripou o irmão, Narvi. Depois, atiraram no lobo e o estriparam também. Os deuses pegaram as entranhas dos meus filhos inocentes... — A voz de Loki falhou, pesarosa. — Bem, Magnus Chase, vamos só dizer que não fui amarrado com *cordas.*

Alguma coisa no meu peito se encolheu e morreu, possivelmente minha esperança de haver justiça no universo.

— Pelos deuses.

Loki assentiu.

— Sim, Magnus. Os *deuses*. Pense nisso quando conhecer Thor.

— Vou conhecer Thor?

— Infelizmente, sim. Os deuses nem *fingem* lidar com o bem e o mal, Magnus. Os aesires não são assim. A força determina o que é certo. Então, me diga... você quer mesmo partir para a batalha em defesa deles?

O navio tremeu debaixo dos meus pés. Névoa rolou pelo convés.

— Hora de ir — disse Loki. — Lembre-se do que falei. Ah, e divirta-se com o boca a boca de um bode.

— Espere... o quê?

Loki balançou os dedos com os olhos cheios de um brilho malicioso. Em seguida, o navio se dissolveu em um nada cinzento.

QUARENTA E SETE

Dou uma de terapeuta para um bode

Como Loki prometeu, acordei com um bode na cara.

Vou confessar: minha única experiência anterior com beijos foi com Jackie Molotov no sétimo ano, atrás da arquibancada, em um baile da escola. Sim, sei que é meio ridículo, considerando que agora eu tinha dezesseis anos. Mas, nos últimos tempos, andei meio ocupado, morando nas ruas e tal. De qualquer modo, peço desculpas para Jackie, mas receber respiração boca a boca de um bode me lembrou nosso beijo.

Virei o rosto e vomitei no rio convenientemente localizado ao meu lado. Meus ossos pareciam ter se quebrado e sido remendados com fita adesiva. Minha boca estava com gosto de grama mastigada e moedas velhas.

— Ah, você está vivo — disse o bode.

O animal pareceu ficar um pouco decepcionado.

Eu me sentei e grunhi. Os chifres do bode se curvavam para fora, como a metade de cima de uma ampulheta. Havia carrapichos por todo o pelo marrom desgrenhado.

Muitas perguntas surgiram na minha cabeça: *Onde estou? Por que você fala? Por que seu bafo é tão ruim? Você andou comendo moedas?*

Mas a primeira pergunta que saiu foi:

— Onde estão meus amigos?

— O elfo e a garota? — perguntou o bode. — Ah, morreram.

Meu coração ameaçou escapar pela garganta.

— O quê? Não!

O bode fez um gesto com os chifres. Alguns metros à minha direita, Hearthstone e Sam estavam caídos na praia rochosa.

Fui até lá. Coloquei as mãos nos pescoços deles e quase desmaiei de novo, dessa vez de alívio.

— Eles não estão mortos — falei para o bode. — Os dois têm pulsação.

— Ah. — O bode suspirou. — Bem, daqui a algumas horas eles provavelmente morrerão.

— Qual é o seu *problema*?

— Tenho muitos. Minha vida toda é um grande...

— Deixa pra lá — interrompi. — Só fique quieto.

O bode baliu.

— Claro, eu entendo. Você não quer saber dos meus problemas. Ninguém quer. Vou ficar ali, chorando, sei lá. É só me ignorar.

Com as mãos nas artérias carótidas de Sam e Hearthstone, mandei calor pelas pontas dos dedos para o sistema circulatório deles.

Sam foi fácil de curar. O coração dela era forte. Ela reagiu quase imediatamente, abrindo os olhos e ofegando para encher os pulmões de ar. Virou-se para o lado e começou a vomitar, o que encarei como um bom sinal.

Mas Hearthstone... havia alguma coisa errada além da água nos pulmões e o frio nos membros. Bem no centro dele, um nó denso de emoções sombrias sugava sua vontade de viver. A dor era tão intensa que me fez lembrar a noite da morte da minha mãe. Eu me lembrei das minhas mãos escorregando na saída de emergência, das janelas do nosso apartamento explodindo em chamas acima de mim.

A dor de Hearthstone era ainda pior. Eu não sabia exatamente pelo que ele tinha passado, mas seu desespero quase tomou conta de mim. Procurei uma lembrança feliz, da minha mãe e eu catando mirtilos selvagens em Hancock Hill, com ar tão limpo que consegui ver a baía Quincy cintilando no horizonte. Enviei uma onda de calor para o peito do elfo.

Os olhos dele se abriram.

Ele olhou para mim sem entender. Em seguida, apontou para o meu rosto e fez um gesto fraco, o sinal de luz.

— O que você quer dizer? — perguntei.

Sam grunhiu. Levantou-se apoiada em um braço e franziu a testa.

— Magnus... por que você está brilhando?

Olhei para as minhas mãos. Parecia mesmo que eu tinha sido mergulhado na luz de Fólkvangr. A aura quente e amanteigada estava começando a sumir, mas consegui sentir o poder residual formigando nos pelos dos braços.

— Aparentemente, se eu curo muita coisa de uma vez, começo a brilhar.

Sam fez uma careta.

— Obrigada por nos curar. Mas tente não entrar em combustão espontânea. Como Hearth está?

Eu o ajudei a se sentar.

— Como você está se sentindo, amigão?

Ele fez um círculo com o polegar e o dedo do meio, depois virou a mão para cima, o sinal para *péssimo*.

Isso não me surpreendeu. Considerando a profundidade da dor que senti dentro dele, minha surpresa era por ele não viver gritando sem parar.

— Hearth... — comecei a dizer —, quando curei você, eu...

Ele colocou as mãos em cima das minhas, uma versão da linguagem de sinais para *shhh*.

Talvez fosse alguma ligação residual da magia da cura, mas, quando olhei nos olhos do elfo, consegui saber o que ele estava pensando. A mensagem dele ficou bem clara na minha cabeça, como quando Jacques, a espada, começou a falar.

Depois. Obrigado... irmão.

Fiquei surpreso demais para responder.

O bode se aproximou.

— Você devia cuidar melhor do seu elfo. Eles precisam de muito sol, não dessa luz fraca de Jötunheim. E não se pode encharcá-los de água afogando-os em rios.

Hearthstone franziu a testa. Ele sinalizou: *O bode fala?*

Tentei esvaziar a mente.

— Hã, é, fala.

— E também entendo linguagem de sinais — comentou o bode. — Meu nome é Tanngnjóstr, o que quer dizer Rangedor de Dentes, porque... Bem, é um hábito nervoso meu. Mas ninguém me chama de Tanngnjóstr. É um nome horrível. Podem me chamar de Otis.

Sam se esforçou para ficar de pé. O hijab tinha se soltado e agora caía em volta do pescoço como uma bandana de pistoleiro.

— Então, Otis, o que o traz aqui a este lugar que é... onde quer que estejamos?

O bode suspirou.

— Eu me perdi. Típico. Estava tentando encontrar o caminho do acampamento, mas encontrei vocês. Imagino que agora vão querer me matar e me comer no jantar.

Franzi a testa para Sam.

— Você estava planejando matar o bode?

— Não. E você?

Olhei para Otis.

— Não estávamos planejando matar você.

— Não tem problema — disse ele. — Estou acostumado. Meu dono me mata o tempo todo.

— Ele... mata? — perguntei.

— Ah, claro. Basicamente, sou uma refeição falante sobre quatro patas. Meu terapeuta diz que é por isso que vivo deprimido, mas não sei. Acho que começou quando eu era pequeno...

— Calma aí. Quem é seu dono?

Hearthstone soletrou: *T-H-O-R. D-Ã.*

— Isso mesmo — disse o bode. — Mas o sobrenome dele não é *Dã*. Vocês o viram por aí?

— Não...

Pensei no sonho. Ainda conseguia sentir o cheiro de amêndoas do hálito de Loki. *Os deuses nem* fingem *lidar com o bem e o mal, Magnus. Pense nisso quando conhecer Thor.*

Júnior nos mandou procurar Thor. O rio nos levou para onde precisávamos ir. Só que agora eu não tinha certeza de que queria estar ali.

Sam ajustou o lenço.

— Não sou fã de Thor, mas, se ele puder nos mostrar o caminho para Lyngvi, temos que falar com ele.

— Mas o bode está perdido — falei. — Como vamos encontrar Thor?

Hearthstone apontou para meu pingente. *Pergunte ao Jacques.*

Segurei o pingente. A espada surgiu e começou a zumbir.

— Ei — disse Jacques, com as runas brilhando na lâmina —, fico feliz em ver você bem! Ah, aquele é Otis? Thor deve estar por perto.

Otis baliu.

— Você tem uma espada falante? Nunca fui morto por uma espada falante. Tudo bem. Só peço que seja um corte rápido pela garganta...

— Otis! — exclamou Jacques. — Você não me reconhece? Sou a espada de Frey, Sumarbrander. Nós nos conhecemos naquela festa em Bilskírnir, aquela em que você brincou de cabo de guerra com Loki.

— Ah... — Otis balançou os chifres. — Sei. Aquilo foi constrangedor.

— Jacques — falei —, estamos procurando Thor. Alguma chance de você nos indicar onde ele está?

— É mole como pudim. — A espada puxou meu braço. — Estou sentindo uma grande concentração de ar quente e trovão para aquele lado!

Sam e eu ajudamos Hearthstone a se levantar. Ele não parecia muito bem. Os lábios estavam verde-claros. O elfo oscilava como se tivesse acabado de sair de uma montanha-russa muito radical.

— Otis — chamou Sam —, nosso amigo pode montar em você? Talvez seja mais rápido.

— Claro — disse o bode. — Monte em mim, me mate, tanto faz. Mas tenho que avisar que estamos em Jötunheim. Se formos para o lado errado, podemos dar de cara com gigantes. Aí, seremos mortos e colocados em uma panela de ensopado.

— Não vamos para o lado errado — prometi. — Não é, Jacques?

— Hã? — disse a espada. — Ah, não. Acho que não. Tipo, temos sessenta por cento de chance de vivermos.

— Jacques...

— Brincadeirinha — disse ele. — Caramba, você é tão sem graça.

Ele apontou rio acima e nos guiou pela manhã enevoada, com leves nevascas e quarenta por cento de chance de morte.

QUARENTA E OITO

Hearthstone desmaia ainda mais do que Jason Grace (embora eu não faça ideia de quem seja esse cara)

JÖTUNHEIM ERA BEM PARECIDO COM VERMONT, só que com menos placas oferecendo produtos à base de xarope de bordo. Havia neve nas montanhas de rocha escura. Camadas da altura da cintura de um homem cobriam os vales. Pinheiros brilhavam com pingentes de gelo.

Jacques, a espada, pairava na frente do grupo, nos guiando pelo rio que ziguezagueava pelos cânions cobertos de neve. Subimos trilhas ao lado de cachoeiras quase congeladas, e senti o suor na minha pele congelar na mesma hora.

Em outras palavras, foi divertido pra caramba.

Sam e eu ficamos perto de Hearthstone.

Torci para que minha aura residual de brilho de Frey fizesse bem a ele, mas o elfo ainda parecia muito fraco. O melhor que podíamos fazer era impedi-lo que escorregasse do bode.

— Aguente aí — falei.

Ele sinalizou alguma coisa, talvez *desculpe*, mas o gesto foi tão fraco que não tive certeza.

— Descanse — acrescentei.

Ele grunhiu de frustração. Tateou pela bolsa de runas, tirou uma e colocou-a nas mãos. Apontou para a pedra e depois para si mesmo, como se dissesse: *Esta sou eu*.

Eu não conhecia a runa.

ᛈ

Sam franziu a testa quando viu.

— Essa é *perthro*.

— O que quer dizer? — perguntei.

Ela olhou com cautela para Hearth.

— Está tentando explicar o que aconteceu com você? Quer mesmo que Magnus saiba?

Hearthstone respirou fundo, como se estivesse se preparando para sair correndo. Disse: *Magnus... sentiu... dor.*

Fechei os dedos ao redor da pedra.

— Senti... Quando curei você, havia alguma coisa sombria...

Hearth apontou para a pedra. E olhou para Sam.

— Você quer que eu conte? — perguntou ela. — Tem certeza?

Ele assentiu, apoiou a cabeça nas costas do bode e fechou os olhos.

Andamos uns vinte metros até Sam começar a falar.

— Quando Hearth e eu estávamos em Álfaheim, ele me contou parte da história. Não sei de todos os detalhes, mas... os pais dele... — Ela teve dificuldade de encontrar as palavras.

Otis, o bode, baliu.

— Continue. Adoro histórias deprimentes.

— Fique quieto — ordenou Sam.

— Vou só ficar quieto, então — concordou o bode.

Observei o rosto de Hearthstone. Ele parecia tão tranquilo dormindo.

— Blitzen me contou um pouquinho — falei. — Os pais de Hearth nunca o aceitaram porque ele era surdo.

— Foi pior do que isso — explicou Sam. — Eles não eram... boas pessoas.

Um pouco do tom ácido de Loki surgiu na voz dela, como se ela estivesse imaginando os pais de Hearth no alvo de dardos de visgo.

— Hearth tinha um irmão, Andiron, que morreu muito jovem. Não foi culpa de Hearthstone, mas os pais descontaram a amargura nele. Sempre diziam que o irmão errado havia morrido. Para eles, Hearth era uma decepção, um elfo deficiente, uma punição dos deuses. Ele não conseguia fazer nada certo.

Apertei a runa.

— Ele ainda carrega toda essa dor no peito. Deuses...

Sam colocou a mão no tornozelo de Hearth.

— Ele não conseguiu me contar os detalhes da infância, mas eu... Eu tive a sensação de que foi pior do que você pode imaginar.

Olhei para a runa.

— Não é surpresa ele viver sonhando em fazer magia. Mas esse símbolo...?

— *Perthro* simboliza um cálice vazio caído de lado — explicou Sam. — Pode ser uma bebida derramada, ou um cálice esperando para ser enchido, ou um copo para jogar os dados, como o destino.

— Não entendi.

Sam tirou pelos de bode da barra da calça de Hearthstone.

— Acho... acho que *perthro* é a runa com a qual Hearthstone se identifica. Quando ele foi até Mímir e bebeu do poço, teve que fazer uma escolha entre dois futuros. Se tomasse o primeiro caminho, Mímir daria a fala e a audição para ele, que então voltaria diretamente para Álfaheim para viver uma vida normal, mas teria que abrir mão do sonho de praticar magia. Se escolhesse o segundo caminho...

— Ele aprenderia magia — sugeri —, mas ficaria como é, surdo e mudo, odiado pelos próprios pais. Que tipo de escolha impossível é essa? Eu devia ter pisado na cara de Mímir quando tive oportunidade.

Sam balançou a cabeça.

— Mímir só apresentou as opções. A magia e a vida normal são mutuamente excludentes. Só pessoas que vivenciaram uma dor muito grande têm a capacidade de aprender magia. Elas têm que ser como cálices vazios. Até Odin... ele abriu mão de um dos olhos para beber do poço de Mímir, mas esse foi só o começo. Para aprender as runas, Odin se enforcou. Ficou pendurado em um galho da Árvore do Mundo por nove dias.

Meu estômago se contraiu procurando alguma coisa para vomitar.

— Isso... não é certo.

— Mas foi necessário — disse Sam. — Odin também perfurou o corpo com a própria lança e ficou sentindo dor, sem comida e sem água, até as runas se revelarem. A dor o deixou vazio... um receptáculo para magia.

Olhei para Hearthstone. Não sabia se devia abraçá-lo ou acordá-lo e dar uma bronca. Como alguém podia escolher por livre e espontânea vontade ficar sentindo tanta dor? Que tipo de magia valeria isso?

— Eu fiz magia — falei. — Curei, andei em meio às chamas, arranquei armas das mãos das pessoas. Mas nunca sofri como Hearth.

Samirah repuxou os lábios.

— É diferente, Magnus. Você nasceu com sua magia, foi uma herança do seu pai. Não pode escolher suas capacidades e nem mudá-las. *Álfar seidr* é inato. Também é magia menor se comparada ao que as runas são capazes de fazer.

— Menor?

Eu não queria discutir sobre que magia era mais impressionante, mas a maioria das coisas que vi Hearthstone fazer era bem... sutil.

— Expliquei para você em Valhala — continuou Sam — que as runas são a linguagem secreta do universo. Ao aprendê-las, você pode recodificar a realidade. Os únicos limites para sua magia são sua força e sua imaginação.

— Então por que mais gente não aprende sobre as runas?

— É o que estou dizendo. Requer um sacrifício inacreditável. A maioria das pessoas morreria antes de chegar onde Hearthstone chegou.

Prendi o cachecol de Hearth ao redor do pescoço dele. Agora eu entendia por que ele estava disposto a arriscar fazer magia de runas. Para um cara com o passado perturbado como o dele, recodificar a realidade deve ter parecido bem legal. Também pensei na mensagem que ele sussurrou na minha mente. Ele havia me chamado de *irmão*. Depois de tudo que Hearthstone passou com a morte do irmão... isso não devia ter sido fácil.

— Então Hearth se transformou em um cálice vazio — falei. — Como *perthro*.

— Para tentar se encher com o poder da magia — concordou Sam. — Eu não sei todos os significados de *perthro*, Magnus. Mas sei uma coisa: Hearthstone a usou quando estávamos caindo do penhasco no rio.

Tentei me lembrar, mas fiquei sobrecarregado de exaustão assim que peguei a espada.

— O que a runa fez?

— Nos trouxe *aqui* — explicou Sam. — E deixou Hearthstone assim. — Ela indicou o corpo que roncava. — Não posso ter certeza, mas acho que *perthro* é...

como os mortais chamam? Uma tentativa arriscada. Ele jogou a runa como se jogaria um dado, entregando nosso destino para os deuses.

A palma da minha mão estava machucada de tanto apertar a pedra. Eu ainda não sabia por que Hearthstone me deu aquilo, mas senti um instinto forte me dizendo que deveria guardar para ele, mesmo temporariamente. Ninguém deveria carregar esse tipo de destino sozinho. Coloquei a runa no bolso.

Andamos pela natureza em silêncio por um tempo. Em determinado momento, Jacques nos levou pelo rio sobre um tronco de árvore caído. Não consegui deixar de olhar para os dois lados em busca de esquilos gigantes antes de atravessar.

Em alguns lugares, a neve era tão profunda que tínhamos que pular de pedra em pedra enquanto o bode Otis especulava sobre qual de nós escorregaria, cairia e morreria primeiro.

— Eu queria que você calasse a boca — murmurei. — Também queria ter sapatos para neve.

— Você precisaria de Uller para isso — disse o bode.

— De quem?

— Do deus dos sapatos de neve — contou Otis. — Ele os inventou. Além da arquearia e... Não sei, outras coisas.

Eu nunca tinha ouvido falar de um deus dos sapatos de neve. Mas teria pagado uma grana preta se o deus dos veículos de neve aparecesse rugindo no bosque naquela hora para nos dar uma carona.

Seguimos em frente.

Vimos uma casa de pedra no cume de uma colina. A luz cinzenta e as montanhas pregavam peças na minha percepção. Eu não sabia se a casa era pequena e estava perto ou se era enorme e estava longe. Lembrei do que meus amigos me contaram sobre os gigantes, que eles viviam e respiravam ilusões.

— Está vendo aquela casa? — perguntou Jacques. — Não vamos lá.

Não discuti.

Avaliar a passagem de tempo era difícil, mas, no fim da tarde, o rio virou uma corrente intensa. Havia penhascos na margem oposta. Ao longe, em meio às árvores, ouvi o rugido de uma cachoeira.

— Ah, é verdade — disse Otis. — Lembrei agora.

— Lembrou o quê? — perguntei.

— Por que fui embora. Eu tinha que procurar ajuda para o meu dono.

Sam limpou um pouco da neve no ombro.

— Por que Thor precisaria de ajuda?

— As corredeiras — explicou Otis. — Acho que é melhor irmos logo. Eu tinha que ser rápido, mas fiquei vendo vocês por quase um dia inteiro.

Levei um susto.

— Espere... ficamos inconscientes por *um dia inteiro*?

— Pelo menos — acrescentou Otis.

— Ele está certo — disse Jacques. — De acordo com minhas contas, hoje é domingo, dia dezenove. Eu avisei, quando você me segurasse... bem, lutamos com os anões na sexta. Vocês dormiram o sábado inteiro.

Sam fez uma careta.

— Perdemos um tempo precioso. A ilha do Lobo vai aparecer em três dias, e nem sabemos onde Blitzen está.

— Deve ser culpa minha — disse Otis. — Eu devia ter salvado vocês antes, mas fazer respiração boca a boca em um humano... Tive que reunir coragem. Meu terapeuta me passou exercícios de respiração...

— Pessoal — interrompeu Jacques, a espada —, estamos perto agora. De verdade desta vez.

Ele saiu flutuando pela floresta.

Seguimos a espada flutuante até as árvores se abrirem. Na nossa frente havia uma praia com pedras pretas irregulares e pedaços de gelo. Na margem oposta erguiam-se penhascos quase da altura do céu. O rio tinha virado uma corredeira de classe cinco, uma zona de combate com espuma branca e rochas meio submersas. Correnteza acima, o rio ficava comprimido entre duas colunas de pedra do tamanho de arranha-céus, mas eu não sabia se eram construções do homem ou naturais. O topo sumia entre as nuvens. Pela fissura entre elas, o rio explodia em uma camada vertical, menos como uma cachoeira e mais como uma barragem partida no meio.

De repente, Jötunheim não parecia mais Vermont. Parecia mais os Himalaias, um lugar que não foi feito para os mortais.

Era difícil me concentrar em qualquer coisa exceto as corredeiras violentas, mas acabei reparando em um pequeno camping na praia: uma barraca, uma fogueira e um segundo bode com pelo escuro andando pela beirada da água com nervosismo. Quando o bode nos viu, se aproximou galopando.

Otis se virou para nós e gritou por cima do barulho do rio:

— Este é Marvin! É meu irmão! O nome dele de verdade é Tanngrísnir, o Rosnador, mas...

— Otis! — gritou Marvin. — Por onde você andou?

— Esqueci o que fui fazer — respondeu Otis.

Marvin baliu de exasperação. Os lábios estavam curvados em uma expressão permanente de desprezo, que, sei lá, talvez tenha sido o que lhe deu o nome de Rosnador.

— Foi essa a ajuda que você encontrou? — Marvin fixou os olhos amarelos em mim. — Dois humanos magrelos e um elfo morto?

— Ele não está morto! — gritei. — Onde está Thor?

— No rio! — Marvin apontou com os chifres. — O deus do trovão está quase se afogando, e, se não arrumarem um jeito de ajudá-lo, vou matar vocês. Aliás, é um prazer conhecê-los.

QUARENTA E NOVE

Ah, já sei qual é seu problema. Tem uma espada enfiada no seu nariz

NÃO CONSEGUI EVITAR.

Quando ouvi o nome Thor, pensei no cara dos filmes e dos quadrinhos, um grande super-herói do espaço sideral, com calça de lycra colorida, capa vermelha, cabelo louro e talvez um capacete com asinhas fofinhas.

Na vida real, Thor era mais assustador. E mais vermelho. E mais desgrenhado. Além disso, xingava como um marinheiro bêbado e muito criativo.

— Balde de esterco da sua mãe suja! — gritou ele. (Ou alguma outra coisa parecida. Meu cérebro pode ter filtrado a linguagem verdadeira, pois teria feito meus ouvidos sangrarem.) — Onde está meu apoio?

Ele estava afundado até o peito na água perto da margem oposta, agarrado a um arbusto do penhasco. A pedra era tão lisa e escorregadia que não havia nenhuma reentrância onde se segurar. As raízes do arbusto pareciam prestes a se soltar. A qualquer momento, Thor seria levado pela correnteza, onde fileiras de pedras irregulares cortavam o fluxo em uma série de cataratas, perfeitas para fazer um milk-shake de Thor.

De longe, com os borrifos de água e a névoa, eu não conseguia ver direito o deus: ele tinha cabelo ruivo que caía até os ombros, uma barba ruiva encaracolada e braços de fisiculturista para fora de um colete de couro sem mangas. Usava manoplas de ferro escuro que lembravam mãos de robô e um colete de cota de malha que Blitzen não acharia muito elegante.

— Filho da pura barba repuxada! — vociferou o deus. — Otis, é você? Onde está minha artilharia? Meu suporte aéreo? Onde em Helheim está minha cavalaria?

— Estou aqui, chefe! — gritou Otis. — Eu trouxe... dois adolescentes e um elfo morto!

— Ele não está morto — repeti.

— Um elfo quase morto — corrigiu Otis.

— De que adianta isso? — bradou Thor. — Quero que matem aquela giganta e quero que matem AGORA!

— Giganta? — perguntei.

Marvin me cutucou com a cabeça.

— Aquela, seu burro.

Ele indicou a cachoeira. Por um momento, a névoa se partiu no alto do penhasco, e eu vi o problema.

Ao meu lado, Sam fez um som de quem estava sendo enforcada.

— Heimdall do céu.

Os pilares de pedra do tamanho de arranha-céus na verdade eram pernas, pernas *imensas* e tão cinzentas e ásperas que se misturavam com os penhascos ao redor. O restante da mulher era tão alto que ela fazia o Godzilla parecer um poodle toy. Fazia a Sears Tower parecer um cone de trânsito. O vestido até as coxas era feito de pele de tantos animais que provavelmente levou várias dezenas de espécies à extinção. O rosto, em algum lugar lá na estratosfera, era tão pétreo e sério quanto o dos presidentes do Monte Rushmore, cercado por um furacão de cabelo preto e comprido. Estava segurando os cumes dos penhascos dos dois lados do rio como se aguentar a torrente fosse difícil até para ela.

Olhou para baixo, sorriu com crueldade para o pontinho de deus do trovão preso na correnteza e apertou as pernas mais um pouco. A cachoeira jorrou entre as panturrilhas dela como uma cortina de força líquida de alta pressurização.

Thor quis gritar, mas ficou com a boca cheia de água. A cabeça dele submergiu. O arbusto no qual estava pendurado se inclinou para o lado, e as raízes se partiram uma após a outra.

— Ela vai jorrá-lo para o esquecimento! — gritou Marvin. — Façam alguma coisa, humanos!

Como o quê?, pensei.

— Ele é um deus — falei. — Não pode voar? Não pode explodi-la com um raio ou... que tal o martelo? Ele não tem um martelo?

Marvin rosnou. Ele era muito bom em rosnar.

— Caramba, por que *nós* não pensamos nisso? Se Thor pudesse fazer qualquer uma dessas coisas sem se soltar e ser instantaneamente morto, você não acha que já teria feito?

Tive vontade de perguntar como um deus podia morrer, já que todos supostamente eram imortais. Mas pensei em Mímir existindo para sempre como uma cabeça decepada e em Balder sendo ferido por um dardo de visgo e passando a eternidade no reino de Hel.

Olhei para Sam.

Ela deu de ombros, sentindo-se impotente.

— Contra uma giganta desse tamanho, não tenho nada.

Hearthstone murmurou dormindo. As pálpebras dele estavam começando a ter espasmos, mas ele não faria magia tão cedo.

Diante disso, só me restava um amigo para pedir ajuda.

— Jacques.

A espada pairou ao meu lado.

— O quê?

— Está vendo aquela giganta enorme bloqueando o rio?

— Falando tecnicamente — disse Jacques —, não consigo ver nada, pois não tenho olhos. Mas sim, estou vendo a giganta.

— Você acha que consegue voar até lá e, sei lá, matá-la?

Jacques zumbiu com indignação.

— Você quer que eu mate uma giganta de seiscentos metros?

— Quero.

— Ah, a questão é a seguinte. Você precisaria me arremessar como nunca arremessou nada antes. Precisaria *realmente* acreditar que matar essa giganta é uma tarefa que vale a pena. E precisaria estar preparado para o que aconteceria com você quando me segurar de novo. Quanta energia seria preciso para você subir nessa giganta de seiscentos metros e matá-la?

O esforço provavelmente me destruiria, pensei. Mas não vi muita escolha.

Precisávamos de informação de Thor. Sam e Hearthstone e dois bodes falantes antissociais dependiam de mim.

— Vamos lá.

Peguei a espada.

Tentei me concentrar. Eu não me importava muito com a vida de Thor. Nem conhecia o cara direito. E também não queria saber por que uma giganta de mais de meio quilômetro achava divertido ficar de pé em cima de um rio espremendo uma cachoeira entre as panturrilhas.

Mas eu me *importava* com Sam, Blitzen e Hearthstone. Eles arriscaram a vida para me levar até ali. Independentemente do que Loki prometesse, eu tinha que encontrar um jeito de impedir Surt e manter Fenrir acorrentado. O Lobo provocou a morte da minha mãe. Mímir disse que Fenrir mandou os dois filhos... Eles queriam *me* matar. Minha mãe sacrificou a vida dela por mim. Eu tinha que fazer o sacrifício dela *valer* alguma coisa.

Aquela giganta cinza representava tudo que estava no meu caminho. Ela tinha que morrer.

Com toda a minha força, joguei a espada.

Jacques saiu cortando o ar como um bumerangue com motor de foguete.

O que aconteceu depois... bem, eu não sei se vi corretamente. Era muito alto. Mas pareceu que Jacques entrou pela narina esquerda da giganta.

A giganta arqueou as costas. Fez uma cara de quem ia espirrar. As mãos escorregaram do topo dos penhascos. Jacques saiu pela narina direita na hora que os joelhos da giganta se dobraram e ela caiu na nossa direção.

— Madeira! — gritou a espada, espiralando para mim.

— CORRAM! — berrei.

Tarde demais. A giganta caiu de cara no rio com um tremendo *SPLASH!*

Não tenho lembrança do muro de água que me empurrou contra os galhos de uma árvore junto com Sam, um Hearthstone meio adormecido e os dois bodes assustados. Mesmo assim, deve ter sido o que aconteceu. Por pura sorte, nenhum de nós morreu.

O corpo da giganta mudou completamente a topografia do lugar. Onde antes havia um rio, naquele momento era um pântano grande e gelado, com água gorgolejando e jorrando ao redor da Ilha da Moça Morta enquanto tentava encontrar novas formas de seguir seu curso. A praia estava com quinze centímetros de água. O acampamento de Thor sumiu. O deus não estava em lugar nenhum.

— Você matou Thor! — baliu Otis. — Jogou uma giganta em cima dele!

O braço direito da giganta teve um espasmo. Eu quase caí da árvore. Fiquei com medo de Jacques só tê-la atordoado, mas aí Thor se contorceu para fora do sovaco da giganta com muitos palavrões e xingamentos.

Sam e eu ajudamos Hearthstone a descer da árvore enquanto o deus do trovão seguia pelas costas da giganta, pulava no pântano e se aproximava de nós. Os olhos dele eram azuis, envoltos em um vermelho furioso. A expressão era tão feroz que javalis teriam saído correndo chamando a mamãe.

Jacques, a espada, apareceu do meu lado, coberto de vários tipos de gosma tipicamente encontradas na narina de um gigante.

— O que você achou, *señor*? — As runas dele brilharam. — Está orgulhoso de mim?

— Vou responder se sobreviver aos próximos dois minutos.

O deus zangado parou na minha frente. Água pingava da barba ruiva no peito extremamente largo coberto de cota de malha. Os punhos do tamanho de frigideiras estavam fechados dentro das manoplas.

— Isso — ele abriu um sorriso — foi incrível!

Ele me deu um tapa tão forte no ombro que deslocou várias juntas.

— Venham jantar comigo! Podemos matar Otis e Marvin!

CINQUENTA

Nada de spoilers. Thor está *muito* atrasado nas suas séries preferidas

É. NÓS MATAMOS OS BODES.

Thor jurou que eles ressuscitariam novinhos em folha na manhã seguinte, desde que não quebrássemos nenhum osso. Otis me garantiu que a morte frequente era boa para a terapia de exposição que fazia. Marvin rosnou e disse para eu acabar logo com aquilo e parar de fazer manha.

Foi bem mais fácil matar Marvin.

Depois de dois anos morando na rua, eu achava que sabia o quanto podia ser difícil manter meu estômago cheio, mas tenho que dizer: matar e estripar um animal para o meu próprio jantar foi uma experiência nova. Vocês acham nojento tirar um sanduíche meio comido de uma lata de lixo? Experimentem arrancar a pele de um bode, cortá-lo em pedaços, fazer uma fogueira e cozinhar a carne em um espeto enquanto tenta ignorar as cabeças dos bodes olhando para você da pilha de lixo.

Talvez esse tipo de experiência me fizesse ter vontade de virar vegetariano. Mas não. Assim que senti o cheiro da carne cozinhando, minha fome assumiu o comando. Esqueci os horrores da matança do bode. Os kebabs de Otis foram a melhor coisa que já comi.

Durante o jantar, Thor ficou falando sobre gigantes, Jötunheim e as séries de TV de Midgard, que, por algum motivo, ele acompanhava religiosamente. (Posso dizer que um deus nórdico fazia alguma coisa religiosamente?)

— Gigantes! — Ele balançou a cabeça com repulsa. — Depois de tantos séculos, era de se pensar que teriam aprendido a parar de invadir Midgard. Mas não! Eles são como... como é mesmo o nome? A Liga de Assassinos de *Arrow*! Sempre voltam! Como se eu fosse deixar alguma coisa acontecer com os humanos! Vocês são minha espécie favorita!

Ele deu um tapinha na minha bochecha. Felizmente, tinha tirado as luvas de ferro, senão teria quebrado meu maxilar. Infelizmente, o deus não tinha lavado as mãos depois de estripar os bodes.

Hearthstone estava sentado perto da fogueira, mordiscando um pedaço da anca de Marvin. Tinha recuperado parte da força, mas, cada vez que eu olhava para ele, precisava me segurar para não chorar. Eu queria abraçar o coitado, fazer biscoitos para ele e dizer o quanto lamentava a infância horrível que teve, mas sabia que ele não ia querer que eu sentisse pena. Hearth não ia querer que eu começasse a tratá-lo de maneira diferente.

Mesmo assim... a runa do cálice vazio pesava muito no bolso da minha jaqueta.

Sam ficou mais afastada de nós, o mais longe de Thor que conseguiu. Falou pouco e não fez movimentos repentinos, o que queria dizer que a maior parte da atenção de Thor estava voltada para mim.

Tudo que o deus do trovão fazia era com vontade. Ele adorava assar os bodes. Adorava comer carne e beber hidromel. Adorava contar histórias. E adorava peidar. Caramba, como ele gostava de peidar. Quando ficava empolgado, fagulhas de eletricidade voavam das mãos dele, dos ouvidos e... bem, vou deixar o resto para sua imaginação.

Diferente da versão do cinema, não havia nada de elegante em Thor. O rosto era bonito de um jeito bruto, como se ele tivesse passado anos treinando em um ringue de boxe. A cota de malha estava imunda, e o colete e a calça de couro, gastos até a cor de neve suja. Tatuagens cobriam os braços musculosos do deus. No bíceps esquerdo, havia o nome SIF inscrito dentro de um coração. Ao redor do antebraço direito, uma Serpente do Mundo estilizada se enrolava. Sobre as falanges das duas mãos, em letra de forma, vi os nomes MAGNI e MÓDI. Primeiro, fiquei nervoso com o nome *Magni*, porque era parecido demais com *Magnus* (a última coisa que eu queria era meu nome tatuado na mão do deus do trovão), mas Sam me garantiu que era um nome totalmente diferente.

Thor me presenteou com suas teorias sobre quem venceria em uma disputa mortal hipotética entre Daryl de *The Walking Dead* e Mike de *Breaking Bad*. Quando eu era apenas um mendigo em Boston, ficaria feliz em falar sobre séries de TV durante horas só para passar o tempo, mas agora eu tinha uma missão. Perdemos um dia inteiro inconscientes. Especular sobre as séries que estreariam no próximo mês não significaria muito se o mundo fosse consumido em chamas dali a três dias.

Ainda assim, Thor estava se divertindo tanto que era difícil mudar de assunto.

— O que você acha? — perguntou ele. — Qual é o melhor vilão das séries do momento?

— Hã... uau, essa é difícil. — Eu apontei para os dedos dele. — Quem são Magni e Módi?

— Meus filhos! — Thor abriu um sorriso. Com gordura de bode na barba e as faíscas elétricas imprevisíveis voando dos dedos, fiquei com medo de ele pegar fogo. — Tenho muitos filhos, é claro, mas eles são meus favoritos.

— Ah, é? — perguntei. — Quantos anos eles têm?

Ele franziu a testa.

— Ah, isso é meio constrangedor, mas não sei. Talvez ainda nem tenham nascido.

— Como...?

— Magnus — interrompeu Sam. — Os dois filhos de lorde Thor, Magni e Módi, estão destinados a sobreviver ao Ragnarök. Os nomes deles aparecem nas profecias das Nornas.

— Isso mesmo! — Thor se inclinou na direção de Sam. — Qual é seu nome mesmo?

— Hã... Sam, meu senhor.

— Você tem uma aura familiar, garota. — O deus franziu as sobrancelhas ruivas. — Por que será?

— Porque eu era valquíria...? — Sam recuou um pouco mais.

— Ah. Deve ser isso. — Thor deu de ombros. — Você vai ter que me desculpar. Estive em três mil quinhentas e seis batalhas consecutivas no front leste para manter os gigantes longe. Fico meio estressado às vezes.

Hearthstone sinalizou: *E cheio de gases*.

Thor arrotou.

— O que o elfo disse? Não entendo linguagem de gestos.

— Hã, ele estava querendo saber como você acompanha todas essas séries — menti —, considerando que passa tanto tempo em batalha.

Thor riu.

— Eu tenho que fazer *alguma* coisa para me manter são!

Hearthstone sinalizou: *E está funcionando?*

— O elfo concorda! — Thor tentou adivinhar. — Posso ver meus programas em qualquer lugar, ou pelo menos *podia*. Dentre seus muitos poderes, meu martelo, Mjölnir, tinha serviço excelente e resolução HD em qualquer um dos nove mundos.

— *Tinha*, no passado? — perguntou Sam.

Thor pigarreou alto.

— Mas chega de falar de televisão! Como está a carne? Vocês não quebraram nenhum osso, não é?

Sam e eu trocamos olhares. Quando nos apresentamos para o deus, achei estranho Thor não estar com o martelo. Era a arma dele. Achei que talvez estivesse disfarçada, como minha espada. Agora, eu estava começando a questionar isso. Mas o olhar penetrante e os olhos injetados me fizeram pensar que talvez fosse perigoso perguntar.

— Hã, não, senhor — respondi. — Nós não quebramos nenhum osso. Mas, teoricamente, o que aconteceria se quebrássemos?

— Os bodes ressuscitariam machucados — contou ele. — Os ossos demorariam muito para curar e isso seria bem irritante. Aí, eu teria que matar você ou transformá-lo em meu escravo pelo resto da vida.

Hearthstone sinalizou: *Esse deus é louco.*

— Você está certo, sr. Elfo — disse Thor. — É uma punição justa! Foi assim que consegui meu servo, Thjálfi. — Thor balançou a cabeça. — Pobre garoto. As batalhas estavam começando a lhe fazer mal. Agora ele está de licença. Seria *útil* ter outro escravo...

Ele me lançou um olhar avaliador.

— Então... — Coloquei de lado minha carne de bode. — Como você foi parar no rio e por que a giganta estava tentando afogar você?

— Ah, ela. — Thor olhou com raiva para o corpo do tamanho de um bairro no meio do pântano gelado. — Ela é filha de Geirröd, um dos meus antigos inimigos. Odeio aquele cara. Ele sempre manda as filhas para me matar. — Thor apontou para os penhascos. — Eu estava indo para a fortaleza dele para ver se... Bem, não importa. Obrigado pela ajuda. Era a espada de Frey, não era?

— Sim. Jacques está em algum lugar por aqui.

Eu assobiei. Jacques veio flutuando.

— Oi, Thor — cumprimentou a espada. — Quanto tempo.

— Rá! — O deus bateu palmas de prazer. — Achei que tinha reconhecido você. Mas seu nome não é Sumarbrander? Por que o humano chamou você de Jarvik?

— Jacques — corrigiu a espada.

— Yak.

— Não — disse a espada com paciência. — Jacques, com sotaque francês.

— Tá, tanto faz. Bom trabalho com a giganta.

— Você sabe o que dizem — falou Jacques com arrogância. — Quanto maior são, mais fácil é entrar voando pela cavidade nasal.

— Verdade — concordou Thor. — Mas achei que você estivesse perdido. Como foi parar com esse pessoal esquisito?

Nós é que somos esquisitos?, disse Hearthstone.

— Lorde Thor — começou Sam —, nós viemos procurar o senhor. Precisamos de sua ajuda, como Magnus vai explicar.

Ela ficou me olhando como quem diz: *Se souber o que é bom para ele.*

Contei a Thor sobre a profecia das Nornas, dali a nove dias, o sol indo para o leste, Surt queimando tudo, o lobo Fenrir, dentes horríveis, comendo o mundo etc.

Thor ficou agitado. Fagulhas voaram dos cotovelos. Ele se levantou e começou a andar de um lado para outro, dando socos nas árvores próximas de tempos em tempos.

— Você quer que eu diga onde fica a ilha — deduziu.

— Isso seria ótimo.

— Mas não posso — murmurou Thor, baixinho. — Não posso mandar mortais aleatórios em passeios de observação de lobos. É perigoso demais. Mas o

Ragnarök... Não estou pronto. Não. A não ser... — Ele parou e se virou para nós com um brilho ansioso nos olhos. — Talvez seja *por isso* que vocês estão aqui.

Não estou gostando disso, sinalizou Hearthstone.

Thor assentiu.

— O elfo concorda! Vocês estão aqui para me ajudar!

— Exatamente! — exclama Jacques, vibrando de empolgação. — Vamos ajudar, seja lá no que for!

Tive um desejo repentino de me esconder atrás das carcaças dos bodes. Qualquer coisa com que o deus do trovão e a Espada do Verão concordassem era algo de que eu não queria fazer parte.

Sam prendeu o machado na cintura, como se previsse precisar dele logo.

— Deixe que eu adivinhe, lorde Thor: você perdeu seu martelo de novo.

— Eu *não* falei isso! — Thor balançou o dedo para ela. — Você *não* ouviu isso de mim. Porque, se fosse verdade, hipoteticamente falando, e a notícia se espalhasse, os gigantes invadiriam Midgard na mesma hora! Vocês, mortais, não sabem com que frequência eu salvo vocês. Minha reputação por si só já deixa a maioria dos gigantes com medo demais para atacar seu mundo.

— Espere aí. O que Sam quer dizer com *de novo*? Você já perdeu seu martelo antes?

— Só uma vez — disse Thor. — Mentira, duas. Três se você contar essa, mas não devia, porque não estou admitindo que o martelo sumiu.

— Certo... — concordei. — E como você o perdeu?

— Não sei! — Thor começou a andar de um lado para outro de novo, com o cabelo ruivo e comprido soltando fagulhas e estalando. — Foi só... *Puf!* Eu tentei refazer meus passos. Tentei o aplicativo Encontre Meu Martelo, mas não funcionou!

— Seu martelo não é a arma mais poderosa do universo? — perguntei.

— É!

— Achei que era tão pesado que ninguém além de você conseguisse levantar.

— Verdade. Até *eu* preciso da força das luvas de ferro para levantá-lo! Mas os gigantes são astutos. São grandes e fortes e têm magia. Com eles, muitas coisas impossíveis são possíveis.

Pensei na águia Big Boy e na facilidade com que me enganou.

— É, eu entendo. Era por isso que você estava indo atrás de A-Rod?

— Geirröd — corrigiu Thor. — Sim. Ele é um provável suspeito. Mesmo que não esteja com ele, talvez saiba quem o roubou. Além do mais, sem meu martelo, não posso ver minhas séries. Estou uma temporada atrasado em *Sherlock* e isso está me matando! Eu estava pronto para ir à fortaleza de Geirröd, mas estou feliz de vocês terem se oferecido para ir em meu lugar!

Nós nos oferecemos?, perguntou Hearthstone.

— Esse é o espírito, sr. Elfo! Fico feliz de você estar pronto para morrer pela minha causa!

Não mesmo, sinalizou Hearth.

— Vão até a fortaleza de Geirröd e procurem meu martelo. É claro que é importante vocês não deixarem ninguém saber que ele sumiu. Se Geirröd *não* estiver com ele, não queremos que saiba que *eu* não estou. Mas se não estiver mesmo com o martelo, perguntem se ele sabe com quem está, mas, é claro, sem admitir que o perdi.

Samirah apertou as têmporas com os dedos.

— Estou ficando com dor de cabeça. Lorde Thor, como devemos encontrar seu martelo se não podemos mencionar...

— Vocês vão dar um jeito! — encorajou ele. — Humanos são inteligentes. Depois que tiverem determinado a verdade, vou saber que vocês são dignos de encarar o lobo Fenrir. Vou dar a localização da ilha e vocês poderão impedir o Ragnarök. Se me ajudarem, eu ajudo vocês.

Parecia mais *se me ajudarem, vocês vão me ajudar um pouco mais*, mas eu duvidava que houvesse um jeito educado de recusar sem levar um soco de luva de ferro na cara.

Sam devia estar pensando a mesma coisa. O rosto dela ficou do mesmo tom de verde do hijab.

— Lorde Thor — disse ela —, invadir a fortaleza de um gigante com apenas três pessoas seria...

Suicídio, sinalizou Hearthstone. *Burrice*.

— Complicado — concluiu Sam.

Nessa hora, um pinheiro próximo tremeu. Blitzen caiu dos galhos e mergulhou até a cintura em uma pilha de neve derretida.

Hearthstone foi até lá e o ajudou a sair.

— Obrigado, amigão — disse Blitz. — Viagem idiota pela árvore. Onde...?

— É amigo de vocês? — Thor levantou um punho coberto de metal. — Ou devo...?

— Não! Quer dizer, sim, ele é nosso amigo. Blitzen, Thor. Thor, Blitzen.

— *O* Thor? — Blitzen fez uma reverência tão profunda que pareceu que estava tentado desviar de um golpe. — É uma honra. De verdade. Oi. Uau!

— Muito bem, então! — O deus do trovão sorriu. — Vocês têm *quatro* pessoas para invadir a fortaleza do gigante! Amigo anão, coma da minha carne de bode e aproveite minha fogueira. Quanto a mim, depois de ficar tanto tempo preso naquele rio, vou deitar cedo. De manhã, vocês podem partir para procurar meu martelo, que, é claro, não está desaparecido oficialmente!

Thor foi até a cama de peles, se jogou nela e começou a roncar com tanto gosto quanto peidava.

Blitzen franziu a testa para mim.

— Em que enrascada você nos meteu?

— É uma longa história — expliquei. — Aqui, coma um pouco de Marvin.

CINQUENTA E UM

Temos a conversa
sobre se transformar em mosca

Hearthstone foi o primeiro a dormir, mais porque era o único que *conseguia* pegar no sono com os roncos de Thor. Como o deus estava dormindo do lado de fora, Hearthstone foi para a barraca de duas pessoas. Entrou e apagou na mesma hora.

O restante de nós ficou acordado, conversando ao redor da fogueira. Primeiro, tive medo de acordarmos Thor, mas logo percebi que eu podia ter sapateado ao redor da cabeça dele, batido em gongos, gritado o nome dele e começado a explodir coisas, e ele continuaria dormindo.

Eu me perguntei se foi assim que ele perdeu o martelo. Os gigantes podiam ter esperado até que ele adormecesse, chegado com alguns guindastes industriais e feito o trabalho com facilidade.

Quando a noite caiu, fiquei grato pelo fogo. A escuridão era mais completa do que nos lugares mais ermos em que minha mãe e eu já acampamos. Lobos uivavam na floresta, o que me fez começar a tremer. O vento soprava entre os cânions como um coral de zumbis.

Comentei sobre isso com Blitzen, mas ele me corrigiu.

— Não, garoto — disse ele. — Zumbis nórdicos são chamados de *draugr*. Eles são silenciosos. Você nunca os ouviria chegando.

— Nossa, que alívio.

Blitzen mexeu a tigela de ensopado de bode com a colher, embora não parecesse interessado em provar. Ele estava com um terno azul de lã com sobretudo creme, talvez para se camuflar com a neve de Jötunheim com o máximo de estilo possível. Também levou para cada um de nós uma bolsa com roupas de inverno, que obviamente cabiam perfeitamente. Às vezes era bom ter um amigo que entendesse de roupas e fosse atencioso.

Blitz explicou que entregou os brincos para a mãe, mas acabou ficando preso em Fólkvangr por conta de deveres como representante de Freya: julgar uma competição de culinária à base de ostras, ser juiz em um jogo de vôlei, ser convidado de honra no 678º festival anual de ukulele.

— Foi horrível. Mamãe gostou dos brincos. Não perguntou como os consegui. Não quis ouvir sobre a competição com Júnior. Só disse: "Ah, por que você não faz trabalhos assim, Blitzen?" — Do bolso, ele tirou a corda Andskoti. A seda brilhava como uma lua em miniatura. — Espero que tenha valido a pena.

— Ei — falei para ele —, eu vi o que você fez naquela competição. Nunca vi *ninguém* se dedicar tanto assim. Você deu seu coração e sua alma naquele Expande--Pato. E a gravata à prova de balas? O colete de cota de malha? Espere só. Vamos conseguir apoio de Thor e você vai lançar moda.

— Magnus está certo — interrompeu Sam. — Bem, talvez não sobre o apoio de Thor, mas você tem talento, Blitzen. Se Freya e os outros anões não veem isso, é problema deles. Sem você, jamais teríamos chegado tão longe.

— Você quer dizer que você não teria sido expulsa das valquírias, Magnus não teria morrido, não estaríamos atraindo a raiva de metade dos deuses, gigantes do fogo e einherjar não estariam nos perseguindo nem estaríamos aqui, no meio do nada em Jötunheim, com um deus que ronca?

— Exatamente — disse Sam. — A vida é boa.

Blitzen riu com deboche, mas fiquei feliz de ver um brilho de humor nos olhos do anão.

— Tá, tudo bem. Vou dormir. Vou precisar descansar se vamos invadir o castelo de um gigante amanhã.

Ele entrou na barraca e murmurou para Hearthstone:

— Chega pro lado, seu porco de barraca!

Depois, colocou o sobretudo em cima do elfo, o que achei um gesto meio fofo.

Sam estava sentada de pernas cruzadas, já com a jaqueta de neve nova, o capuz puxado sobre o lenço da cabeça. Tinha começado a nevar, flocos grandes e macios que se dissolviam e chiavam nas chamas.

— Falando da competição na Terra dos Anões — falei —, não conversamos sobre a mosca...

— Shhh. — Sam olhou com apreensão para Thor. — Certas pessoas não gostam do meu pai nem dos filhos do meu pai.

— Certas pessoas estão roncando como uma serra elétrica.

— Mesmo assim... — Ela observou a própria mão, como se para ter certeza de que não tinha mudado. — Eu prometi a mim mesma que não mudaria de forma, mas na última semana já fiz isso duas vezes. Na primeira vez... bem, o cervo estava atrás de nós na Árvore do Mundo. Virei uma corça para distraí-lo, para Hearthstone fugir. Não tive escolha.

Assenti.

— E, na segunda vez, você virou uma mosca para ajudar Blitzen. São bons motivos. Além do mais, mudar de forma é um poder incrível. Por que não usá-lo?

A luz do fogo deixou as íris dela quase tão vermelhas quanto as de Surt.

— Magnus, a metamorfose de verdade não é como a camuflagem do meu hijab. Mudar de forma não muda só a aparência. Muda *você*. Cada vez que faço isso, sinto... sinto como se mais da natureza do meu pai estivesse tentando tomar conta de mim. Ele é fluido, imprevisível, não é de confiança. Não quero ser assim.

Fiz um gesto para Thor.

— Você poderia ter *esse aí* como pai, um gigante que peida, com gordura de bode na barba e tatuagens nos dedos. Aí, todo mundo em Valhala amaria você.

Consegui perceber que ela estava tentando não sorrir.

— Você é *muito* mau. Thor é um deus importante.

— Sem dúvida. Frey também, supostamente, mas nunca o vi. Pelo menos, seu pai tem charme e senso de humor. Pode ser um sociopata, mas...

— Peraí. — A voz de Sam ficou tensa. — Você fala como se o tivesse conhecido.

— Eu... eu acabei de me entregar, não foi? A verdade é que ele apareceu em algumas das minhas experiências de quase morte.

Contei os sonhos para Sam: os avisos de Loki, as promessas, a sugestão de eu levar a espada para meu tio Randolph e desistir da missão.

Sam escutou tudo. Não consegui identificar se ficou com raiva, chocada ou as duas coisas.

— Então você não me contou isso antes porque não confiava em mim?

— Talvez, no começo. Depois, eu... não sabia o que fazer. Seu pai é meio perturbador.

Ela jogou um galho nas chamas e o viu queimar.

— Você não pode fazer o que meu pai sugeriu, independente do que ele prometeu. Temos que enfrentar Surt. Vamos precisar da espada.

Lembrei-me do sonho do trono em chamas: o rosto negro flutuando na fumaça, a voz com o calor de um lança-chamas: *TRANSFORMAREI VOCÊ E SEUS AMIGOS EM CARVÃO. VOCÊS VÃO INICIAR O INCÊNDIO QUE VAI QUEIMAR OS NOVE MUNDOS.*

Olhei ao redor em busca de Jacques, mas não o vi. A espada tinha se oferecido para "patrulhar" as redondezas, como ele mesmo colocou. Ele sugeriu que eu esperasse até o último minuto possível para segurá-lo, pois, quando fizesse isso, desmaiaria na mesma hora pelo esforço de matar uma giganta por naricídio.

A neve continuou a cair, um fluxo constante nas pedras ao redor da lareira. Pensei no quase almoço na praça de alimentação do Transportation Building, em como Sam ficou nervosa perto de Amir. Aquilo parecia ter acontecido mil anos antes.

— Quando estávamos no barco de Harald — relembrei —, você disse que sua família tinha um histórico com deuses nórdicos. Como? Você disse que seus avós vieram do Iraque...?

Ela jogou outro galho nas chamas.

— Os vikings eram mercadores, Magnus. Viajavam para toda parte. Foram até a América. Não devia ser surpresa eles terem chegado ao Oriente Médio. Já encontraram moedas árabes na Noruega. As melhores espadas vikings foram feitas seguindo modelos de Damasco.

— Mas a *sua* família... Vocês têm uma ligação mais pessoal?

Ela assentiu.

— No período medieval, alguns vikings se instalaram na Rússia. Eles se denominavam Rus. É daí que vem a palavra *russo*. O califa, o grande rei em Bagdá, mandou um embaixador para o norte, para descobrir mais sobre os vikings, construir rotas de comércio com eles, esse tipo de coisa. O nome do embaixador era Ahmed ibn-Fadlan ibn-al-Abbas.

— Fadlan, igual ao Falafel do Fadlan. Al-Abbas, igual a...

— Certo. Igual a mim. Al-Abbas quer dizer *do leão*. Esse é meu ramo do clã. Enfim — ela tirou um saco de dormir da mochila —, esse tal Ibn Fadlan manteve um diário na época em que viveu com os vikings. É uma das únicas fontes escritas sobre os hábitos dos nórdicos. Desde então, minha família e os vikings estão interligados. Ao longo dos séculos, meus parentes tiveram vários encontros estranhos com... seres sobrenaturais. Talvez tenha sido por isso que minha mãe não ficou tão surpresa quando descobriu quem meu pai realmente era. — Ela desenrolou o saco de dormir ao lado da fogueira. — E é por isso que Samirah al-Abbas está destinada a não ter uma vida normal. Fim.

— *Vida normal* — refleti. — Nem sei mais o que isso quer dizer.

Ela pareceu que ia falar uma coisa, mas mudou de ideia.

— Vou dormir.

Tive uma visão estranha dos nossos ancestrais, o Chase medieval e a al-Abbas medieval, sentados ao redor de uma fogueira na Rússia mil e duzentos anos antes, comparando histórias de como os deuses nórdicos bagunçaram a vida deles, talvez com Thor roncando em uma cama de peles ali ao lado. A família de Sam podia estar interligada com os deuses, mas, como minha valquíria, agora ela também estava interligada com a *minha* família.

— Vamos resolver as coisas — prometi. — Não sei quanto a essa história de *normal*, mas vou fazer tudo que puder para ajudar você a ter o que quer: o emprego nas valquírias, o noivado com Amir, a licença de piloto. O que for preciso.

Ela ficou me olhando como se eu estivesse falando em outra língua.

— O que foi? — perguntei. — Estou com sangue de bode na cara?

— Não. Quer dizer, sim, você está com sangue de bode na cara. Mas não é isso... Eu estava tentando lembrar a última vez que alguém disse alguma coisa tão legal para mim.

— Se você quiser, volto a insultar você amanhã. Agora, preciso dormir. Bons sonhos.

Sam ficou encolhida perto da fogueira. Havia neve caindo de leve na manga do casaco dela.

— Obrigada, Magnus. Mas não quero sonhar. Não em Jötunheim.

CINQUENTA E DOIS

Estou com o cavalo bem aqui. O nome dele é Stanley

THOR AINDA ESTAVA RONCANDO COMO uma motosserra com defeito quando nos aprontamos para partir na manhã seguinte. Isso é uma coisa e tanto, porque eu dormi uma eternidade. Jacques não estava brincando sobre o efeito de matar uma giganta. Assim que o peguei depois que Sam adormeceu, desmaiei na mesma hora.

Pelo menos, não perdi vinte e quatro horas dessa vez. Com a aparição de Fenrir em dois dias não podia me dar ao luxo de tirar longas sonecas. Eu me perguntei se talvez, só talvez, estivesse ficando mais resistente conforme minha conexão com a espada aumentava. Esperava que sim, mas ainda sentia como se tivesse sido esmagado por um rolo compressor a noite toda.

Arrumamos nossas coisas e comemos um café da manhã frio de barrinhas energéticas BOM DIA, VERME! que estavam nas bolsas de suprimentos de Blitz (delícia). Depois, Hearthstone colocou as cabeças decepadas dos dois bodes ainda mortos nos braços de Thor, como ursinhos de pelúcia. Ninguém podia dizer que elfos não têm senso de humor.

Olhei para a baba congelando na barba de Thor.

— E pensar que a defesa dos nove mundos está nas mãos desse cara.

— Vamos embora — murmurou Blitzen. — Não quero estar perto quando ele acordar com Otis e Marvin.

A giganta morta acabou sendo útil. Subimos nela para atravessar o pântano gelado. Depois, descobrimos que podíamos escalar seu pé esquerdo para alcançar a primeira elevação na lateral do penhasco.

Quando chegamos lá, olhei para os quinhentos metros restantes de pedra gelada.

— Incrível. Agora começa a diversão de verdade.

— Queria ainda poder voar — murmurou Sam.

Eu imaginava que ela *pudesse* voar usando um pouco de metamorfose, mas, depois da conversa na noite anterior, decidi não tocar mais nesse assunto.

Blitz entregou a mochila para Hearthstone e balançou os dedos gordinhos.

— Não se preocupem, crianças. Hoje, felizmente, vocês estão escalando com um anão.

Franzi a testa.

— Agora, além de mestre da moda, você é montanhista?

— Eu já falei, garoto, os anões vieram dos vermes que abriram caminho pela carne de Ymir.

— E você parece estranhamente orgulhoso disso.

— Pedra para nós é como... bem, não é como pedra. — Ele deu um soco na lateral do penhasco. Em vez de quebrar o punho, deixou um vinco do tamanho de um apoio de mão. — Não estou dizendo que vai ser rápido ou fácil. Preciso fazer muito esforço para dar forma a uma pedra. Mas é possível.

Olhei para Sam.

— Você sabia que anões podem socar pedras?

— Não. É novidade para mim.

Hearthstone sinalizou: *Que tal usarmos a corda mágica? Prefiro não cair e morrer.*

Tive um calafrio. Não conseguia pensar na corda Andskoti sem pensar no Lobo, e eu não gostava de pensar no Lobo.

— Precisamos da corda para amarrar Fenrir, não é? Não quero fazer nada que possa enfraquecê-la.

— Não se preocupe, garoto. — Blitz pegou a corda de seda. — Esta corda não pode ser enfraquecida. E Hearthstone está certo. É melhor nos amarrarmos com ela por segurança.

— Assim, se cairmos — explicou Sam —, caímos todos juntos.

— Tudo bem — concordei, tentando reprimir a ansiedade. — Adoro morrer com meus amigos.

Nós nos amarramos (por assim dizer) e seguimos nosso intrépido guia moldador de pedra fashionista pela lateral do monte Você Só Pode Estar de Brincadeira Comigo.

Eu já tinha ouvido amigos mendigos que eram veteranos de guerra descrevendo o período como noventa e cinco por cento tédio e cinco por cento terror. Subir no penhasco era mais cinco por cento terror e noventa e cinco por cento dor excruciante. Meus braços tremiam. Minhas pernas cediam. Cada vez que eu olhava para baixo, sentia vontade de chorar ou vomitar.

Apesar dos apoios de mãos e pés que Blitzen fez, o vento quase me derrubou várias vezes. Não havia nada a fazer além de seguir em frente.

Tinha certeza de que a força que ganhei em Valhala era a única coisa que me mantinha vivo. O Magnus 1.0 teria caído e morrido. Eu não sabia como Hearthstone estava conseguindo, lá no fim da corda, mas estava. E Sam... semideusa ou não, não tinha a vantagem de ser einherji. E mesmo assim não reclamou, não hesitou, não escorregou — o que foi bom, pois estava subindo logo na minha frente.

Finalmente, quando o céu começou a escurecer, chegamos ao alto. No cânion de onde subimos, o corpo da giganta estava tão pequeno que parecia de tamanho normal. O rio cintilava na escuridão. Se o acampamento de Thor ainda estava lá, não havia sinal.

Na outra direção, Jötunheim se abria como uma paisagem microscópica, com picos impossivelmente íngremes, penhascos cristalinos, ravinas cheias de nuvens arredondadas como bactérias flutuantes.

A boa notícia: consegui ver a fortaleza do gigante. Do outro lado de um abismo de quase dois quilômetros havia janelas com um brilho vermelho na lateral de uma montanha. Torres se projetavam do pico; não pareciam ter sido construídas, e sim modeladas na pedra no estilo anão.

A má notícia: mencionei o abismo de quase dois quilômetros? O alto do penhasco em que estávamos não passava de um platô estreito. A queda do outro lado era tão alta quanto a parede que escalamos.

Considerando que demoramos o dia todo para chegar até ali, concluí que deveríamos levar no mínimo uns seis meses até o castelo. Infelizmente, já era noite de segunda, e a ilha do Lobo teoricamente apareceria na quarta.

— Vamos acampar aqui hoje — disse Blitzen. — Pode ser que de manhã vejamos um jeito mais fácil de atravessar.

Apesar do tempo apertado, ninguém discutiu. Estávamos tão cansados que desmaiamos.

Como costuma acontecer, na luz da manhã, nossa situação pareceu bem pior.

Não havia escada, nem uma conveniente tirolesa, nem voos diretos até a fortaleza de Geirröd. Eu estava prestes a correr o risco de levar uma machadada na cara ao sugerir que Sam se metamorfoseasse, talvez em um petauro gigantesco para nos carregar até o outro lado, quando Hearthstone gesticulou: *Tenho uma ideia.*

Ele pegou uma runa:

M

— M — falei.

Ele balançou a cabeça e soletrou o nome: E-H-W-A-Z.

— Certo — falei. — Porque chamar de M seria fácil demais.

Sam pegou a pedra na palma da mão de Hearth.

— Conheço essa. Simboliza um cavalo, certo? A forma é de uma sela.

Olhei para a runa com os olhos apertados. O vento estava tão frio e forte que tive dificuldade em usar a imaginação, mas o símbolo continuou parecendo um M para mim.

— Como isso vai nos ajudar?

Hearthstone gesticulou: *Quer dizer cavalo, transporte. Talvez um jeito de ir...* Ele apontou para o castelo.

Blitzen mexeu na barba.

— Parece magia poderosa. Você já usou?

Hearthstone balançou a cabeça. *Não se preocupe. Eu consigo.*

— Sei que consegue — disse Blitz. — Mas você já exauriu suas forças várias vezes.

Vou ficar bem, insistiu Hearth.

— Acho que não temos muita escolha — comentei —, considerando que ninguém aqui pode criar asas.

— Vou empurrar você dessa montanha — avisou Sam.

— Tudo bem — concluiu Blitz —, vamos tentar. Digo, a runa, não empurrar Magnus montanha abaixo. Talvez Hearth consiga invocar um helicóptero ou algo parecido.

— Geirröd ouviria um helicóptero — observei. — E provavelmente jogaria pedras em nós. E nos mataria.

— Muito bem, então — disse Blitz. — Talvez um helicóptero sorrateiro. Hearthstone, faça sua magia!

Sam devolveu a pedra. Hearth passou a mão sobre ela, movendo os lábios como se imaginando como as sílabas soariam.

A runa virou pó. Hearthstone ficou olhando para o pó branco se esvaindo pelos dedos.

— Imagino que não era para acontecer isso — comentei.

— Pessoal. — A voz de Sam soou tão baixa que quase se perdeu no vento.

Ela apontou para o alto, onde uma forma cinza saía das nuvens. Era tão rápido e se mesclava tão bem com o céu que não percebi o que era até a criatura estar quase em cima de nós, um garanhão com o dobro do tamanho de um cavalo normal, o pelo esvoaçando como aço líquido, a crina branca balançando, os olhos pretos brilhando.

O garanhão não tinha asas, mas galopava no ar com a mesma facilidade com que desceria uma ladeira ligeiramente íngreme. Só quando pousou do nosso lado percebi que ele tinha quatro, cinco, seis... *oito* pernas: em cada lugar onde um cavalo normal teria uma, ele tinha duas; meio que como rodas duplas em uma picape.

Eu me virei para Hearthstone.

— Cara, quando se trata de conjurar cavalos, você não brinca em serviço.

Hearthstone sorriu. Em seguida, os olhos dele se reviraram e ele caiu para a frente. Consegui segurá-lo e colocá-lo no chão enquanto Blitzen e Sam se moviam com cautela ao redor do garanhão.

— Não... não pode ser — gaguejou Blitzen.

— Um dos filhos de Sleipnir? — especulou Sam. — Deuses, que animal magnífico.

O cavalo passou o focinho na mão dela, feliz com o elogio.

Segui na direção dele, fascinado pelos olhos inteligentes e pela postura majestosa. O animal justificava porque a potência dos carros esportivos era medida em cavalos.

— Alguém vai nos apresentar? — perguntei.

Sam se obrigou a sair do devaneio.

— Eu... não sei quem ele é. Parece Sleipnir, o corcel de Odin, mas não pode ser. Só Odin é capaz de chamá-lo. Acho que talvez seja um dos filhos de Sleipnir.

— Ah, ele é incrível. — Estiquei a mão. O cavalo passou os lábios pelos meus dedos. — É simpático. E é grande o bastante para nos carregar por cima do abismo. Você faria isso, amigão?

O cavalo relinchou, como quem diz: *Hã, dã, é para isso que estou aqui.*

— As oito pernas são... — Eu ia dizer *esquisitas*, mas mudei de ideia. — Incríveis. Como isso aconteceu?

Blitzen deu uma olhada em Sam.

— Sleipnir era um dos filhos de Loki. Eles costumam nascer... interessantes.

Eu sorri.

— Então este cavalo é seu sobrinho, Sam?

Ela olhou para mim de cara emburrada.

— Não vamos tocar nesse assunto.

— Como ele virou pai de um cavalo?

Blitzen tossiu.

— Na verdade, Loki é a mãe de Sleipnir.

— O quê...?

— Não vamos *mesmo* tocar nesse assunto — avisou Sam.

Guardei a informação para pesquisar mais tarde.

— Tudo bem, sr. Cavalo, como não sabemos seu nome, vou chamar você de Stanley, porque você tem cara de Stanley. Pode ser?

O cavalo pareceu dar de ombros, o que foi bom o bastante para mim.

Colocamos Hearthstone nas costas compridas de Stanley como um saco de batatas élfico. Subimos em seguida.

— Vamos para aquele castelo lá, Stanley — expliquei para o cavalo. — Queremos uma chegada discreta. Você acha possível?

O cavalo relinchou. Tive certeza de que ele estava me avisando para me segurar.

Eu me perguntei exatamente *em que* devia me segurar, uma vez que não havia rédeas nem sela. O cavalo bateu com os cascos da frente nas pedras, pulou da lateral do penhasco e despencou diretamente para o fundo.

Então morremos.

CINQUENTA E TRÊS

Como matar gigantes delicadamente

É BRINCADEIRINHA DESSA VEZ.

Só *pareceu* que íamos morrer.

O cavalo deve ter gostado da sensação de queda livre. Eu, não. Segurei o pescoço dele e gritei de terror (o que não foi muito discreto). Enquanto isso, Blitzen se segurava na minha cintura e, atrás dele, Sam de alguma forma ficou no lugar ao mesmo tempo em que segurava Hearthstone, para que ele não caísse no abismo.

A queda pareceu durar horas, mas só deve ter durado um ou dois segundos. Durante esse tempo, pensei em vários nomes mais criativos para Stanley. Finalmente, ele mexeu as oito patas como rodas de locomotiva. Paramos de descer e começamos a subir.

Stanley passou por uma nuvem, ziguezagueou pela encosta de uma montanha e pousou no peitoril de uma janela perto do alto da fortaleza. Eu desmontei com pernas trêmulas e ajudei os outros a carregar Hearthstone.

O parapeito era tão largo que nós quatro e o cavalo podíamos ficar de pé em um canto e parecermos do tamanho de ratinhos. A janela não tinha vidro (provavelmente não existia tanto vidro no mundo), mas Stanley nos deixou atrás de um painel de cortina, e ninguém lá dentro poderia nos ver, mesmo que estivesse procurando ratos na janela.

— Obrigado — falei para o cavalo. — Foi apavorante. Quer dizer, demais.

Stanley relinchou, me deu uma mordidinha delicada e desapareceu em uma explosão de pó. No local onde estava, apareceu a runa *ehwaz*.

— Ele pareceu gostar de mim — comentei.

Blitzen se sentou ao lado de Hearthstone e concordou:

— É.

Apenas Sam não parecia perturbada. Na verdade, estava eufórica. Os olhos dela brilhavam, e ela não conseguia parar de sorrir. Acho que amava *mesmo* voar, ainda que fosse um voo de queda livre quase mortal em um cavalo de oito patas.

— É claro que Stanley gostou de você. — Ela pegou a runa. — Os cavalos são um dos animais sagrados de Frey.

— Ah.

Pensei nas minhas experiências com a polícia montada de Boston que patrulhava o Public Garden. Os cavalos sempre pareceram simpáticos, mesmo quando os cavaleiros não eram nada amigáveis. Uma vez, quando um policial montado começou a me interrogar, o cavalo saiu galopando de repente na direção de um galho baixo de árvore.

— Sempre gostei de cavalos — falei.

— Os templos de Frey tinham suas próprias manadas — contou Sam. — Nenhum mortal podia montar neles sem a permissão do deus.

— Ah, eu queria que Stanley tivesse pedido minha permissão antes de ir embora — falei. — Não temos estratégia de fuga, e Hearthstone não parece capaz de fazer feitiços no futuro próximo.

O elfo tinha recuperado a consciência... mais ou menos. Estava encostado em Blitz, rindo em silêncio e fazendo sinais aleatórios como: *Borboleta. Pop. Viva.* Blitzen botou a mão na barriga e olhou para o nada, como se estivesse pensando em jeitos interessantes de morrer.

Sam e eu nos esgueiramos até a ponta da cortina. Espiamos lá dentro e vimos que estávamos na altura do teto de uma sala imensa como um estádio. Na lareira, havia uma fogueira tão grande quanto um incêndio de baderna urbana. A única saída era uma porta de madeira fechada na parede mais distante. No centro da sala, sentadas a uma mesa de pedra, duas gigantas jantavam, destroçando uma carcaça que me lembrava o animal assado no salão de banquete de Valhala.

As gigantas não pareciam tão altas quanto a morta no rio, apesar de ser difícil ter certeza. Em Jötunheim, as proporções não faziam sentido. Eu parecia estar olhando para pessoas numa casa de espelho de um parque de diversões.

Sam cutucou meu braço.

— Olha.

Ela apontou para uma gaiola pendurada no teto, mais ou menos na nossa altura. Dentro da gaiola, largado em uma cama de palha e com aspecto infeliz, havia um cisne branco.

— É uma valquíria — disse Sam.

— Como você pode ter certeza?

— Eu tenho. Não é só isso... Tenho certeza de que é Gunilla.

Senti um arrepio.

— O que ela estaria fazendo aqui?

— Provavelmente nos procurando. As valquírias são excelentes rastreadoras. Imagino que tenha chegado aqui antes de nós e...

Sam gesticulou como se pegasse alguma coisa no ar.

— E... deixamos que ela fique aí?

— Para os gigantes comerem? Claro que não.

— Ela armou contra você. Fez você ser expulsa das valquírias.

— Mas ainda é minha capitã — disse Sam. — Ela... Bem, ela tem motivos para não confiar em mim. Alguns séculos atrás, houve um filho de Loki que foi parar em Valhala.

— Ele e Gunilla se apaixonaram — adivinhei. — Tive essa impressão quando ela me levou em um passeio pelo hotel.

Sam assentiu.

— O filho de Loki a traiu. Na verdade, ele *era* espião do meu pai. Partiu o coração dela. Bem... você pode imaginar. De qualquer modo, não vou deixá-la aqui para morrer.

Eu suspirei.

— Tudo bem.

Peguei o pingente.

Jacques, a espada, ganhou vida, zumbindo.

— Estava na hora — disse ele. — O que perdi ontem?

— Um monte de escalada — contei. — Agora, estamos olhando para mais duas gigantas. O que você acha de voar pelas narinas delas?

A espada puxou minha mão, e a lâmina espiou pela beirada da cortina.

— Cara, estamos na janela delas. Tecnicamente, atravessamos o limite da casa dos gigantes.

— E daí?

— E daí que você tem que seguir as regras! Matá-las na própria casa sem provocação seria grosseiro!

— Certo — falei. — Nós não queremos matá-las com grosseria.

— Ei, *señor*, os direitos dos convidados e os direitos dos anfitriões são protocolos mágicos importantes. São eles que impedem que as situações saiam do controle.

Blitzen resmungou no canto.

— A espada tem razão, garoto. E não, não estou de brincadeira. Devemos entrar, reivindicar direitos de convidados e negociar pelo que precisamos. Se os gigantes tentarem nos matar, *aí* podemos atacar.

Hearthstone soluçou, sorriu e gesticulou: *Máquina de lavar*.

Sam balançou a cabeça.

— Vocês dois não estão em condição de ir a lugar nenhum. Blitz, fique aqui e tome conta de Hearthstone. Magnus e eu vamos entrar, encontrar o martelo de Thor e libertar Gunilla. Se as coisas derem errado, vai ser responsabilidade de vocês dois darem um jeito de nos salvarem.

— Mas... — Blitzen colocou o punho sobre a boca e sufocou um arroto. — Tudo bem... tá. Como vocês vão chegar lá embaixo?

Sam espiou do parapeito.

— Vamos usar sua corda mágica para descer. Depois, vamos andar até as gigantas e nos apresentar.

— Odiei esse plano — falei. — Vamos lá.

CINQUENTA E QUATRO

Por que não se deve usar uma faca como trampolim

Descer de rapel pela parede do desfiladeiro foi a parte fácil.

Quando chegamos lá embaixo, comecei a ter sérias dúvidas. As gigantas eram menores do que a irmã morta, mas ainda tinham uns quinze metros. Se me pedissem para lutar com um dos dedões do pé delas, eu poderia vencer sem problema. Então não gostei das minhas chances.

— Me sinto o João no pé de feijão — murmurei.

Sam riu baixinho.

— De onde você acha que essa história veio? É uma memória cultural, um relato atenuado do que acontece quando os humanos entram em Jötunheim.

— Legal.

A espada zumbiu na minha mão.

— Além do mais, você não pode ser João. Você é Magnus.

Eu não tinha como discutir com essa lógica.

Seguimos pelo piso de pedra, passando por uma selva de poeira, migalhas de comida e poças de gordura.

A lareira estava tão quente que minhas roupas começaram a fumegar. Meu cabelo estalou. O fedor do cecê das gigantas, uma combinação de argila molhada e carne estragada, era quase tão mortal quanto uma espada entrando voando no meu nariz.

Chegamos a uma distância da mesa que nos permitiria falar com elas, mas as gigantas continuaram sem nos notar. As duas estavam de sandálias, vestidos de couro tamanho 380 e colares no estilo Flintstones, feitos com pedra polida. O cabelo preto estava preso em marias-chiquinhas. Os rostos cinzentos estavam horrivelmente pintados com blush e batom. Blitzen, meu conselheiro de moda, não estava comigo, mas eu achava que as irmãs gigantas iam para uma noitada com as amigas, apesar de ainda ser hora do almoço.

— Pronto? — perguntou Sam.

A resposta era não, mas respirei fundo e gritei:

— Oi!

As gigantas continuaram conversando, batendo os copos e mastigando a carne.

Eu tentei de novo.

— EI!

As grandonas pararam. Observaram a sala. Finalmente, a da esquerda nos viu. Caiu na gargalhada, espalhando pedaços de carne e gotas de hidromel.

— Mais humanos! Não acredito!

A outra giganta se inclinou.

— Aquilo é outra valquíria? E... — Ela farejou o ar. — Um einherji. Perfeito! Eu estava me perguntando o que teríamos para a sobremesa.

— Reivindicamos direitos de convidados! — gritei.

A giganta da esquerda fez uma careta.

— Por que você tinha que fazer isso?

— Queremos negociar. — Apontei para a gaiola, agora tão acima de nós que eu só conseguia ver a base enferrujada pairando como uma lua. — Pela liberdade daquele cisne. E também... possivelmente, sabe, se vocês tiverem alguma arma roubada por aí. Tipo, sei lá, um martelo, talvez.

— Muito discreto — murmurou Sam.

As gigantas se olharam como se estivessem se esforçando para não rir. Ficou óbvio que estavam enchendo a cara de hidromel.

— Muito bem — disse a giganta da esquerda. — Sou Gjalp. Esta é minha irmã, Griep. Aceitamos vocês como convidados para negociação. Quais são seus nomes?

— Sou Magnus, filho de Natalie — falei. — E esta é...

— Samirah, filha de Ayesha — concluiu Sam.

— Vocês são bem-vindos na casa do nosso pai, Geirröd — disse Gjalp. — Mas não consigo ouvir vocês direito aí embaixo. Vocês se importam se eu colocá-los em uma cadeira?

— Hã, tudo bem.

A outra irmã, Griep, nos pegou como se fôssemos brinquedos. Ela nos colocou em uma cadeira vazia, com o assento do tamanho de uma sala. O tampo da mesa ainda estava um metro e meio acima da minha cabeça.

— Ah, caramba — disse Griep. — Ainda não consigo ouvir. Posso levantar a cadeira para você?

Sam começou a dizer:

— Magnus...

Mas eu respondi:

— Claro.

Com um grito de alegria, Griep pegou nossa cadeira e levantou acima da cabeça. Se não fosse o encosto, Sam e eu teríamos sido esmagados no teto. Mas só caímos e levamos uma chuva de reboco.

Griep colocou a cadeira no chão. Demorou um tempo para meus olhos pararem de sacudir. Só então vi os rostos desdenhosos das gigantas acima de nós.

— Não deu certo — disse Griep, com uma decepção óbvia.

— Claro que não — reclamou Gjalp. — Você *nunca* dá esse golpe direito. Já falei, tem que ser uma coisa sem encosto, como um banco. E devíamos ter colocado aqueles espetos no teto.

— Vocês estavam tentando nos matar! — exclamei. — Isso não pode estar nas regras dos bons anfitriões.

— Matar? — Gjalp pareceu ofendida. — Essa é uma acusação totalmente sem fundamento. Minha irmã só fez o que você pediu. Ela pediu sua permissão para levantar a cadeira.

— Você acabou de dizer que era um golpe.

— Eu disse? — Gjalp piscou. De perto, os cílios cheios de rímel pareciam uma pista de obstáculos para uma corrida na lama. — Acho que não.

Olhei para a Espada do Verão, que ainda estava na minha mão.

— Jacques, elas violaram as regras do anfitrião? Porque tentar nos matar me parece meio exagerado.

— Se elas não admitirem a intenção, não — respondeu Jacques. — E as duas estão dizendo que foi sem querer.

As gigantas se empertigaram.

— Uma espada que fala? — comentou Gjalp. — Isso é interessante.

— Tem certeza que não posso levantar sua cadeira de novo para você? — ofereceu Griep. — Eu posso ir até a cozinha e buscar um banco. Não dá trabalho.

— Anfitriãs honradas — disse Sam, com a voz trêmula —, por favor, nos coloquem com segurança na mesa, para negociarmos com vocês.

Griep resmungou, aborrecida, mas fez o que Sam pediu. A giganta nos colocou ao lado do garfo e da faca dela, que eram mais ou menos do meu tamanho. A caneca seria uma ótima torre de água para uma cidade pequena. Eu só esperava que o nome não fosse Bum Papai.

— Então... — Griep se sentou novamente na cadeira. — Vocês querem libertar o cisne? Vão ter que esperar até nosso pai chegar para negociar os termos. Ela é prisioneira dele, não nossa.

— Ela é uma valquíria, claro — acrescentou Gjalp. — Entrou voando pela nossa janela ontem à noite. Ela se recusa a mostrar a forma verdadeira. Acha que consegue nos enganar ficando com essa capa boba de cisne, mas papai é inteligente demais para ela.

— Droga — falei. — Bem, nós tentamos.

— Magnus... — repreendeu Sam. — Graciosas anfitriãs, vocês podem pelo menos aceitar não matar o cisne até termos a oportunidade de falar com Geirröd?

Gjalp deu de ombros.

— Como falei, o destino dela depende do papai. Ele pode deixá-la ir se vocês se oferecerem em troca, mas não sei. Precisamos de *alguma coisa* picante para o ensopado de hoje.

— Vamos deixar para atacar esse assunto depois — sugeri.

— Isso é só uma expressão — acrescentou Sam, rapidamente. — Meu amigo não está dando permissão para vocês atacarem nada, muito menos nós.

— Boa ressalva — falei para ela.

Sam me lançou um olhar que dizia: *você é tão idiota*. Eu já estava me acostumando. Gjalp cruzou os braços, formando uma nova plataforma contra o peito.

— Vocês disseram que também querem negociar por uma arma roubada?

— É — respondi. — Uma coisa que tem a ver com trovão, se estiver com você. Não que nenhum deus do trovão tenha perdido uma arma recentemente.

Griep riu.

— Ah, nós temos uma coisa assim... uma coisa que pertence ao próprio Thor.

Como Thor não estava presente para xingar de forma criativa, Sam fez as honras e murmurou algumas palavras que eu duvidava que seus avós aprovassem.

— São apenas expressões — acrescentei rapidamente. — Minha amiga não estava dando permissão para vocês fazerem... nada dessas coisas grosseiras que disse. Vocês vão negociar conosco pelo m... pela arma da qual você falou?

— É claro! — Gjalp sorriu. — Na verdade, eu gostaria de encerrar logo as negociações, pois minha irmã e eu temos um compromisso...

— Com gigantes do gelo gêmeos muito gatos — acrescentou Griep.

— ...então vamos fazer um acordo justo — continuou Gjalp. — Vamos trocar a arma de Thor por essa adorável espada falante. E vamos libertar o cisne, tenho certeza de que papai não vai se importar, desde que vocês se entreguem em troca. Não vão conseguir um acordo melhor do que esse.

— Isso não é um acordo — resmungou Sam.

— Então recusem e vão embora em paz. Para nós, dá no mesmo.

Jacques vibrou de indignação, as runas brilhando.

— Magnus, você jamais me trocaria, não é? Nós somos amigos! Você não é como seu pai, não vai me abandonar assim que encontrar alguma outra coisa da qual gosta mais, não é?

Pensei na sugestão de Loki de entregar a espada para o meu tio Randolph. Na hora, fiquei tentado. Agora, a ideia parecia impossível, e só em parte porque a giganta queria nos colocar em uma gaiola e nos comer no jantar. Jacques já tinha salvado nossas vidas pelo menos duas vezes. Eu gostava dele, mesmo que às vezes me chamasse de *señor*.

Uma alternativa me ocorreu. Era uma ideia ruim, mas melhor do que a proposta da giganta.

— Jacques — falei —, hipoteticamente, se eu falasse para as gigantas como matamos a irmã delas, isso quebraria as regras de etiqueta dos convidados?

— *O quê?* — exclamou Gjalp.

As runas de Jacques brilharam em um tom mais alegre de vermelho.

— Não há nenhuma quebra de protocolo nisso, meu amigo, porque aquilo aconteceu antes de sermos convidados.

— Tudo bem. — Eu sorri para a giganta. — Nós matamos sua irmã. Não era uma moça grande e feia que estava tentando bloquear o rio e afogar Thor? Pois é. Ela está morta agora.

— MENTIRA! — Gjalp ficou de pé. — Humanos insignificantes! Vocês não teriam como matar nossa irmã.

— Na verdade, minha espada entrou voando pelo nariz dela e destroçou seu cérebro.

Griep uivou de fúria.

— Eu devia ter esmagado vocês como insetos! Pena que esqueci o banco e não coloquei espetos estratégicos no teto!

Vou admitir, ter duas gigantas acima de mim berrando ameaças de morte foi meio apavorante.

Mas Sam manteve a calma.

Ela apontou o machado para Griep.

— Então você *estava* tentando nos matar ainda agora!

— Claro, sua burra!

— E isso viola a regra dos anfitriões.

— Quem se importa? — gritou a giganta.

— A espada de Magnus se importa — disse Sam. — Jacques, você ouviu isso?

— Claro que ouvi. Mas eu gostaria de avisar que o esforço necessário para matar as duas gigantas pode ser demais...

— Pode matar! — Eu joguei a espada.

Jacques espiralou para cima, entrou direto pela narina direita de Griep e saiu pela esquerda. A giganta desabou, o que causou um tremor de 6,8 graus na escala Richter.

Gjalp sufocou um grito. Ela cobriu o nariz e a boca e cambaleou pela sala, enquanto Jacques tentava, em vão, abrir caminho por entre os dedos da giganta.

— Ah, essa é esperta! — gritou a espada. — Que tal uma ajudinha aqui?

— Magnus!

Sam empurrou a faca da giganta para a beirada da mesa até a lâmina se projetar como um trampolim.

Entendi o que ela queria que eu fizesse. Era loucura e burrice, mas não tinha tempo para parar e refletir. Corri com tudo e pulei na ponta da faca.

Sam gritou:

— Espere!

A essa altura, eu já estava no ar. Caí na faca, que me catapultou para cima. O plano funcionou mais ou menos. Eu aterrissei no assento vazio da cadeira, que não era tão distante a ponto de me matar, mas foi uma queda boa, suficiente para quebrar minha perna. Viva! A dor foi a de um prego quente enfiado na base da minha coluna.

Para Gjalp, foi pior. A faca rodopiante acertou-a no peito. Não a empalou. Não atravessou nem o vestido, mas o golpe foi suficiente para fazê-la gritar. Ela baixou as mãos e as levou até o peito por instinto, o que deu acesso total a Jacques ao nariz dela.

Um segundo depois, Gjalp jazia morta no chão ao lado da irmã.

— Magnus! — Sam desceu da mesa e pousou ao meu lado na cadeira. — Seu imbecil! Eu queria que você me ajudasse a jogar um saleiro na faca! Não esperava que você fosse pular nela!

— De nada. — Fiz uma careta. — Além disso, *ai*.

— A perna está quebrada?

— Está. Não se preocupe, eu me curo rápido. Talvez demore uma hora...

— Acho que não temos... — Sam começou a dizer.

Na sala ao lado, uma voz grave exclamou:

— Meninas, cheguei!

CINQUENTA E CINCO

Sou levado para a batalha pela Primeira Divisão Aérea Anã

O Papai Gigante escolheu a pior hora para voltar para casa.

Eu estava sentado na sala de jantar dele com a perna quebrada e os corpos das filhas dele caídos ao meu redor... uma situação *particularmente* ruim. Sam e eu ficamos nos olhando enquanto os passos do gigante ecoavam cada vez mais alto na sala ao lado.

A expressão de Sam dizia: *Estou sem ideias.*

Eu também não tinha nenhuma.

E, em momentos como esse, ver um anão, um elfo e um cisne caindo de paraquedas na sua cadeira é o ponto alto do seu dia. Blitzen e Hearth estavam presos lado a lado pelas cordas, com Gunilla, a ave, aninhada nos braços do elfo. Blitzen puxou os batoques e realizou um pouso perfeito. Atrás dele, o paraquedas se amontoou, um montinho de seda azul que combinava perfeitamente com seu terno. Esse foi o único fato na chegada dele que *não* me surpreendeu.

— Como...? — perguntei.

Blitzen bufou.

— Por que você parece tão surpreso? Você distraiu as gigantas por tempo suficiente. Eu seria mesmo um péssimo anão se não fosse capaz de lançar um gancho da janela até a gaiola, atravessar até lá, libertar o cisne e usar meu paraquedas de emergência para chegar aqui embaixo.

Sam apertou a ponte do nariz.

— Você tinha um paraquedas de emergência esse tempo todo?

— Não seja boba — disse Blitzen. — Anões sempre carregam paraquedas de emergência. Você não?

— Vamos falar sobre isso depois — interrompi. — Agora...

— Meninas? — chamou o gigante no aposento ao lado. A voz dele parecia meio arrastada. — Cadê vocês?

Estalei os dedos.

— Vamos lá, pessoal, opções. Sam, você e Gunilla podem nos camuflar?

— Meu hijab só consegue cobrir duas pessoas — explicou Sam. — E Gunilla... o fato de ela ainda estar na forma de cisne deve indicar que está fraca demais para voltar ao normal.

O cisne grasniu.

— Vou interpretar isso como um sim — concluiu Sam. — Pode demorar algumas horas.

— O que nós não temos. — Olhei para Hearth. — As runas?

Não tenho forças, sinalizou ele, embora não precisasse dizer nada. Ele estava de pé e consciente, mas ainda parecia ter sido atropelado por um cavalo de oito pernas.

— Jacques! — chamei a espada. — Jacques, cadê você?

Na mesa acima de nós, a espada gritou:

— Cara, o que foi? Estou me lavando nessa caneca. Um pouco de privacidade seria bom!

— Magnus — disse Sam —, você não pode pedir a ele para matar três gigantes seguidos. Esse esforço todo vai *mesmo* destruir você.

Na sala ao lado, os passos ficaram mais altos. O gigante pareceu tropeçar em alguma coisa.

— Gjalp! Griep! Eu juro... *HIC!*... Se vocês estiverem mandando mensagem de texto para aqueles gigantes do gelo outra vez, vou torcer o pescoço das duas!

— Para o chão — decidi. — Me levem para o chão!

Blitzen me pegou no colo, o que quase me fez desmaiar de dor, e gritou:

— Se segure!

E pulou da cadeira, conseguindo, de alguma forma, uma descida de paraquedas segura. Quando recuperei os sentidos, Sam, Hearth e nosso novo cisne de estimação estavam ao nosso lado, depois de aparentemente usarem a perna da cadeira para escorregar até o chão.

Eu tremia de náusea. Meu rosto estava coberto de suor e minha perna quebrada ardia como uma bolha enorme estourada, mas não tivemos tempo para detalhes menores, tipo minha dor insuportável. Do outro lado da porta que levava à sala, as sombras dos pés do gigante foram ficando cada vez maiores, embora parecessem estar oscilando.

— Blitzen, me carregue por baixo daquela porta! — pedi. — Temos que interceptar Geirröd.

— Como é que é? — perguntou o anão.

— Você é forte! Já está me segurando. Ande!

Resmungando, ele correu na direção da porta, e cada sacolejo enviava uma pontada de dor até a base do meu crânio. O paraquedas se arrastava atrás de nós. Sam e Hearth nos seguiram, com o cisne grasnando, infeliz, nos braços do elfo.

A maçaneta começou a girar. Passamos por baixo da porta e saímos do outro lado, bem entre os pés do gigante.

Eu gritei:

— OI, E AÍ?

Geirröd cambaleou para trás. Acho que não esperava encontrar um anão paraquedista carregando um humano, seguido de uma humana e um elfo com um cisne no colo.

Eu também não estava preparado para o que vi.

Primeiro, o aposento em que entramos era pelo menos da metade do tamanho da sala onde estávamos. Pela maioria dos padrões, o salão seria considerado grande. O piso preto de mármore brilhava. Fileiras de colunas de pedra se intercalavam com braseiros de ferro com brasas, como dezenas de churrasqueiras. Mas o pé-direito só tinha uns oito metros. Até a porta pela qual acabamos de passar era menor deste lado, embora isso não fizesse sentido.

Passar pelo vão da porta seria impossível agora. Na verdade, eu não via como Gjalp ou Griep conseguiriam, a não ser que mudassem de tamanho conforme entravam de sala em sala.

Talvez fosse isso que acontecesse. Gigantes eram metamorfos. Versados em magia e ilusão. Se eu ficasse muito mais tempo ali, teria que levar um suprimento grande de remédio para enjoo e óculos 3D.

Na nossa frente, Geirröd ainda estava cambaleando, balançando hidromel no chifre que servia de copo.

— Quemsãocês? — perguntou ele com a voz arrastada.

— Convidados! — gritei. — Reivindicamos direitos de convidados!

Eu duvidava que isso ainda se aplicasse, pois matamos nossas anfitriãs, mas, como minha espada preocupada com etiqueta ainda estava na sala ao lado, se lavando para tirar gosma de nariz da lâmina, ninguém me desafiou.

Geirröd franziu a testa. Ele parecia ter voltado de uma festança animada versão Jötunheim, o que era estranho, pois ainda estava cedo. Aparentemente, a balada dos gigantes durava vinte e quatro horas por dia e sete dias por semana.

Ele usava uma jaqueta rosa-escura amassada, uma camisa preta para fora da calça listrada e sapatos sociais de couro legítimo cuja confecção deve ter custado a vida de vários animais. O cabelo preto estava penteado para trás com gel, mas em alguns pontos os fios se soltavam em mechas selvagens. O rosto tinha barba por fazer de três dias. Ele fedia a mel fermentado. A impressão geral era menos "frequentador de boate na moda" e mais "bêbado bem-vestido".

A coisa mais estranha nele era o tamanho. Não que fosse baixinho. Seis metros ainda é muita coisa se você está procurando alguém para jogar na NBA ou trocar aquelas lâmpadas difíceis de alcançar. Mas o cara era minúsculo em comparação às filhas, que estavam mortas agora, claro.

Geirröd arrotou. A julgar pela testa franzida, ele estava fazendo um esforço enorme para ter pensamentos racionais.

— Se vocês são convidados... por que estão com meu cisne? E onde estão minhas filhas?

Sam forçou uma gargalhada.

— Ah, aquelas garotas malucas? Nós negociamos seu cisne com elas.

— É — falei. — Agora, elas estão no chão da outra sala. Não estão muito bem.

Fiz o gesto de beber direto da garrafa, o que deve ter confundido Hearthstone, pois parecia *eu te amo* em linguagem de sinais.

Geirröd pareceu entender o que eu quis dizer. Os ombros dele relaxaram, como se a ideia das filhas desmaiadas de tão bêbadas no chão da sala não fosse nada com que se preocupar.

— Ah — disse ele —, desde que elas não estejam... *HIC!*... com aqueles gigantes do gelo de novo.

— Não, só estavam conosco — garanti.

Blitzen grunhiu enquanto me mudava de posição nos braços.

— Você é pesado.

Hearthstone, tentando participar da conversa, fez o sinal de *eu te amo* para o gigante.

— Ah, grande Geirröd! — disse Sam. — Viemos aqui para negociar pela arma de Thor. Suas filhas nos contaram que está com você.

Geirröd olhou para a direita. Na parede mais distante, quase escondida atrás de uma coluna, havia uma porta de ferro de tamanho humano.

— E a arma está atrás daquela porta — adivinhei.

O gigante arregalou os olhos.

— Que bruxaria é essa? Como você sabe?

— Queremos fazer um acordo pela arma — repeti.

Nos braços de Hearthstone, Gunilla grasniu, irritada.

— E também pela liberdade do cisne — acrescentou Sam.

— Rá! — Geirröd derramou mais hidromel. — Eu não... *HIC!*... preciso de nada que vocês tenham a oferecer. Mas talvez vocês pudessem... *ARROTO*... ganhar a arma e o ganso dourado.

— O cisne — corrigi.

— Tanto faz — respondeu o gigante.

Blitzen choramingou:

— Pesado. Está muito pesado.

A dor na minha perna dificultava o raciocínio. Cada vez que Blitzen se movia, eu tinha vontade de gritar, mas tentei manter a cabeça lúcida.

— O que você tem em mente? — perguntei ao gigante.

— Me entretenham! Joguem comigo!

— Tipo o quê... Banco imobiliário?

— O quê? Não! Tipo queimado! — Ele fez um gesto desdenhoso na direção da sala de estar. — Eu só tenho filhas. Elas nunca querem jogar queimado comigo. Joguem comigo!

Olhei para Sam.

— Acho que ele quer jogar queimado.

— Péssima ideia — murmurou ela.

— Sobrevivam dez minutos! — disse Geirröd. — É tudo que peço! Vou ficar... *HIC!*... feliz.

— Sobreviver? — perguntei. — Em um jogo de queimado?

— Ótimo, então você concorda! — Ele cambaleou até o braseiro mais próximo e pegou um carvão fumegante do tamanho de uma poltrona. — Eu começo!

CINQUENTA E SEIS

Nunca peçam a um anão para correr mais rápido

— Corra! — gritei para Blitzen. — Vai, vai, vai!

Blitzen, que ainda estava com o paraquedas pendurado, só conseguiu tropeçar, atordoado.

— Pesado, muito pesado — ofegou ele.

Percorremos apenas uns seis metros e Geirröd gritou:

— COMEÇOU!

Nós quatro nos escondemos atrás da coluna mais próxima na hora que um pedaço de carvão bateu nela, abrindo um buraco na pedra e espalhando cinzas e fagulhas acima da nossa cabeça. A coluna estalou. Rachaduras se estenderam até o teto.

— Mais rápido! — gritou Sam.

Disparamos pelo corredor enquanto Geirröd pegava mais pedaços de carvão e os jogava com precisão impressionante. Se o gigante não estivesse bêbado, estaríamos seriamente encrencados.

A saraivada seguinte ateou fogo ao paraquedas de Blitzen. Sam conseguiu cortar as cordas com o machado, mas perdemos um tempo valioso. Outro pedaço de apocalipse em brasa abriu uma cratera no chão ao nosso lado, chamuscando as asas de Gunilla e o cachecol de Hearthstone. Centelhas voaram nos olhos de Blitzen.

— Estou cego! — exclamou ele.

— Eu oriento você! — gritei. — Esquerda! Esquerda! Sua outra esquerda!

Enquanto isso, do outro lado do aposento, Geirröd estava se divertindo, cantando em jötunnês, cambaleando de braseiro em braseiro, de vez em quando derramando hidromel em si mesmo.

— Vamos lá, pequenos convidados! Não é assim que se brinca. Vocês têm que agarrar o carvão e jogá-lo em mim!

Olhei ao redor desesperado, procurando saídas. Havia outra porta, na parede oposta da sala de jantar, mas era pequena demais para passarmos pelo vão e grande demais para conseguirmos abrir, sem mencionar que estava presa com um tronco de árvore apoiado em suportes de ferro.

Pela primeira vez desde que me tornei einherji, fiquei irritado por minha cura super-rápida não estar sendo rápida o bastante. Se íamos morrer, eu queria pelo menos estar apoiado nas minhas próprias pernas.

Olhei para o teto. Acima da última coluna que Geirröd acertou, rachaduras começaram a se espalhar. A coluna envergou, pronta para se partir. Eu me lembrei da primeira vez que minha mãe me fez montar a barraca de camping sozinho. Os suportes foram um pesadelo. Fazer com que sustentassem a tenda exigia o equilíbrio certo de tensão. Mas fazê-la desabar... era fácil.

— Tive uma ideia — falei. — Blitzen, você vai ter que me carregar mais um pouco, a não ser que Sam...

— Hã, não — respondeu ela.

— Estou bem — disse Blitzen, arfando. — Estou ótimo. Quase consigo enxergar de novo.

— Tudo bem, pessoal! Vamos correr na direção do gigante.

Eu não precisava entender linguagem de sinais para ler a expressão de espanto de Hearth: *Você está louco?* O cisne me olhou do mesmo jeito.

— Confiem em mim — pedi. — Vai ser divertido.

— Por favor — implorou Sam —, não deixe que essas palavras sejam escritas na minha lápide.

Eu gritei para o gigante:

— Ei, Geirröd, você joga como um morador de Fólkvangr!

— O quê? Argh!

Geirröd se virou para pegar outro carvão.

— Direto para ele — falei para os meus amigos. — Agora!

Enquanto o gigante se preparava para jogar, gritei para Blitzen:

— Direita, vá para a direita!

Nos escondemos atrás de outra coluna. O pedaço de carvão atravessou o pilar, espalhando brasas e criando mais rachaduras no teto.

— Agora, para a esquerda — falei para os meus amigos. — Na direção dele até a coluna seguinte.

— O que você... — Sam arregalou os olhos quando entendeu. — Ah, deuses, você é *mesmo* maluco.

— Você tem uma ideia melhor?

— Infelizmente, não.

Corremos na frente de Geirröd.

— Suas filhas não estão bêbadas! — gritei. — Estão mortas!

— O QUÊ? NÃO!

Outro disparo de carvão foi lançado na nossa direção e acertou a coluna mais próxima com tanta força que ela explodiu em uma pilha de pedras colossais.

O teto cedeu um pouco. As rachaduras aumentaram. Corremos pelo meio da sala, e eu gritei:

— ERROU DE NOVO!

Geirröd uivou de fúria. Ele largou o chifre com a bebida para pegar pedaços de carvão com as duas mãos. Felizmente para nós, a raiva deixou sua mira péssima. Corremos ao redor do gigante, indo de uma coluna para outra enquanto ele espalhava carvão para todo lado, tropeçando em braseiros e quebrando pilares.

Eu insultei a jaqueta de Geirröd, seu corte de cabelo, os sapatos de couro. Finalmente, ele jogou um braseiro inteiro em nossa direção, derrubando o último pilar do lado da sala em que estávamos.

— Recuar! — falei para Blitzen. — Vão! AGORA!

O pobre Blitzen bufou e ofegou. Corremos até a parede mais distante enquanto Geirröd gritava:

— Covardes! Vou matá-los!

Ele poderia ter corrido atrás de nós, mas a mente bêbada do gigante ainda estava concentrada em encontrar projéteis com os quais pudesse nos atacar. Procurou mais carvões ao redor enquanto o teto desabava.

Quando percebeu o que estava acontecendo, era tarde demais. O gigante olhou para cima e gritou enquanto metade do aposento desabava sobre ele, enterrando Geirröd debaixo de mil toneladas de pedra.

Quando me dei conta, eu estava no chão, coberto de pó e detritos, me esforçando para não botar meus pulmões para fora de tanto tossir.

Lentamente, o ar foi ficando mais limpo. A poucos metros, Sam estava sentada de pernas cruzadas, também tossindo e ofegando, parecendo ter sido empanada em farinha.

— Blitzen! — chamei. — Hearth!

Estava tão preocupado com os dois que até me esqueci da perna quebrada. Tentei me levantar e fiquei surpreso ao ver que conseguia. A perna ainda latejava de dor, mas sustentou meu peso.

Blitzen saiu cambaleando de uma nuvem de poeira.

— Aqui — grunhiu ele.

O terno estava destruído. O cabelo e a barba ficaram prematuramente grisalhos com o pó.

Eu o abracei com força.

— Você é o anão mais forte e incrível do mundo!

— Se você diz, garoto. — Ele deu um tapinha no meu braço. — Onde está Hearthstone? Hearth!

Em momentos assim, esquecíamos que gritar o nome de Hearthstone não adiantava nada.

— Ali está ele — disse Sam, tirando um pouco dos escombros de cima do elfo caído. — Acho que está bem.

— Graças a Odin! — Blitzen saiu andando, mas quase caiu.

— Opa. — Eu o apoiei em uma das colunas que restaram. — Descanse por um segundo. Eu já volto.

Corri até Sam e a ajudei a tirar Hearthstone do meio dos destroços.

O cabelo do elfo estava soltando fumaça, mas, fora isso, ele parecia bem. Nós o ajudamos a se levantar. Na mesma hora, ele começou a me repreender em linguagem de sinais: *Burrice? Tentando nos matar?*

Demorei um instante para perceber que ele não estava segurando o cisne.

— Espere — falei. — Onde está Gunilla?

Atrás de mim, Blitzen soltou um gritinho. Eu me virei e me vi no meio de uma crise com um refém.

— Estou bem aqui! — Gunilla estava novamente na forma humana, atrás de Blitzen, com a ponta da lança cintilante encostada na garganta dele. — E vocês quatro vão voltar para Valhala como meus prisioneiros.

CINQUENTA E SETE

Sam aperta o botão de EJETAR

Gunilla empurrou a ponta da lança na jugular de Blitz.

— Não cheguem mais perto — avisou ela. — Traidores e mentirosos, todos vocês. Botaram Midgard e Asgard em perigo, atiçaram os gigantes, criaram caos nos reinos...

— Nós também salvamos você de uma gaiola — acrescentei.

— Depois de me atraírem até aqui!

— Ninguém atraiu você — disparei. — Ninguém pediu que você nos caçasse.

— Gunilla. — Samirah largou o machado. — Solte o anão, por favor.

— Urgh — concordou Blitzen.

A capitã das valquírias olhou para Hearthstone.

— Elfo... nem *pense* nisso. Coloque o saco de runas no chão, senão transformo você em cinzas.

Eu não tinha percebido que Hearthstone estava prestes a fazer alguma coisa. Ele obedeceu à ordem de Gunilla, mas com os olhos em brasas. Hearth parecia querer fazer com a valquíria algo bem pior do que colocá-la em uma rodinha de hamster mágica.

Sam levantou as mãos.

— Não vamos lutar com você. Por favor, solte o anão. Nós sabemos o que a lança de uma valquíria é capaz de fazer.

Eu não sabia, mas tentei parecer o mais dócil e inofensivo possível. Do jeito como estava exausto, não foi difícil.

Gunilla me olhou.

— Onde está a espada, Magnus?

Indiquei a extremidade destruída do corredor.

— Na última vez que a vi, estava tomando banho em uma caneca.

Gunilla pensou no que eu disse. Era o tipo de declaração que só fazia sentido no mundo maluco dos vikings.

— Muito bem.

Ela empurrou Blitzen na minha direção e apontou a lança para a frente, pronta para desferir um golpe. A luz que a arma emanava era tão intensa que parecia estar assando minha pele.

— Vamos voltar para Asgard assim que eu recuperar minha força — disse Gunilla. — Enquanto isso, explique por que vocês perguntaram ao gigante sobre a arma de Thor.

— Ah... — Eu me lembrei de Thor sendo bem específico sobre não contar a ninguém a respeito do martelo desaparecido. — Bem...

— Foi um truque — interrompeu Sam. — Para confundir os gigantes.

Gunilla semicerrou os olhos.

— Um truque perigoso. Se os gigantes acreditassem que Thor perdeu o martelo... as consequências seriam imensuráveis.

— Falando em consequências imensuráveis — interrompi —, Surt vai soltar o lobo Fenrir amanhã à noite.

— Hoje à noite — corrigiu Sam.

Meu estômago despencou.

— Hoje não é terça-feira? Freya disse que a lua cheia era na quarta...

— Que tecnicamente começa no pôr do sol de terça — disse Sam. — Hoje é a primeira noite de lua cheia.

— Ah, mas que maravilha. Por que não me disse isso antes?

— Achei que você tivesse entendido.

— Silêncio, os dois! — ordenou Gunilla. — Magnus Chase, você caiu nas mentiras dessa filha de Loki.

— Você quer dizer que a lua cheia não vai ser hoje?

— Não, é hoje. Eu quis dizer... — Gunilla franziu a testa. — Pare de me confundir!

Blitzen choramingou quando ela apontou a lança brilhante na direção dele. Hearthstone se aproximou de mim com os punhos fechados.

Eu levantei as mãos.

— Gunilla, só estou dizendo que, se você não deixar que a gente impeça Surt...

— Eu avisei — disse Gunilla. — Ouvir Samirah só vai apressar o Ragnarök. Sinta-se afortunado por ter sido *eu* e não as outras valquírias ou seus antigos colegas einherjar quem encontrou vocês. Eles estão ansiosos para matar você, Magnus, e provar lealdade a Valhala. Eu, pelo menos, vou cuidar para que vocês tenham um julgamento adequado antes de os lordes jogarem suas almas em Ginnungagap!

Samirah e eu trocamos olhares. Não tínhamos tempo para sermos capturados e enviados de volta a Valhala. Eu não tinha tempo para ter minha alma jogada em um lugar cujo nome eu nem conseguia pronunciar.

Hearthstone nos salvou. O rosto dele foi tomado pelo medo. Ele apontou para trás de Gunilla como se Geirröd estivesse se levantando dos escombros. Era o truque mais antigo dos nove mundos, mas deu certo.

Gunilla olhou para trás. Sam correu como um raio. Em vez de tentar derrubar a capitã das valquírias, ela apenas encostou no bracelete dourado no braço de Gunilla.

O ar zumbiu como se alguém tivesse ligado um aspirador de pó industrial.

Gunilla deu um berro. Olhou para Sam, confusa.

— O que você...?

A valquíria implodiu. Encolheu até virar um ponto de luz e sumir.

— Sam! — Eu não conseguia acreditar no que tinha acontecido. — Você... você a matou?

— Claro que não! — Sam deu um tapa no meu braço. (Felizmente, eu não implodi.) — Fiz com que ela fosse chamada de volta a Valhala.

— O bracelete? — perguntou Blitzen.

Sam deu um sorriso modesto.

— Eu não sabia se funcionaria. Acho que minhas digitais ainda não foram tiradas do banco de dados das valquírias.

Hearthstone virou a mão. *Explique.*

— Os braceletes das valquírias têm um dispositivo de emergência — disse Sam. — Se uma valquíria é ferida em batalha e precisa de cuidados imediatos, outra valquíria pode enviá-la de volta para os Salões da Cura apenas tocando no bracelete. Ela é removida na mesma hora, mas é uma magia poderosa. Basta um uso, e o bracelete derrete.

Fiquei olhando para ela.

— Então Gunilla foi mandada para Valhala.

— Foi. Mas não temos muito tempo. Ela vai voltar assim que recuperar as forças. Imagino que com reforços.

— O martelo de Thor — falei. — No depósito.

Corremos até a pequena porta de ferro. Eu gostaria de poder dizer que planejei cuidadosamente o desabamento do teto de modo que a porta não ficasse enterrada em escombros. Na verdade, tive sorte.

O machado de Sam quebrou a tranca com um único golpe. Hearthstone abriu a porta. Dentro havia um armário, vazio exceto por uma haste de ferro do tamanho de um cabo de vassoura apoiada em um canto.

— Ah — disse. — Isso foi meio anticlimático.

Blitz observou a vara de ferro.

— Não sei, garoto. Está vendo as runas entalhadas? Não é Mjölnir, mas esse cajado foi forjado com magia poderosa.

O rosto de Sam se transformou.

— Ah... a arma de Thor. Só não é a arma *certa*.

Assentindo, Blitzen disse:

— É.

— Algum de vocês pode me explicar do que estão falando? — pedi.

— Garoto, essa é uma das armas alternativas de Thor — explicou Blitz. — O cajado foi presente de uma amiga dele... a giganta Grid.

— Três perguntas. Primeira: Thor tem uma amiga giganta?

— Tem — respondeu Blitz. — Nem todos os gigantes são maus.

— Segunda: todos os nomes de gigantas começam com G?

— Não.

— Última pergunta: Thor faz artes marciais? Tem um nunchaku por aqui também?

— Ei, garoto, não despreze o cajado. Pode não ter sido forjado por anões como o martelo, mas ferro de gigantes é coisa poderosa. Espero que a gente consiga levá-lo para Thor. Tenho certeza de que é pesado e protegido por encantamentos.

— Não precisa se preocupar com isso! — bradou uma voz vinda do alto.

O deus do trovão entrou voando por uma das janelas em uma carruagem puxada por Otis e Marvin. Jacques estava pairando ao lado deles.

Thor pousou na nossa frente em toda a sua glória desgrenhada.

— Bom trabalho, mortais! — Ele sorriu. — Vocês encontraram o cajado. É melhor do que nada!

— E, cara — disse Jacques —, só fui tomar um banhinho rápido. Quando vejo, além de você ter deixado a sala, também fez a saída desmoronar. O que uma espada deveria pensar?

Eu engoli um comentário.

— É. Desculpe, Jacques.

Thor esticou o braço na direção do depósito. A vara de ferro voou para a mão dele. O deus executou alguns golpes, investidas e rodopios da haste.

— Sim, vai ajudar muito até eu encontrar minha... ah, *outra* arma que não está oficialmente desaparecida. Obrigado!

Precisei resistir à vontade de dar um tapa nele.

— Você tem uma carruagem voadora?

— É claro! — Ele riu. — Thor sem sua carruagem voadora seria como um anão sem um paraquedas de emergência!

— *Viu?* — disse Blitz.

— Você podia ter nos trazido direto para cá — comentei. — Podia ter nos poupado um dia e meio e várias experiências de quase morte. Mas nos deixou subir aquele penhasco, passar por um abismo...

— Eu jamais privaria vocês da oportunidade de provarem seu heroísmo! — esbravejou o deus do trovão.

Blitzen choramingou.

Hearthstone sinalizou: *Odeio esse cara.*

— Exatamente, sr. Elfo! — disse Thor. — Foi uma oportunidade de ouro para vocês provarem sua coragem. De nada!

Otis baliu e bateu os cascos.

— Além do mais, o chefe não podia aparecer aqui sem o martelo, principalmente com a filha dele presa na gaiola.

Sam fez uma careta.

— Vocês *sabiam*?

Thor olhou de cara feia para o bode.

— Otis, precisamos ter outra conversinha sobre você ficar de focinho calado.

— Desculpe. — Otis baixou os chifres. — Pode me matar. Tudo bem.

Marvin deu uma mordiscada nele.

— Cale a boca! Toda vez que você é morto, eu sou morto!

Thor revirou os olhos para o teto.

— "Que tipo de animais você quer puxando sua carruagem, Thor?", perguntou meu pai. "Bodes", eu respondi. "Bodes voadores reconsumíveis seriam ótimos." Eu poderia ter escolhido dragões ou leões, mas nãããão. — Ele olhou para Sam. — Para responder à sua pergunta, sim, eu senti que Gunilla estava aqui. Normalmente sei quando um dos meus filhos está por perto. Concluí que, se vocês pudessem salvá-la, seria um ótimo bônus. Mas também não queria que ela soubesse que meu martelo está desaparecido. Essa informação é meio delicada. Devia se sentir honrada de eu ter contado para *você*, filha de Loki.

Sam recuou.

— Você sabe disso? Escute, lorde Thor...

— Garota, pare de me chamar de *lorde*. Sou um deus do povo, não um lorde! E não se preocupe, não vou matar você. Nem todos os filhos de Loki são maus. Até o próprio Loki... — Ele deu um suspiro. — Eu meio que sinto falta dele.

Sam olhou para o deus de soslaio.

— Sente?

— Ah, claro. — Thor coçou a barba ruiva. — Na maior parte do tempo, tenho vontade de matá-lo, como na vez em que ele cortou todo o cabelo da minha esposa ou quando me convenceu a usar um vestido de noiva.

— Convenceu você a fazer o quê? — perguntei.

Ele simplesmente prosseguiu:

— Mas Loki deixava a vida mais interessante. As pessoas ficaram com a ideia de que somos irmãos, o que não é verdade. Ele é irmão de sangue de *Odin*.

Mas entendo como o boato começou. Eu odeio admitir, mas Loki e eu formávamos uma ótima equipe.

— Como Marvin e eu — sugeriu Otis. — Meu terapeuta disse...

— Cale a boca, seu burro! — gritou Marvin.

Thor girou o cajado de ferro.

— De qualquer modo, obrigado. Essa arma vai me ajudar até eu conseguir encontrar o *outro* objeto. E, por favor, *NÃO* mencionem isso para ninguém. Nem mesmo para os meus filhos. *Principalmente* para eles. Senão, vou ter que matar vocês, e talvez eu até me sinta mal por isso.

— Mas o que o senhor vai fazer sem Mjölnir? — perguntou Sam. — Como vai...?

— Ver televisão? — Thor deu de ombros. — Eu sei... o tamanho e a resolução da tela na ponta deste cajado são terríveis, mas vai ter que servir. Quanto a vocês, a ilha de Lyngvi surge das ondas hoje. Vocês têm que correr! Adeus, mortais, e...

— Espere — interrompi. — Precisamos da localização da ilha.

Thor franziu a testa.

— Ah, é verdade. Eu prometi contar isso para vocês. Bem, o que vocês têm que fazer é procurar os irmãos anões no píer Long Wharf, em Boston. Eles vão levar vocês à ilha. O barco deles costuma partir ao pôr do sol.

— Ah, anões. — Blitz assentiu com aprovação. — Então podemos confiar neles?

— Ah, não — respondeu Thor. — Aqueles dois vão tentar matar vocês na primeira oportunidade, mas *sabem* o caminho para a ilha.

— Lorde Th... quer dizer, Thor — disse Sam. — Você não quer vir conosco? É uma batalha importante, o lorde do fogo, Surt, e o lobo Fenrir. Deve merecer sua atenção.

O olho direito de Thor tremeu.

— É uma proposta boa. De verdade. Eu adoraria ir, mas tenho outro compromisso urgente...

— *Game of Thrones* — explicou Marvin.

— Cale a boca! — Thor ergueu o cajado acima das nossas cabeças. — Usem bem seu tempo, heróis. Preparem-se para a batalha e estejam no Long Wharf antes do pôr do sol!

A sala começou a girar. Jacques, a espada, voou para minha mão e me inundou de exaustão.

Eu me apoiei na coluna mais próxima.

— Thor, para onde você está nos enviando?

O deus do trovão riu.

— Para onde cada um de vocês precisa ir.

Jötunheim desabou ao meu redor como uma barraca caindo na minha cabeça.

CINQUENTA E OITO

Quem diabos é Hel?

Eu estava sozinho no meio de uma tempestade de neve em Bunker Hill.

Minha exaustão tinha passado. Jacques voltou à forma de pingente no meu pescoço. Nada fazia sentido, mas não parecia um sonho.

Eu sentia como se estivesse mesmo em Charlestown, do outro lado do rio de Boston, bem onde meu ônibus do quarto ano nos deixou em um dos passeios da escola. Cortinas finas de neve caíam nas casas de pedra marrom. O parque em si não era mais do que um campo branco com algumas árvores nuas. No centro, um obelisco cinza se projetava rumo ao céu de inverno. Depois de ter passado um tempo na fortaleza de Geirröd, o monumento parecia pequeno e triste.

Thor dissera que eu havia sido enviado para onde precisava ir. Por que eu tinha que estar ali e não junto dos meus amigos?

Uma voz atrás do meu ombro disse:

— Trágico, não?

Eu nem me mexi. Acho que estava acostumado a entidades nórdicas invadindo sem aviso meu espaço pessoal.

Ao meu lado, olhando para o monumento, estava uma mulher com a pele pálida de elfo e longos cabelos negros. De perfil, parecia linda, com uns vinte e cinco anos. A capa de arminho cintilava como uma torrente de neve ao vento.

De repente, ela se virou para mim, e meus pulmões se apertaram no peito.

O lado direito do rosto da mulher era um pesadelo: pele murcha, gelo azul cobrindo pedaços de carne em putrefação, lábios finos como membranas sobre dentes podres, um olho branco e leitoso e tufos de cabelo ressecado como teias de aranha pretas.

Tentei dizer a mim mesmo: *Calma, isso não é tão ruim. Ela é que nem o Duas Caras do Batman.* Mas o Duas Caras sempre me pareceu meio cômico; fala sério, ninguém com o rosto tão danificado poderia estar vivo.

A mulher diante de mim era *bem* real. Parecia que tinha ficado presa com metade do corpo exposto a uma nevasca. Na verdade... parecia mais um demônio horrendo que tentou se transformar em humano, mas foi interrompido no meio do processo.

— Você é Hel. — Minha voz soou como se eu tivesse cinco anos de novo.

Ela levantou a mão direita esquelética, prendeu um tufo de cabelo atrás da orelha... ou melhor, de um pedaço de carne destruída por geladura que talvez já tivesse sido uma orelha.

— Eu sou Hel — concordou a mulher. — Às vezes sou chamada de Hela, embora a maior parte dos mortais não ouse pronunciar meu nome. Não vai fazer nenhuma piadinha, Magnus Chase? *Está no inferno, abraça o capeta? Estou achando você meio caidinha, hein?* Esperava mais coragem de você.

Eu tinha acabado de ficar sem coragem nenhuma. O melhor que conseguia era não sair correndo e gritando. Uma rajada de vento soprou sobre Hel, e alguns pedaços de pele necrosada do antebraço zumbi saíram voando junto com a neve.

— O q-que você quer? — perguntei. — Já estou morto. Sou um einherji.

— Eu sei disso, jovem herói. Não quero sua alma. Já tenho muitas. Chamei você aqui para conversar.

— *Você* me chamou? Achei que Thor...

— Thor. — A deusa pronunciou o nome com certo deboche. — Se estiver procurando alguém capaz de zapear por cento e setenta canais de conteúdo HD, fale com Thor. Mas se tiver que enviar pessoas com precisão pelos nove mundos, ele não é de grande ajuda.

— Então...

— Então achei que estava mais do que na hora de conversarmos. Meu pai mencionou que eu procuraria por você, não foi? Ele lhe deu uma saída, Magnus. Entregue a espada para seu tio. Tire-a da jogada. É sua última oportunidade. Talvez você possa aprender uma lição com este lugar.

— Bunker Hill?

Ela se virou na direção do monumento, deixando só o lado mortal visível.

— Triste e sem sentido. Outra batalha inútil, como esta em que você está prestes a entrar...

Era verdade que eu estava meio enferrujado em história americana, mas tinha certeza de que não construíram monumentos no local de eventos tristes e sem sentido.

— Bunker Hill não foi uma vitória? Com os americanos rechaçando os britânicos do alto da colina? Só atirem quando virem...

Ela me encarou com olhos leitosos de zumbi, e não consegui me obrigar a dizer *o branco dos olhos deles*.

— Para cada herói, mil covardes — disse Hel. — Para cada morte honrosa, mil sem sentido. Para cada einherji... mil almas que entram no *meu* reino.

Ela apontou com a mão murcha.

— Bem aqui, um garoto britânico da sua idade morreu atrás de um fardo de feno, chorando e chamando a mãe. Era o mais jovem do regimento. O próprio comandante atirou nele por covardia. Você acha que ele gosta desse lindo monumento? E ali, no alto da colina, depois que a munição acabou, seus ancestrais jogaram pedras nos britânicos e lutaram como homens das cavernas. Alguns fugiram. Outros ficaram e foram massacrados com baionetas. Quem foi mais inteligente?

Hel sorriu. Eu não sabia que lado da boca era mais macabro, o zumbi ou a bela mulher que se divertia com massacres.

— Ninguém chegou a dizer *o branco dos olhos deles* — prosseguiu. — Isso foi uma lenda, inventada anos depois. Aqui nem sequer é Bunker Hill. É Breed's Hill. E, apesar de a batalha ter saído muito cara para os britânicos, os americanos não venceram. Foram derrotados. A memória humana é assim... esquece a verdade e acredita no que for mais conveniente.

Neve derreteu no meu pescoço e umedeceu minha gola.

— O que você quer dizer? Que não devo lutar? Que devo deixar Surt libertar seu irmão, o Lobo Mau?

— Eu só aponto as opções — disse Hel. — Bunker Hill afetou mesmo o resultado da revolução? Se enfrentar Surt hoje, você estará adiando o Ragnarök ou acelerando-o? Entrar na batalha é o que o herói faria, o tipo de pessoa que vai parar em Valhala. Mas e as milhões de almas que viveram de maneira mais cautelosa e morreram tranquilamente na cama, de velhice? Elas acabaram no meu reino. Não foram mais sábias? Você pertence mesmo à Valhala, Magnus?

As palavras das Nornas pareciam espiralar ao meu redor no frio. *Escolhido por engano, não era sua hora; um herói que, em Valhala, não pode permanecer agora.*

Pensei no meu colega de corredor, T.J., ainda carregando o rifle e usando o casaco da Guerra Civil, correndo pelas colinas dia após dia em uma série de batalhas infinitas, esperando a morte final no Ragnarök. Pensei em Mestiço Gunderson, tentando manter a sanidade cursando doutorado em literatura quando não estava no modo berserker e esmagando crânios. Meu lugar era com esses caras?

— Leve a espada para seu tio — pediu Hel. — Deixe que os eventos se desenrolem sem você. É o caminho mais seguro. Se fizer isso... meu pai, Loki, pediu que eu recompensasse você.

A pele do meu rosto ardeu. Tive um medo irracional de estar sofrendo de geladura, assim como Hel.

— Me recompensar?

— Helheim não é um lugar tão ruim — explicou a deusa. — Meu salão tem muitas câmaras adoráveis para meus hóspedes favoritos. Posso promover um encontro.

— Um encontro... — Eu mal consegui dizer as palavras. — Com minha mãe? Você está com ela?

A deusa pareceu considerar a pergunta, inclinando a cabeça, metade viva, metade morta.

— Eu *poderia* conseguir. O status da alma dela, de tudo que ela era, ainda está no fluxo.

— Como...? Eu não...

— As orações e os desejos dos vivos costumam afetar os mortos, Magnus. Os mortais sempre souberam disso. — Ela mostrou os dentes, podres de um lado, imaculadamente brancos do outro. — Não posso devolver Natalie Chase à vida, mas posso unir vocês dois em Helheim se for seu desejo. Posso unir as almas de vocês lá, para que nunca se separem. Vocês poderiam voltar a ser uma família.

Tentei imaginar aquilo. Minha língua congelou na boca.

— Não precisa falar — disse Hel. — Só me dê uma indicação. Chore por sua mãe. Deixe suas lágrimas caírem, e vou saber que concorda. Mas tem que decidir agora. Se rejeitar minha proposta, se insistir em lutar sua própria batalha de Bunker Hill esta noite, juro que nunca mais verá sua mãe novamente, nem nesta vida e nem em nenhuma outra.

Pensei em minha mãe jogando pedrinhas comigo no Houghton's Pond, os olhos verdes brilhantes de alegria. Ela abrindo os braços sob o sol, tentando explicar como era o meu pai. *Foi por isso que eu trouxe você aqui, Magnus. Não consegue sentir? Ele está ao nosso redor.*

Depois, imaginei minha mãe em um palácio frio e escuro, com a alma presa por toda a eternidade. Lembrei do meu próprio cadáver na capela, uma relíquia embalsamada, vestida para exibição. Pensei nos rostos das almas afogadas girando na rede de Ran.

— Você está chorando — reparou Hel com satisfação. — Então temos um acordo?

— Você não entende. — Olhei para a deusa. — Estou chorando porque sei o que minha mãe ia querer. Ela ia querer que eu me lembrasse de como ela era. É o único monumento de que precisa. Ela não ia querer ficar presa, preservada, obrigada a viver como um fantasma em um submundo frio de depósito.

Hel fez cara feia, com o lado direito do rosto se enrugando e rachando.

— Você ousa?

— Você não queria coragem? — Tirei o pingente da corrente. Jacques, a espada, assumiu seu tamanho original, a lâmina soltando fumaça no frio. — Me deixe em paz. Diga a Loki que não temos acordo. Se eu vir você de novo, corto bem na linha pontilhada.

Ergui a espada.

A deusa se dissolveu na neve. Tudo ao meu redor sumiu. De repente, me vi equilibrado na beirada de um telhado, cinco andares acima do asfalto.

CINQUENTA E NOVE

O terror que é o ensino fundamental

Antes que eu pudesse despencar para a morte, alguém me segurou e me puxou para trás.

— Opa, caubói — disse Sam.

Ela estava vestindo um casaco novo, azul-marinho dessa vez, com calça jeans escura e botas. Azul não era minha cor favorita, mas a deixou com uma aparência digna e séria, como uma oficial da força aérea. O lenço estava salpicado de neve. O machado não estava preso no cinto; acho que Sam o havia guardado na mochila.

Ela não pareceu surpresa de me ver. Na verdade, a expressão era preocupada, o olhar, distante.

Meus sentidos começaram a se ajustar. Jacques ainda estava na minha mão. Por algum motivo, não senti nenhum cansaço pelo assassinato recente das irmãs gigantas.

Abaixo de nós, a área asfaltada não era exatamente um parquinho — estava mais para um trecho entre prédios da escola. Dentro da cerca, algumas dezenas de alunos se amontoavam em pequenos grupos, conversando perto de portas ou se empurrando no gelo. Pareciam do sétimo ano, mas era difícil ter certeza com todo mundo de casaco escuro.

Fiz a espada voltar à forma de pingente e a prendi na corrente. Eu achava que não devia andar pelo telhado de uma escola segurando uma arma.

— Onde estamos? — perguntei a Sam.

— No meu antigo lar. — A voz dela tinha um tom amargo. — A Malcolm X Middle School.

Tentei imaginar Sam no pátio, no meio dos grupos de garotas, o lenço como a única coisa colorida na multidão.

— Por que Thor mandou você para o fundamental? Parece crueldade.

Ela deu um sorrisinho.

— Na verdade, ele me transportou para casa. Eu apareci no meu quarto, bem na hora em que Jid e Bibi entraram para perguntar onde diabos eu estava. A conversa foi pior do que o fundamental.

Meu coração afundou no peito. Estive tão concentrado nos meus próprios problemas que esqueci que Sam estava tentando manter uma vida normal no meio de tudo aquilo.

— O que você disse para eles?

— Que estava com uma amiga. Vão supor que eu estava falando de Marianne Shaw.

— E não com três caras estranhos.

Ela cruzou os braços.

— Falei para Bibi que tentei mandar uma mensagem de texto para ela, o que é verdade. Ela vai achar que foi culpa dela. Bibi é péssima com celulares. Na verdade, Jötunheim não tem sinal. Eu... eu tento não *mentir*, mas odeio enganá-los. Depois de tudo que fizeram por mim, eles têm medo de eu me meter em confusão, de acabar como a minha mãe.

— Você quer dizer uma médica bem-sucedida que gostava de ajudar pessoas? Nossa, seria terrível.

Ela revirou os olhos.

— Você sabe o que quero dizer, uma rebelde, um constrangimento. Eles me trancaram no quarto, disseram que eu estava de castigo até o Juízo Final. Não tive coragem de dizer que esse dia talvez fosse hoje.

O vento aumentou e girou as velhas hélices de ventilação de metal como cata-ventos.

— Como você saiu de lá? — perguntei.

— Eu não saí. Só apareci aqui. — Sam olhou para o pátio. — Talvez eu precisasse de um lembrete de como tudo começou.

Meu cérebro parecia tão enferrujado quanto as pás da ventilação do telhado, mas um pensamento ganhou tração e começou a girar.

— Foi aqui que você se tornou uma valquíria.

Sam assentiu.

— Um gigante do gelo... entrou na escola. Talvez procurando por mim, talvez caçando algum outro semideus. Destruiu algumas salas de aula, gerou pânico. Não parecia ligar se mortais morreriam. A escola se isolou. Ninguém sabia o que estava acontecendo. As pessoas achavam que um humano maluco estava criando confusão. Chamaram a polícia, mas não havia tempo...

Ela colocou as mãos nos bolsos do casaco.

— Eu provoquei o gigante: insultei a mãe dele, esse tipo de coisa. Então o atraí aqui para o telhado e... — Ela olhou para baixo. — Ele não sabia voar. Caiu bem ali no asfalto e se estilhaçou em um milhão de pedacinhos de gelo.

Ela pareceu estranhamente constrangida.

— Você enfrentou um gigante sozinha — observei. — Salvou sua escola.

— Acho que sim. Os funcionários, a polícia... ninguém nunca entendeu o que houve. Todo mundo achou que o cara tinha fugido. Na confusão, ninguém reparou no que eu fiz... exceto Odin. Depois que o gigante morreu, o Pai de Todos apareceu na minha frente, bem onde você está. Ele me ofereceu o trabalho de valquíria. E eu aceitei.

Depois da minha conversa com Hel, eu não acreditava que pudesse me sentir ainda pior. A perda da minha mãe ainda doía tanto quanto na noite em que ela morreu. Mas a história de Sam fez com que eu me sentisse mal de uma forma diferente. Sam me levou para Valhala. Perdeu seu lugar entre as valquírias porque acreditou que eu fosse um herói, um herói como *ela*. E, apesar de tudo o que aconteceu depois, ela não parecia me culpar.

— Você se arrepende? — perguntei. — De ter levado minha alma quando morri?

Sam riu baixinho.

— Você não entende, Magnus. Me *mandaram* levar você para Valhala. E não foi Loki. Foi o próprio Odin.

O pingente se aqueceu no meu pescoço. Por um instante, senti cheiro de rosas quentes e morangos, como se eu tivesse pisado em um bolsão de verão.

— Odin — repeti. — Pensei que ele estivesse sumido... que não aparecesse desde que você virou uma valquíria.

— Ele me mandou não dizer nada. — Sam estremeceu. — Acho que fracassei nisso também. Na noite anterior à sua luta com Surt, Odin me encontrou em frente à casa dos meus avós. Estava disfarçado de mendigo, com barba suja, um casaco azul velho, um chapéu de aba larga. Mas eu sabia quem ele era. O tapa-olho, a voz... Ele mandou que eu ficasse de olho e que o levasse para Valhala, se você lutasse bem.

No pátio, o sinal tocou, anunciando o fim do recreio. Os alunos entraram, empurrando uns aos outros e rindo. Para eles, era um dia de aula normal, o tipo de dia do qual eu mal conseguia me lembrar.

— Fui *escolhido por engano* — falei. — As Nornas disseram que eu não devia estar em Valhala.

— Mas você estava — retrucou Sam. — Odin previu. Não sei por que a contradição, mas temos que terminar essa missão. Temos que chegar à ilha hoje à noite.

Vi a neve apagar os passos no pátio vazio. Em pouco tempo, não haveria mais rastro dos alunos, tanto quanto não havia do impacto do gigante do gelo dois anos antes.

Eu não sabia o que pensar sobre Odin ter me escolhido para Valhala. Acho que devia me sentir honrado. O Pai de Todos achava que eu era importante. Ele me escolheu, independentemente do que as Nornas disseram. Mas, se era verdade, por que Odin não se deu ao trabalho de me encontrar pessoalmente? Loki estava preso em uma pedra por toda a eternidade e *ele* achou um jeito de falar comigo. Mímir era uma cabeça decapitada. Ele fez a viagem. Mas o Pai de Todos, o grande feiticeiro que supostamente podia distorcer a realidade apenas pronunciando o nome de uma runa... não podia fazer uma visita rápida?

A voz de Hel ecoou na minha cabeça: *Você pertence mesmo à Valhala, Magnus?*

— Acabei de voltar de Bunker Hill — contei para Sam. — Hel disse que podia me reunir com minha mãe.

Consegui contar a história inteira para ela.

Samirah esticou a mão como se fosse tocar meu braço, mas aparentemente mudou de ideia.

— Lamento, Magnus. Mas Hel é mentirosa. Você não pode confiar nela. Ela é como meu pai, só que mais fria. Você fez a escolha certa.

— É... mas mesmo assim. Alguma vez você já fez a coisa certa, *sabia* que era a coisa certa, mas ficou se sentindo péssima?

— Você acabou de descrever a maioria dos dias da minha vida. — Sam colocou o capuz. — Quando me tornei uma valquíria... Ainda não sei bem por que lutei com aquele gigante do gelo. O pessoal da Malcolm X era mau comigo. O lixo de sempre: me perguntavam se eu era terrorista. Puxavam meu hijab. Enfiavam bilhetes e fotos nojentas no meu armário. Quando aquele gigante atacou... eu podia ter fingido ser só mais uma mortal e fugido para um lugar seguro. Mas nem pensei nisso. Por que arrisquei minha vida por aquela gente?

Eu sorri.

— O quê? — perguntou ela.

— Uma vez me disseram que a bravura de um herói não é algo planejado, mas sim uma verdadeira reação heroica a uma crise. Tem que vir do coração, sem qualquer pensamento na recompensa.

Sam bufou.

— Essa pessoa deve ser bem arrogante.

— Talvez você não precisasse vir aqui — concluí. — Talvez *eu* precisasse. Para entender por que somos uma boa equipe.

— Ah, é? — Ela arqueou uma sobrancelha. — Agora somos uma boa equipe?

— Estamos prestes a descobrir. — Olhei para o norte, na direção da tempestade de neve. Em algum ponto naquela direção ficavam Boston e o Long Wharf. — Vamos procurar Blitzen e Hearthstone. Temos um gigante do fogo para apagar.

SESSENTA

Um lindo cruzeiro homicida ao pôr do sol

BLITZ E HEARTH ESTAVAM NOS esperando em frente ao New England Aquarium.

Blitz tinha conseguido botar uma roupa nova, claro: um conjunto de calça e jaqueta verde-oliva, um lenço amarelo no pescoço combinando com um chapéu de safári amarelo e com rede protetora contra o sol também amarela.

— Minhas roupas de caçar lobo! — disse ele, todo alegre.

Blitz explicou que a magia de Thor o transportou para onde ele mais precisava ir: a melhor loja de departamentos de Nídavellir. Ele usou o Svartalfar Express Card para comprar uma quantidade de suprimentos de expedição, incluindo várias roupas reserva e um arpão retrátil de aço de osso.

— E não só isso — acrescentou —, mas sabe o escândalo da competição com Júnior? Saiu pela culatra e ferrou o velho verme! O boato de seu enorme fracasso se espalhou. Ninguém está mais me culpando, nem à mosca e nem nada! As pessoas começaram a falar dos meus designs de armadura cheios de estilo, e agora estão encomendando produtos. Se eu sobreviver a esta noite, talvez finalmente lance minha própria grife!

Sam e eu demos parabéns a ele, embora sobreviver àquela noite realmente parecesse um grande *se*. Ainda assim, Blitz estava tão feliz que eu não queria desanimá-lo. Ele começou a se balançar e a cantarolar "Sharp Dressed Man" baixinho.

Quanto a Hearth, ele fez outro tipo de compras. Estava carregando um cajado polido de carvalho branco. Na ponta, formava um Y, como um estilingue. Não sei por quê, mas tive a sensação de que faltava uma peça ali no meio.

Com o cajado na mão, Hearth parecia um elfo guerreiro e feiticeiro de verdade, embora ainda estivesse de calça jeans preta, jaqueta de couro por cima de uma camisa da HOUSE OF BLUES e o cachecol vermelho listrado.

Ele apoiou o cajado na dobra do braço e explicou em sinais que acabou indo parar no Poço de Mímir. O Capo o declarou mestre absoluto de *álfar seidr*, pronto para usar um cajado de feiticeiro.

— Não é incrível? — Blitzen deu um tapinha nas costas dele. — Eu sabia que conseguiria!

Hearthstone repuxou os lábios. *Não me sinto um mestre.*

— Tenho uma coisa que pode ajudar. — Enfiei a mão no bolso e peguei a runa *perthro*. — Algumas horas atrás, tive uma conversa com Hel. Ela me lembrou de tudo que perdi.

Contei para eles o que a deusa meio zumbi me ofereceu.

— Ah, garoto... — Blitzen balançou a cabeça. — Eu aqui falando da minha nova grife e você teve que passar por *isso*.

— Tudo bem. — Estranhamente, eu me sentia bem *mesmo*. — A questão é que, quando apareci em Bunker Hill, tinha acabado de usar a espada para matar duas gigantas. Eu devia ter desmaiado ou morrido de exaustão. Mas não foi o que aconteceu. E acho que sei por quê.

Virei a runa entre os dedos.

— Quanto mais tempo passo com vocês, mais facilidade tenho de usar minha espada, curar e fazer qualquer coisa, na verdade. Não sou especialista em magia, mas acho que... de alguma forma, estamos todos dividindo o preço.

Entreguei a runa para Hearthstone.

— Sei como é se sentir um cálice vazio, ter tudo tirado de você. Mas você não está sozinho. Independente de quanta magia precise usar, está tudo bem. Estamos do seu lado. Somos sua família.

Os olhos de Hearthstone se encheram de água verde. Ele gesticulou para nós, e, dessa vez, acho que realmente quis dizer *eu amo vocês* e não *as gigantas estão bêbadas*.

Hearth pegou a runa e colocou entre as pontas do novo cajado. A pedra encaixou no lugar da mesma forma que meu pingente encaixava na corrente. O *perthro* brilhou com uma luz levemente dourada.

O meu símbolo, anunciou ele. *O símbolo da minha família.*

Blitzen fungou.

— Gostei disso. Uma família de quatro cálices vazios!

Sam enxugou os olhos.

— De repente, estou sentindo sede.

— Al-Abbas — falei. — Nomeio você para o papel de irmã irritante.

— Cale a boca, Magnus. — Ela ajeitou o casaco, botou a mochila nas costas e respirou fundo. — Muito bem. Agora que acabamos com o discurso meloso, será que alguém sabe onde podemos encontrar dois anões com um barco?

— Eu sei. — Blitzen ajeitou o lenço. — Hearth e eu demos uma olhada antes de vocês chegarem. Venham!

Ele seguiu na frente pelo píer. Acho que só queria que víssemos como ele ficava bem usando o novo chapéu de safári amarelo.

No final do píer Long Wharf, do outro lado do quiosque de passeios de observação de baleias que estava fechado para o inverno, outro quiosque foi montado com pedaços de compensado e de caixas de papelão de eletrodomésticos. Acima da janela de atendimento, uma placa pintada a dedo de qualquer jeito dizia: CRUZEIRO DE OBSERVAÇÃO DE LOBO. SÓ ESTA NOITE! UM OURO VERMELHO POR PESSOA! CRIANÇAS COM MENOS DE CINCO ANOS NÃO PAGAM!

Dentro do quiosque estava um anão que era menos svartalfar e mais verme. Tinha uns cinquenta centímetros de altura e tantos pelos faciais que era impossível dizer se tinha olhos e boca. Vestia uma capa de chuva amarela e um chapéu de capitão, que sem dúvida o protegia da luz do dia e o fazia parecer a mascote de um restaurante de lagosta para gnomos.

— Olá! — disse o anão. — Fjalar, ao seu dispor. Querem fazer o passeio? O tempo está ótimo para observar lobos!

— Fjalar? — A expressão de Blitzen mudou. — Você por acaso tem um irmão chamado Gjalar?

— Ele está bem ali.

Eu não sabia como não percebi, mas, amarrado a poucos metros, havia um drácar viking com motor externo. No leme, mordendo um pedaço de carne-seca, havia outro anão que era idêntico a Fjalar, mas usava um macacão manchado de graxa e um chapéu de feltro de aba flexível.

— Estou vendo que vocês ouviram falar de nosso serviço excepcional — continuou Fjalar. — Posso separar os quatro bilhetes de vocês? É uma oportunidade única, uma vez por ano!

— Por favor, nos dê um minutinho. — Blitzen nos levou para longe. — Esses são Fjalar e Gjalar — sussurrou. — São famosos.

— Thor nos avisou — disse Sam. — Não temos muita escolha.

— Eu sei, mas... — Blitzen torceu as mãos. — Fjalar e Gjalar? Eles roubam e matam gente há uns mil anos! Vão tentar nos matar se dermos qualquer oportunidade.

— Então, basicamente — resumi —, eles são iguais a quase todo mundo que encontramos.

— Eles vão nos esfaquear pelas costas — disse Blitz, preocupado —, ou nos abandonar em uma ilha deserta, ou nos empurrar do barco na boca de um tubarão.

Hearth apontou para si mesmo e bateu com um dedo na palma da mão. *Me convenceu.*

Voltamos para o quiosque.

Eu sorri para a mascote de lagosta homicida.

— Gostaríamos de quatro bilhetes, por favor.

SESSENTA E UM

Urze é minha nova flor menos preferida

Eu achava que nada podia ser pior do que nossa expedição de pesca com Harald. Estava enganado.

Assim que deixamos o porto, o céu escureceu. A água ficou preta como tinta de lula. Através da neve que caía, a costa de Boston se transformou em uma coisa primitiva, do jeito que devia ser quando o descendente de Skírnir navegou com seu drácar pelo rio Charles pela primeira vez.

O Centro foi reduzido a algumas colinas cinzentas. As pistas do aeroporto Logan foram substituídas por pedaços de gelo flutuando na água. Ilhas afundaram e surgiram ao nosso redor, como um vídeo dos últimos dois milênios passando de forma acelerada.

Então percebi que eu podia estar olhando para o futuro, e não para o passado, para a forma como Boston ficaria depois do Ragnarök. Decidi guardar esse pensamento para mim.

No silêncio da baía, o motor de Gjalar fazia um barulho obsceno, estalando, gemendo e soprando fumaça enquanto nosso barco atravessava a água. Qualquer monstro em um raio de oito quilômetros saberia onde nos encontrar.

Na proa, Fjalar observava o caminho e gritava avisos ocasionais para o irmão.

— Pedras a bombordo! Iceberg a estibordo! Cuidado com o Kraken!

Nada disso ajudou a me acalmar. Surt havia prometido que nos encontraríamos naquela noite. Ele planejava queimar a mim e a meus amigos vivos e destruir os nove mundos. Mas, no fundo da minha mente, um medo ainda maior se esgueirava. Eu estava prestes a conhecer o Lobo. Essa percepção despertou todos os pesadelos que já tive com olhos azuis brilhantes, presas brancas e rosnados ferozes na escuridão.

Sentada ao meu lado, Sam manteve o machado no colo, onde os anões pudessem ver. Blitzen mexia na echarpe amarela, como se pudesse intimidar nossos anfitriões com seu guarda-roupa. Hearthstone treinou fazer o novo cajado aparecer e desaparecer. Quando dava certo, o objeto aparecia na mão dele do nada, como um buquê de flores surgindo da manga de um mágico. Quando dava errado, cutucava Blitzen ou batia na minha cabeça.

Depois de algumas horas e uma dezena de pequenas concussões, o barco tremeu, como se tivéssemos passado por uma contracorrente. No convés, Fjalar anunciou:

— Não vai demorar agora. Entramos em Amsvartnir, a Baía Preta como Breu.

— Nossa — olhei para as ondas escuras —, por que será que chamam assim, hein?

As nuvens se abriram. A lua cheia, pálida e prateada, nos espiou do vazio sem estrelas. À nossa frente, névoa e luar se misturavam, demarcando uma costa. Eu nunca odiei tanto a lua cheia.

— Lyngvi — anunciou Fjalar. — A Ilha de Urzes, a prisão do Lobo.

A ilha parecia a caldeira de um vulcão antigo, um cone achatado quinze metros acima do nível do mar. Eu sempre pensei que urzes fossem roxas, mas as encostas pedregosas estavam cobertas de flores brancas fantasmagóricas.

— Se isso é urze — falei —, tem mesmo muitas delas por lá.

Fjalar riu.

— É uma planta mágica, meu amigo, usada para afastar o mal e manter os espíritos longe. Que prisão poderia ser melhor para o lobo Fenrir do que uma ilha cheia disso?

Sam ficou de pé.

— Se Fenrir é tão grande quanto ouvi dizer, já não devíamos conseguir vê-lo?

— Ah, não — disse Fjalar. — Vocês têm que ir até a ilha para isso. Fenrir fica preso no centro, como uma runa em uma tigela.

Olhei para Hearthstone. Eu duvidava que ele conseguisse ler os lábios de Fjalar por trás daquela barba cerrada, mas não gostei da referência a uma runa em uma tigela. Lembrei-me do outro significado de *perthro*: um copo de jogar dados. Eu não queria correr cegamente para dentro da caldeira e torcer para tirar a pontuação máxima.

Quando estávamos a três metros da praia, a quilha do barco roçou em um banco de areia. O som me lembrou de forma desagradável a noite em que minha mãe morreu, a porta do nosso apartamento rangendo pouco antes de ser derrubada.

— Todos para fora! — exclamou Fjalar com alegria. — Apreciem o passeio a pé. É só vocês seguirem na direção daquela colina ali. Acho que vão concluir que o Lobo valeu a viagem!

Talvez fosse minha imaginação, mas comecei a sentir cheiro de fumaça e de pelo de animal molhado. Meu novo coração de einherji estava testando os limites de quanto conseguia bater rápido.

Se não fossem meus amigos, não sei se teria sentido coragem de desembarcar. Hearthstone pulou pela amurada primeiro. Sam e Blitzen foram atrás. Sem querer ficar preso no barco com o anão-lagosta e o irmão comedor de carne-seca, saltei do barco. A água estava na altura da cintura e tão fria que imaginei que cantaria em soprano pelo resto da semana.

Fui me arrastando até a praia, e um uivo de lobo quase rompeu meus tímpanos.

Agora, é claro que eu estava esperando um lobo. Lobos me apavoravam desde que eu era criança, então me esforcei para reunir coragem. Mas o uivo de Fenrir era diferente de qualquer coisa que eu já tivesse ouvido, uma nota de pura fúria tão profunda que parecia abalar meu corpo inteiro, quebrando minhas moléculas em aminoácidos aleatórios e neve derretida de Ginnungagap.

Em segurança no barco, os dois anões riram de alegria.

— Eu devia ter mencionado — gritou Fjalar — que a viagem de volta é um pouco mais cara. Reúnam todos os seus itens de valor em uma das bolsas e joguem-na para mim, por favor. Senão, vamos deixar vocês aí.

Blitzen falou um palavrão.

— Eles vão nos abandonar de qualquer jeito. É o que fazem.

No momento, entrar na ilha para enfrentar o lobo Fenrir era um dos últimos itens da minha lista de desejos. No topo dela estava: *Chorar e implorar para os anões traidores me levarem de volta a Boston.*

Minha voz falhou, mas tentei agir com mais coragem do que sentia.

— Podem ir embora — falei para os anões. — Não precisamos mais de vocês.

Fjalar e Gjalar trocaram olhares. O barco já estava se afastando.

— Você não ouviu o uivo? — Fjalar falou mais devagar, como se tivesse superestimado minha inteligência. — Vocês estão presos nessa ilha. Com Fenrir. Sabe o quanto isso é ruim?

— É, a gente sabe.

— O Lobo vai comer vocês! — gritou Fjalar. — Amarrado ou não, ele vai *comer* vocês. Ao amanhecer, a ilha vai sumir levando vocês com ela!

— Obrigado pela carona — respondi. — Façam uma boa viagem.

Fjalar levantou as mãos.

— Idiotas! Façam como quiserem. Vamos pegar tudo que vocês tiverem nos esqueletos de vocês ano que vem! Venha, Gjalar, vamos voltar ao porto. Talvez dê tempo de pegarmos outro grupo de turistas.

Gjalar acelerou. O drácar deu a volta e desapareceu na escuridão.

Olhei para os meus amigos. Tinha a sensação de que eles não se importariam com outro discurso animador de *Somos uma família de cálices vazios e vamos acabar com eles!*

— Bem — comecei —, depois de fugirmos de um exército de anões, de encararmos um esquilo monstruoso, de matarmos três irmãs gigantas e estriparmos um par de bodes falantes... Será que Fenrir pode mesmo ser assim tão ruim?

— Muito — responderam Sam e Blitz ao mesmo tempo.

Hearthstone fez dois sinais de *ok*, cruzou os pulsos e os abriu. Era o sinal de *horrível*.

— Certo. — Puxei o pingente. A lâmina da espada fez as urzes parecerem ainda mais pálidas e fantasmagóricas. — Jacques, está pronto?

— Cara — disse a espada —, eu fui *forjado* pronto. Mesmo assim, tenho a sensação de que estamos indo direto para uma armadilha.

— Levante a mão — pedi aos outros — quem aqui estiver surpreso com isso.

Ninguém levantou a mão.

— Tá, beleza — disse Jacques. — Desde que vocês tenham consciência de que todos vão morrer em sofrimento e de que estão prestes a dar início ao Ragnarök, estou dentro. Vamos nessa!

SESSENTA E DOIS

O lobinho mau

Eu me lembro da primeira vez que vi a rocha de Plymouth.

Minha reação foi: "É só *isso*?"

O mesmo aconteceu com o Liberty Bell na Filadélfia e com o Empire State em Nova York: de perto, pareciam menores do que imaginei e nem um pouco dignos da fama.

Foi o que senti quando avistei Fenrir.

Eu tinha ouvido tantas histórias terríveis sobre ele: os deuses morriam de medo de alimentá-lo; ele era capaz de arrebentar as correntes mais fortes; havia comido a mão de Tyr; engoliria o sol no Juízo Final, devoraria Odin de uma vez só. Eu esperava um lobo maior do que o King Kong com bafo de lança-chamas, laser disparando raios pelos olhos e pelas narinas.

O que vi na verdade foi um Lobo do tamanho de um lobo.

Paramos na beirada da cratera e olhamos para o vale, onde Fenrir estava sentado, calmo. Ele era maior do que um labrador comum, mas definitivamente não maior do que eu. As pernas eram longas e musculosas, feitas para correr. O pelo cinzento desgrenhado era cheio de tufos pretos. Ninguém o chamaria de *fofo*, não com aquelas presas brancas cintilantes e nem com os ossos que cobriam o chão ao redor das patas dele, mas era um belo animal.

Eu estava torcendo para encontrar o Lobo deitado, amarrado como um porco e preso ao chão com pregos, grampos, fita adesiva e supercola. Mas a Gleipnir o prendia mais como algemas de pé usadas para transportar criminosos. A corda cintilante estava amarrada ao redor das juntas das quatro patas, permitindo mobilidade suficiente para o Lobo se arrastar. Parecia que parte da corda já estivera amarrada ao redor do focinho, como uma focinheira, mas naquele momento estava caída no peito dele em um aro frouxo. A corda sequer parecia presa ao chão. Eu não sabia o que impedia Fenrir de fugir da ilha, a não ser que houvesse uma cerca invisível para cachorros na região.

No fim das contas, se eu fosse o deus Tyr e minha mão tivesse sido arrancada com uma mordida para os outros deuses terem tempo de amarrar o Lobo, eu teria ficado bem irritado com esse trabalho desleixado. Os aesires não tinham *um* deus dos nós decente?

Olhei para os meus amigos.

— Onde está o verdadeiro Fenrir? Isso só pode ser uma armadilha, não é?

— Não. — Sam apertou com tanta força o punho do machado que os nós dos seus dedos ficaram brancos. — É ele. Consigo sentir.

O Lobo se virou na nossa direção, atraído pelas vozes. Os olhos brilharam com uma luz azul familiar que gerou uma sensação de baqueta de xilofone descendo pela minha caixa torácica.

— Bem. — A voz dele era grave e vibrante. Os lábios negros se repuxaram em uma expressão de desprezo bem humana. — O que temos aqui? Os deuses me mandaram um lanche?

Repensei minha impressão do Lobo. Talvez o tamanho fosse comum. Talvez ele não espirrasse raios laser. Mas os olhos eram mais frios e mais inteligentes do que os de qualquer predador que já encontrei, animal ou humano. O focinho tremia como se ele conseguisse sentir o medo no meu hálito. E a voz... a voz escorreu por mim como melado, perigosamente suave e doce. Eu me lembrei do meu primeiro banquete em Valhala, quando os lordes não quiseram que Sam se pronunciasse porque temiam a lábia dos filhos de Loki. Agora entendia.

A última coisa que eu queria era me aproximar do Lobo. Mas o tom dele dizia: *Venham. Somos todos amigos aqui.*

A caldeira devia ter cem metros de largura, o que significava que o Lobo estava bem mais perto do que eu gostaria. O chão era levemente inclinado, mas as urzes sob meus pés eram escorregadias. Eu estava morrendo de medo de perder o equilíbrio e deslizar até as patas da fera.

— Sou Magnus Chase. — Minha voz *não* era suave como melado. Eu me forcei a olhar nos olhos de Fenrir. — Temos um compromisso.

O Lobo mostrou os dentes.

— Temos mesmo, filho de Frey. As crias de vanir têm um aroma tão interessante. Normalmente, eu só devoro os filhos de Thor, Odin ou meu velho amigo Tyr.

— Lamento decepcionar você.

— Ah, você não me decepciona. — O Lobo andou, a corda brilhando entre as patas, reduzindo o ritmo dos passos. — Estou um tanto satisfeito. Espero por isso há muito tempo.

À minha esquerda, Hearthstone bateu duas vezes com o cajado de carvalho branco nas pedras. As plantas de urze ficaram mais claras, uma névoa fina e prateada se erguendo como um sistema de irrigação de gramado. Com a mão livre, Hearth gesticulou: *As flores o mantêm cativo. Fiquem perto.*

O lobo Fenrir soltou uma gargalhada.

— O elfo é sábio. Não é poderoso o bastante, não chega nem *perto* de ser páreo para mim, mas está certo sobre as urzes. Não consigo suportar esse negócio. Mas é engraçado... quantos bravos mortais preferem abandonar a segurança das urzes e se aproximar. Eles querem testar sua habilidade contra mim, ou talvez só queiram ter certeza de que ainda estou amarrado. — O Lobo lançou um olhar maldoso para Blitzen. — Seu pai foi um desses. Um anão nobre com a melhor das intenções. Ele se aproximou de mim. E morreu. Os ossos estão em algum lugar por aqui.

Blitzen soltou um grito gutural. Sam e eu tivemos que segurá-lo para impedir que partisse para cima do Lobo com o novo arpão.

— Bem triste, na verdade — refletiu Fenrir. — Bili era o nome dele, não era? Ele estava certo, claro. Essa corda ridícula está se enfraquecendo há séculos. Houve uma época em que eu não conseguia andar. Depois de alguns séculos, consegui mancar um pouco. Ainda não consigo atravessar as urzes. Quanto mais me afasto do centro da ilha, mais a corda aperta e mais dor eu sinto. Mas é um progresso! A grande mudança aconteceu... ah, faz pouco mais de dois anos, quando finalmente consegui me livrar daquela maldita focinheira!

Sam hesitou.

— Dois anos...

O Lobo inclinou a cabeça.

— Isso mesmo, irmãzinha. Claro que você sabia. Comecei a sussurrar nos sonhos de Odin: que boa ideia seria fazer você, a filha de Loki, uma valquíria! Que ótimo jeito de transformar uma inimiga em potencial em uma valiosa aliada.

— Não — retrucou Sam. — Odin jamais ouviria você.

— Será que não? — O Lobo rosnou de prazer. — Essa é a coisa maravilhosa nas ditas pessoas *boas*. Elas ouvem aquilo em que desejam acreditar. Acham que é a consciência que está sussurrando quando, na verdade, é o Lobo. Ah, você agiu muito bem, irmãzinha, ao trazer Magnus para mim...

— Eu não *trouxe* Magnus para você! — gritou Sam. — E também não sou sua irmãzinha!

— Não? Sinto cheiro de sangue de traidora correndo nas suas veias. Você poderia ser poderosa. Poderia dar muito orgulho ao nosso pai. Por que luta contra isso?

Os dentes do Lobo continuavam afiados como sempre, a expressão maliciosa, também, mas a voz se encheu de solidariedade, decepção e melancolia. O tom dele dizia: *Posso ajudar você. Sou seu irmão.*

Sam deu um passo à frente. Eu segurei o braço dela.

— Fenrir — falei —, você mandou aqueles lobos... na noite que minha mãe morreu.

— Claro.

— Você queria me matar...

— Por que eu iria querer isso? — Os olhos azuis eram piores do que espelhos. Pareciam refletir todos os meus fracassos: minha covardia, minha fraqueza, meu egoísmo ao fugir quando minha mãe mais precisava de mim. — Você foi valioso para mim, Magnus. Mas precisava... de tempero. As dificuldades são maravilhosas para cultivar o poder. E olhe! Você teve sucesso, foi o primeiro filho de Frey forte o bastante para encontrar a Espada do Verão. Você me trouxe a forma de escapar dessas amarras, finalmente.

Fiquei sem chão. Senti como se estivesse de volta em Stanley, o cavalo, despencando sem rédeas, sem sela, sem controle. Durante todo esse tempo, achei que Fenrir quisesse me ver morto. Que havia sido por isso que os lobos dele atacaram nosso apartamento. Mas o verdadeiro alvo era minha mãe. Ele a matou para me atingir. Essa ideia era ainda pior do que acreditar que ela havia morrido para me proteger. Minha mãe morreu para que esse monstro pudesse me transformar no arauto dele, um semideus capaz de obter a Espada do Verão.

Eu estava tomado de uma fúria tão intensa que não consegui me concentrar.

Na minha mão, a espada começou a zumbir. Percebi por quanto tempo Jacques havia ficado em silêncio. Ela puxou meu braço, me levando para a frente.

— Jacques — murmurei. — Jacques, o que você...?

O Lobo riu.

— Está vendo? A Espada do Verão está destinada a cortar estas amarras. Você não pode impedir. Os filhos de Frey nunca foram guerreiros, Magnus Chase. Você não pode querer controlar a espada e menos ainda lutar contra ela. Sua utilidade está quase no fim. Surt vai chegar em breve. A espada vai voar para a mão dele.

— Erro... — murmurou Jacques, lutando para se soltar da minha mão. — Foi um erro me trazer aqui.

— Sim — disse o Lobo com voz doce. — Sim, foi mesmo, bela espada. Surt acha que isso tudo foi ideia *dele*, sabe. Ele é uma ferramenta imperfeita. Como a maioria dos gigantes do fogo, é muito inflamado, tem mais pose do que cérebro, mas vai servir ao propósito. Vai ficar bem feliz de pegar você.

— Jacques, você é minha espada agora — falei, embora quase não conseguisse segurá-lo com ambas as mãos.

— Cortar a corda... — murmurou Jacques com insistência. — Cortar a corda.

— Ande, Magnus Chase — disse Fenrir. — Por que esperar Surt? Me solte por vontade própria e serei grato. Talvez até poupe você e seus amigos.

Blitzen rosnou mais alto do que o Lobo. Da mochila, tirou a nova corda, Andskoti.

— Eu estava pronto para prender esse vira-lata. Agora, acho que vou estrangulá-lo.

— Concordo — disse Samirah. — Ele morre.

Eu queria mais do que qualquer coisa me juntar a eles. Queria atacar a fera e cortá-la ao meio. A Espada do Verão supostamente tinha a lâmina mais afiada dos nove mundos. Claro que seria capaz de cortar pele de lobo.

Acho que eu teria feito exatamente isso, mas Hearthstone passou o cajado na frente de nós. A runa *perthro* brilhou com luz dourada.

Olhem. A ordem foi mais um tremor do que um som. Eu me virei e fiquei olhando surpreso para Hearthstone.

Os ossos. Ele não usou linguagem de sinais. Não falou. O pensamento simplesmente estava *lá*, limpando minha mente como vento soprando névoa.

Olhei de novo para os esqueletos cobrindo o chão. Todos foram heróis: filhos de Odin, Thor ou Tyr. Anões, humanos, elfos. Todos foram enganados, enfurecidos e encantados por Fenrir. Todos morreram.

Hearthstone era o único de nós que não conseguia ouvir a voz do Lobo. Era o único que estava pensando com clareza.

De repente, a espada ficou fácil de controlar. Não parou de lutar contra mim, mas senti o equilíbrio mudar um pouco a meu favor.

— Não vou soltar você — falei para o Lobo. — E não preciso lutar com você. Vamos esperar Surt. Vamos impedi-lo.

O Lobo farejou o ar.

— Ah... tarde demais para isso. Você não precisa lutar comigo? Pobre mortal... Eu também não preciso lutar com você. Há outros para fazerem isso por mim. Como disse, as pessoas boas são tão fáceis de manipular, estão tão prontas a fazerem o trabalho por mim. Aqui estão algumas delas!

Do outro lado da ilha, uma voz gritou:

— PAREM!

No lado oposto da crista estava nossa velha amiga Gunilla com uma valquíria de cada lado. À esquerda e à direita dela estavam meus antigos colegas de corredor: T.J., Mestiço, Mallory e X, o meio troll.

— Pego no ato de ajudar o inimigo — disse Gunilla. — Vocês assinaram suas sentenças de morte!

SESSENTA E TRÊS

Odeio assinar minha própria sentença de morte

— Ora, ora — disse o Lobo. — Não tenho tanta companhia desde minha festa de amarração.

Gunilla segurou a lança. Não olhou para o Lobo, como se ignorá-lo pudesse fazer com que ele sumisse.

— Thomas Jefferson, Jr. — disse ela —, você e seus colegas de corredor vão capturar os prisioneiros. Contornem pela borda, obviamente. Devagar e com cuidado.

T.J. não pareceu feliz, mas assentiu. A jaqueta do exército estava toda abotoada. A baioneta brilhava ao luar. Mallory Keen me olhou de cara feia, mas poderia ser a versão dela de um cumprimento feliz. Os dois foram pela esquerda, contornando a beirada da cratera enquanto as três valquírias mantinham as lanças apontadas para Fenrir.

X foi pela direita, seguido de Mestiço, que estava girando os machados de batalha e assobiando baixinho, como se fizesse uma caminhada agradável por um campo cheio de inimigos caídos.

— Sam — murmurei —, se formos pegos…

— Eu sei.

— Não vai ter ninguém aqui para deter Surt.

— Eu sei.

— Podemos enfrentá-los — disse Blitz. — Eles não estão de armadura, e muito menos de armaduras estilosas.

— Não — falei. — Eles são meus irmãos... irmãos e irmã de escudo. Me deixe tentar falar com eles.

Hearth gesticulou: *Maluco. Você?*

Como era bonita a linguagem de sinais. Ele podia ter tentado dizer: *Você está maluco?* Ou: *Eu estou maluco. Como você!* Decidi interpretar como uma demonstração de apoio.

O lobo Fenrir se sentou e tentou coçar a orelha, o que não era possível com a corda prendendo suas patas.

Ele farejou o ar e sorriu para mim.

— Que companhias interessantes você tem, Magnus Chase. Alguém está se escondendo, mas consigo sentir o cheiro. Quem é ele, hein? Talvez eu faça um verdadeiro banquete hoje, afinal!

Olhei para Sam. Ela pareceu tão perdida quanto eu.

— Foi mal, bola de pelo. Não faço ideia do que você esteja querendo dizer.

Fenrir riu.

— Vamos ver. Eu me pergunto se ele vai ousar mostrar a verdadeira face.

— Chase! — Gunilla tirou um martelo da cartucheira. — Não fale com o Lobo de novo, senão vou afundar seu crânio.

— Gunilla — respondi —, também é ótimo ver você outra vez. Surt está a caminho agora mesmo. Não temos tempo a perder.

— Aliou-se ao lorde do fogo que matou você? Ou será que era parte do plano desde o começo, para fazer você ir para Valhala?

Sam suspirou.

— Para uma filha de Thor, você pensa demais.

— E você, filha de Loki, escuta de menos. Jefferson, depressa!

Meus vizinhos de corredor se aproximaram pelos dois lados.

Mallory estalou a língua.

— Por acaso você surtou ao se aliar a Surt, Chase?

— Inteligente — debochei. — Há quanto tempo você espera para fazer essa piadinha?

Mallory deu um sorrisinho arrogante.

Ao lado dela, X limpou gotas de suor verde da testa.

— A corda do Lobo está frouxa. Isso não é bom.

Do outro lado da cratera, Gunilla gritou:

— Nada de confraternização! Quero todos eles acorrentados!

T.J. tinha quatro algemas penduradas no dedo.

— A questão é a seguinte, Magnus, Gunilla deixou claro que, se não demonstrarmos nossa lealdade à Valhala capturando você, vamos passar os próximos cem anos na sala da caldeira jogando carvão com uma pá. Portanto, se considere preso, blá-blá-blá.

Mestiço sorriu e disse:

— Mas a *outra* questão é: nós somos vikings. Somos péssimos em seguir ordens. Portanto, se considere solto de novo.

T.J. deixou as algemas escorregarem do dedo.

— Ops.

Meu ânimo voltou.

— Você quer dizer...

— Ele quer dizer, seu idiota — resumiu Mallory — que estamos aqui para ajudar.

— Eu amo vocês, pessoal.

— O que precisa que a gente faça? — perguntou T.J.

Sam indicou Blitzen.

— Nosso anão tem uma corda para reamarrar o Lobo. Se conseguirmos...

— Chega! — gritou Gunilla. Dos dois lados dela, as tenentes valquírias prepararam as lanças. — Vou levar *todos* vocês de volta acorrentados, se precisar!

Fenrir uivou de prazer.

— Isso seria delicioso de assistir. Infelizmente, valquíria, você é lenta demais. Meus outros amigos chegaram e não vão fazer prisioneiros.

X olhou para o sul e os músculos do pescoço dele tremeram como cimento recém-despejado.

— Ali.

No mesmo instante, Hearthstone apontou com o cajado, e todo o comprimento de carvalho branco brilhou com fogo dourado.

Na crista à direita, entre as valquírias e nós, uma dezena de gigantes do fogo apareceu. Cada um tinha uns três metros. Usavam armaduras com escamas de couro, carregavam espadas do tamanho de lâminas de colheitadeira e tinham vários machados e facas pendurados no cinto. A pele era de uma variedade de cores vulcânicas: cinza, lava, pedra-pomes, obsidiana. Os campos de urzes podiam ser nocivos para o Lobo, mas não tinham o menor efeito nos gigantes do fogo. Onde quer que pisassem, as plantas queimavam e soltavam fumaça.

No meio da fila estava o próprio consultor de moda do Satanás, o lorde do fogo, Surt, usando um terno bem cortado de três peças feito de cota de malha, uma gravata e uma camisa que parecia tecida em chamas, segurando uma elegante cimitarra incandescente na mão. Estava com ótima aparência, apesar de o nariz ainda estar cortado. Isso ao menos me deixou feliz.

Blitzen trincou os dentes.

— Esse design é meu. Ele *roubou* meu design.

— Magnus Chase! — explodiu a voz de Surt. — Estou vendo que trouxe minha nova espada. Excelente!

Jacques quase pulou da minha mão. Devo ter ficado ridículo tentando controlá-lo, como um bombeiro lutando com uma mangueira de alta pressão.

— Meu mestre... — disse Jacques. — Ele vai ser meu mestre.

Surt riu.

— Entregue a espada e mato você rapidamente. — Ele olhou com desprezo para Gunilla e as duas tenentes valquírias. — Quanto às mocinhas de Odin, não faço promessas.

Fenrir se levantou e se espreguiçou.

— Lorde Surt, por mais que eu goste de atitudes e ameaças, podemos ir direto ao ponto? O luar está passando.

— T.J. — chamei.

— O quê?

— Você perguntou como podia ajudar. Meus amigos e eu precisamos reamarrar Fenrir. Vocês podem manter esses gigantes do fogo ocupados?

T.J. sorriu.

— Subi a colina enfrentando mil e setecentos confederados. Acho que consigo encarar uns gigantes do fogo.

Ele gritou para o outro lado do vale:

— Capitã Gunilla, você está com a gente? Porque prefiro não lutar em outra Guerra Civil.

Gunilla observou o exército de gigantes. Fez uma cara de nojo, como se os achasse ainda mais repugnantes do que eu. Ergueu a lança.

— Morte a Surt! Morte aos inimigos de Asgard!

Ela e as tenentes partiram para cima dos gigantes.

— Acho que estamos em ação — disse T.J. — Preparar baionetas!

SESSENTA E QUATRO

De quem foi a ideia de tornar esse Lobo imortal?

O TREINAMENTO DE COMBATE DIÁRIO de Valhala finalmente fez sentido para mim. Depois do terror e do caos da guerra no pátio do hotel, eu estava mais preparado para encarar o Lobo e os gigantes do fogo, mesmo não tendo AK-47s e nem o peito pintado com VEM ME PEGAR, MANO!

Mas ainda estava com muita dificuldade de controlar a espada. A única coisa que ajudou foi que Jacques agora parecia dividido entre querer voar para a mão de Surt e na direção do Lobo. Para minha sorte, eu precisava me aproximar de Fenrir.

Sam derrubou o machado que um gigante jogou.

— Sobre reamarrar Fenrir... você tem alguma ideia de como vamos fazer isso?

— Tenho — respondi. — Talvez. Na verdade, não.

Um gigante do fogo disparou na nossa direção. Blitzen estava tão zangado (entre o Lobo se gabando da morte do pai dele e Surt roubando suas ideias originais de moda) que uivou como a Alice Maluca de Chinatown e enfiou o arpão na barriga do gigante. O sujeito cambaleou, arrotando chamas e levando o arpão junto.

Hearthstone apontou para o Lobo. *Ideia*, sinalizou ele. *Me sigam*.

— Achei que precisávamos ficar nas urzes — relembrei.

Hearthstone levantou o cajado. No chão aos pés dele, uma runa se expandiu como uma sombra:

Urzes floresceram ao redor, se abrindo em novos galhos.

— *Algiz* — disse Sam, impressionada. — A runa da proteção. Nunca a vi ser usada.

Parecia que eu estava vendo Hearthstone pela primeira vez. Ele não cambaleou. Não desmaiou. Avançou com confiança, as flores se expandindo como um tapete se desenrolando. Além de Hearth ser imune à voz do Lobo, a magia das runas estava literalmente redesenhando os limites da prisão de Fenrir.

Seguimos para o vale, atrás de Hearthstone. No lado direito da ilha, meus amigos einherjar se chocaram com as forças de Surt. Mestiço Gunderson enfiou o machado no peito de um gigante. X pegou outro cuspidor de fogo e o jogou pela lateral da crista. Mallory e T.J. lutavam um de costas para o outro, atacando e cortando e desviando de jatos de fogo.

Gunilla e as duas tenentes valquírias estavam lutando com o próprio Surt. Entre as lanças brancas brilhantes e a espada flamejante, o combate quase ofuscava de tão claro.

Meus amigos lutaram com valentia, mas estavam em desvantagem; era um contra dois. Os gigantes do fogo não queriam morrer. Até o que Blitzen perfurou com o arpão ainda estava cambaleando pelos arredores, tentando queimar os einherjar com o bafo podre.

— Temos que ir logo — falei.

— Estou aberto a sugestões, garoto — disse Blitzen.

Fenrir andava de um lado para outro, ansioso. Não parecia preocupado de ver que estávamos nos aproximando dele em um tapete de urzes, armados coletivamente com um machado, um cajado branco brilhante, uma espada que não cooperava e um rolo de corda.

— Por favor, venha mesmo aqui — encorajou o Lobo. — Traga essa espada para mais perto.

Blitzen bufou.

— Vou amarrá-lo. Hearth pode me proteger. Magnus e Sam, vocês dois o impedem de arrancar minha cabeça com uma mordida por alguns minutos.

— Péssima ideia — disse Sam.

— Tem alguma melhor? — perguntou Blitz.

— Eu tenho! — Fenrir deu um pulo. Ele poderia ter arrancado meu pescoço, mas o plano não era esse. As patas da frente passaram dos dois lados da minha espada. Jacques cooperou com alegria e partiu a corda no meio.

Sam mirou o machado entre as orelhas do Lobo, mas Fenrir pulou para longe. As patas de trás ainda estavam presas, mas as da frente estavam livres. O pelo do Lobo soltava fumaça por causa do contato com as urzes. Bolhas se formaram nas quatro patas dele, mas Fenrir parecia feliz demais para se importar.

— Ah, que maravilha — disse ele. — Só as patas de trás agora, por favor. Aí, podemos dar início ao Ragnarök!

Toda a fúria crescida dentro de mim durante dois anos fervilhou.

— Blitz — falei —, faça o que tiver que fazer. Eu vou arrancar os dentes desse vira-lata.

Corri para cima do Lobo, possivelmente a pior ideia que já tive na vida. Sam atacou ao meu lado.

Fenrir podia ser do tamanho de um lobo normal, mas sua velocidade e força eram inigualáveis mesmo com as patas de trás amarradas.

Assim que saí da extremidade das urzes, ele se tornou um borrão de garras e dentes. Eu tropecei e caí, e meu peito se abriu em diversos cortes. Fenrir teria me partido ao meio se o machado de Sam não o tivesse derrubado.

O Lobo rosnou.

— Você não pode me ferir. Os *deuses* não conseguiram. Você não acha que eles teriam cortado a minha garganta se pudessem? Meu destino está decidido. Até o Ragnarök, sou imortal!

— Deve ser legal. — Levantei-me com dificuldade. — Mas isso não vai me impedir de tentar.

Infelizmente, Jacques não estava ajudando. Cada vez que eu procurava atacar, a espada se virava e desviava, fazendo de tudo para cortar a corda ao redor das patas traseiras do Lobo. Minha luta com Fenrir era mais um jogo de manter a distância.

Blitzen deu um pulo com a ponta de Andskoti amarrada em um nó. Tentou prender as ancas do Lobo, mas era como se estivesse se movendo em câmera lenta. Fenrir deu um passo para o lado para desviar de outro ataque do machado de Sam. O Lobo fez um corte no pescoço de Blitzen, e o anão caiu de cara no chão. A corda saiu rolando.

— NÃO! — gritei.

Fui na direção de Blitzen, mas Hearthstone foi mais rápido.

Ele bateu com o cajado na cabeça de Fenrir. Fogo dourado ardeu. O Lobo cambaleou para longe, choramingando de dor. Uma marca de runa agora ardia na testa dele, uma flecha simples queimada no pelo cinza:

↑

— *Tiwaz?* — rosnou o Lobo. — Você *ousa* me atacar com a runa de Tyr?

O Lobo partiu para cima de Hearthstone, mas pareceu bater em uma barreira invisível. Ele oscilou e uivou.

Sam apareceu ao meu lado. O machado havia sumido. O olho esquerdo estava tão inchado que ela não conseguia abri-lo, e o hijab estava em farrapos.

— Hearth usou a runa do sacrifício — disse ela, com voz tremendo. — Para salvar Blitz.

— O que isso quer dizer? — perguntei.

Hearth caiu de joelhos e se apoiou no cajado. Ainda assim, conseguiu se colocar entre o anão e o Lobo.

— Você sacrificou sua força para proteger seu amigo? — O Lobo riu. — Ótimo. Aprecie seu feitiço. O anão já está morto. Sua própria magia de runa o condenou. Você pode ficar assistindo enquanto eu cuido das minhas outras presas deliciosas.

Ele mostrou os dentes para nós.

Do outro lado do campo, a batalha não ia bem.

Uma das valquírias de Gunilla estava caída sem vida nas pedras. A outra estava com a armadura queimando da espada de Surt. Gunilla enfrentava o lorde do Fogo sozinha, movendo a lança como um chicote de luz, mas aquilo não duraria muito. As roupas estavam fumegando, e seu escudo, chamuscado e rachado.

Os einherjar estavam cercados. Mestiço tinha perdido um dos machados. Estava coberto de tantas queimaduras e cortes que não entendi como ainda podia estar vivo, mas ele continuava lutando e rindo enquanto atacava gigantes. Mallory se apoiava em um dos joelhos, soltando palavrões enquanto defendia ataques de três gigantes ao mesmo tempo. T.J. balançava o rifle loucamente. Até X parecia pequeno em comparação aos inimigos se amontoando ao redor dele.

Meu coração palpitou. Eu conseguia sentir meus poderes de einherji em ação, tentando fechar os ferimentos no meu peito, mas sabia que Fenrir me mataria mais rápido do que eu poderia me curar.

O Lobo farejou, sem dúvida percebendo minha fraqueza.

— Ah, que ótimo — disse ele, rindo. — Boa tentativa, Magnus, mas os filhos de Frey nunca foram guerreiros. Tudo que me resta agora é devorar meus inimigos. Adoro essa parte!

SESSENTA E CINCO

Odeio essa parte

As coisas mais estranhas podem salvar sua vida. Como leões. Ou lenços à prova de balas.

Fenrir pulou no meu rosto. Escapei inteligentemente caindo sentado. Um borrão pulou no Lobo e o derrubou.

Dois animais lutaram pelo campo cheio de ossos, em uma movimentação de dentes e garras. Quando se separaram, percebi que Fenrir estava enfrentando uma leoa com um olho inchado.

— Sam! — gritei.

— Pegue a corda. — Ela manteve o olhar grudado no inimigo. — Preciso ter uma conversinha com meu irmão.

O fato de Sam conseguir falar estando em forma de leoa me assustou mais do que ela ter virado uma leoa. Os lábios dela se moviam de uma forma muito humana. Os olhos estavam da mesma cor. A voz também ainda era a mesma.

Os pelos do pescoço de Fenrir ficaram eriçados.

— Então você aceita sua herança de nascimento diante da morte, irmãzinha?

— Eu aceito quem sou — disse ela. — Mas não como você está dizendo. Sou Samirah al-Abbas. Samirah do Leão.

Ela pulou no Lobo. Eles se atacaram, morderam, chutaram e uivaram. Eu já tinha ouvido o termo arranca-rabo, mas nunca havia percebido o quanto isso podia ser horrível. Os dois animais selvagens estavam tentando se destruir. E um desses animais era minha amiga.

Meu primeiro instinto foi partir para a batalha. Mas não daria certo.

Freya tinha me dito que matar era o menor dos poderes da espada.

Os filhos de Frey nunca foram guerreiros, dissera o Lobo.

Então, o que eu *era*?

Blitzen rolou, grunhindo. Hearthstone verificou desesperadamente o pescoço do anão.

O lenço estava cintilando. De alguma forma, passou de seda amarela a metal trançado, deixando o pescoço de Blitzen intacto. Era realmente um adereço à prova de balas.

Não pude deixar de sorrir. Blitz estava vivo. Devido ao seu ofício.

Blitz não era um guerreiro. Nem eu. Mas havia outros jeitos de se vencer uma batalha.

Peguei o rolo de corda. Parecia neve tecida, impossivelmente macia e fria. Na outra mão, a espada ficou parada.

— O que estamos fazendo? — perguntou Jacques.

— Decidindo coisas.

— Ah, legal. — A espada tremeu, como se estivesse se espreguiçando depois de uma soneca. — E como isso está indo?

— Melhor. — Enfiei a ponta da espada no chão. Jacques não tentou sair voando. — Surt pode pegar você um dia — falei —, mas ele não entende seu poder. Eu entendo agora. Somos uma equipe.

Amarrei a corda Andskoti no punho de Jacques e apertei bem. A batalha pareceu sumir ao meu redor. Parei de pensar em como combater o Lobo. Ele não podia ser morto, pelo menos não agora, não por mim.

Então, me concentrei no calor que sentia sempre que curava alguém: no poder de crescimento e vida, no poder de Frey. As Nornas me disseram nove dias antes: *O sol irá para o leste*.

Aquele lugar era todo noite, inverno e luar prateado. Eu precisava trazer o sol do verão.

O lobo Fenrir sentiu a mudança no ar. Ele atacou Sam e a jogou rolando pelo gramado de ossos. O focinho dele estava todo ensanguentado. A runa de Tyr brilhava feia e preta na testa dele.

— O que você está tramando, Magnus? Nada disso!

O Lobo atacou, mas, antes que pudesse me alcançar, caiu no chão, se retorcendo e uivando de dor.

Fui envolvido em luz, a mesma aura dourada de quando curei Sam e Hearthstone em Jötunheim. Não era quente como os fogos de Muspellheim. Não era particularmente intensa, mas estava claro que causava dor no Lobo. Ele rosnou e andou, apertando os olhos para mim como se eu tivesse virado um holofote.

— Pare com isso! — uivou. — Você está tentando me matar de *irritação*?

A leoa Sam se levantou com dificuldade. Estava com um corte horrível no flanco. O rosto parecia ter batido na traseira de um trator.

— Magnus, o que você está fazendo?

— Trazendo o verão.

Os cortes no meu peito se fecharam. Minha força voltou. Meu pai era o deus da luz e do calor. Lobos eram criaturas da escuridão. O poder de Frey podia controlar Fenrir do mesmo jeito que controlava os extremos de fogo e gelo.

Fincado no chão, Jacques zumbiu de satisfação.

— Verão. É, eu me lembro do verão.

Desenrolei Andskoti até se esticar atrás de Jacques como uma linha de pipa. Encarei o Lobo.

— Um velho anão me disse uma vez que os materiais mais poderosos de confecção são paradoxais. Esta corda é feita deles. Mas tenho mais um, o paradoxo final que vai prender você: a Espada do Verão, a arma que não foi feita para ser uma arma, a lâmina que funciona melhor quando está livre.

Desejei que Jacques voasse e confiei que ele faria o resto.

Ele poderia ter cortado as sobras das cordas do Lobo. Poderia ter atravessado o campo de batalha direto para as mãos de Surt, mas não o fez. Passou por debaixo da barriga do Lobo e amarrou a corda Andskoti ao redor das patas dele tão depressa que Fenrir sequer teve tempo de reagir, prendendo-o e derrubando-o.

O uivo do Lobo fez a ilha estremecer.

— Não! Eu não vou...!

A espada girou ao redor do focinho. Jacques deu um nó na corda em uma pirueta aérea e voltou para mim, com a lâmina brilhando de orgulho.

— Como fui, chefe?

— Jacques, você é uma espada incrível.

— Ah, eu *sei* disso. Mas e o trabalho com as cordas, hein? Aquele ali é um perfeito nó de pescador, e eu nem tenho mãos.

Sam cambaleou na nossa direção.

— Você conseguiu! Você... Ugh.

A leoa se transformou na velha Sam de sempre; muito ferida, o rosto maltratado e o corpo encharcado de sangue. Antes que ela caísse, eu a peguei e arrastei para longe do Lobo. Mesmo amarrado, ele se debateu e espumou. Eu não queria me aproximar mais do que o necessário.

Hearthstone cambaleou atrás de mim, segurando Blitzen. Nós quatro caímos juntos em um tapete de urzes.

— Vivo — falei. — Eu não estava esperando isso.

Nosso momento de triunfo durou mais ou menos... bem, foi um momento mesmo.

Os sons da batalha ficaram mais altos e mais claros ao redor, como se uma cortina tivesse sido arrancada. A magia de proteção de Hearthstone podia ter nos dado proteção adicional contra o Lobo, mas também tinha nos isolado da luta com os gigantes do fogo... e meus amigos einherjar não estavam indo bem.

— Para a valquíria! — gritou T.J. — Vamos!

Ele cambaleou pela crista, enfiando a baioneta em um gigante do fogo e tentando chegar a Gunilla. Durante todo esse tempo, enquanto cuidávamos do Lobo, a capitã das valquírias deteve Surt. Agora, ela estava no chão, segurando a lança com fraqueza sobre o corpo quando Surt levantou a cimitarra.

Mallory cambaleou, desarmada, distante e ensanguentada demais para ajudar. X estava tentando sair de debaixo de uma pilha de cadáveres de gigantes. Mestiço Gunderson estava sentado, sangrando e sem se mexer, apoiado em uma pedra.

Percebi tudo isso em uma fração de segundo. Com a mesma rapidez, vi que Hearth, Blitz, Sam e eu não chegaríamos a tempo de fazer alguma coisa.

Mesmo assim, peguei a espada e me levantei. Cambaleei na direção de Gunilla. Nossos olhares se encontraram acima do campo, e a última expressão dela foi de resignação e raiva: *Faça valer a pena.*

O lorde do Fogo fincou a cimitarra.

SESSENTA E SEIS

Sacrifícios

Não sei por que fiquei tão arrasado.

Eu nem gostava de Gunilla.

Mas, quando vi Surt de pé em cima do corpo sem vida dela, os olhos ardendo de triunfo, senti vontade de cair na pilha de ossos e ficar lá até o Ragnarök.

Gunilla estava morta. As tenentes dela estavam mortas. Eu nem sabia seus nomes, mas elas sacrificaram a própria vida para que eu ganhasse tempo. Mestiço estava morto ou morrendo. Os outros einherjar não estavam muito melhores. Sam e Blitz e Hearth não tinham condições de lutar.

E Surt ainda estava de pé, tão forte como sempre, a espada incandescente a postos. Três dos gigantes do fogo dele também estavam vivos e armados.

Depois de tudo pelo que passamos, o lorde do Fogo podia me matar, pegar minha espada e soltar o Lobo.

A julgar pelo sorriso no rosto, Surt esperava fazer exatamente isso.

— Estou impressionado — admitiu. — O Lobo me disse que você tinha potencial. Acho que nem Fenrir esperava que você se saísse tão bem.

O Lobo se debateu com a corda mágica nova.

A alguns metros do lorde do Fogo, T.J. se agachou, a baioneta preparada. Ele olhou para mim, esperando meu sinal. Eu sabia que ele estava pronto para atacar uma última vez, distrair os gigantes se fosse para me ajudar, mas eu não podia deixar mais uma pessoa morrer.

— Vá agora — falei para Surt. — Volte para Muspellheim.

O lorde do Fogo jogou a cabeça para trás e gargalhou.

— Corajoso até o fim! Não mesmo, Magnus Chase. Você vai queimar.

Ele esticou a mão. Uma coluna de fogo disparou na minha direção.

Permaneci imóvel.

Imaginei que estava com a minha mãe em Blue Hills no primeiro dia de primavera, a luz do sol aquecendo minha pele, derretendo delicadamente três meses de frio e escuridão para fora do meu corpo.

Minha mãe se virou para mim com um sorriso radiante: *É aqui que estou, Magnus. Nesse momento. Com você.*

Uma sensação de serenidade me ancorou. Eu me lembrei da minha mãe me contando uma vez que as casas em Back Bay, assim como a antiga casa da nossa família, foram construídas em uma área aterrada. De tempos em tempos, engenheiros tinham que colocar novos pilares debaixo da base para impedir que os prédios desabassem. Eu sentia como se meus pilares tivessem sido reforçados. Estava sólido.

As chamas de Surt passaram por mim. Perderam a intensidade. Não eram nada além de chamas fantasmagóricas, tão inofensivas quanto borboletas.

Aos meus pés, começaram a florescer urzes, flores brancas se espalhando pela paisagem, retomando as áreas pisoteadas e queimadas onde os guerreiros de Surt tinham passado, fazendo o sangue desaparecer, cobrindo os corpos dos gigantes mortos.

— A batalha acabou — declarei. — Eu consagro este chão em nome de Frey.

As palavras enviaram uma onda de choque em todas as direções. Espadas, adagas e machados voaram das mãos dos gigantes. O rifle de T.J. voou da mão dele. Até as armas que estavam no chão foram jogadas para fora da ilha e explodiram na escuridão como estilhaços.

O único que continuou segurando uma arma fui eu.

Sem a cimitarra incandescente, Surt não pareceu tão confiante.

— Truques e magia infantil! — vociferou. — Você não pode me derrotar, Magnus Chase. Essa espada vai ser minha!

— Não hoje.

Joguei a espada. Ela espiralou na direção de Surt e passou por cima da cabeça do gigante. Ele tentou pegá-la, mas não conseguiu.

— O que foi isso? — O gigante riu. — Um ataque?

— Não — declarei. — É a sua saída.

Atrás de Surt, Jacques cortou o ar e abriu o tecido entre os mundos. Um zigue-zague de fogo queimava na crista. Meus ouvidos estalaram. Como alguém sendo ejetado de uma cabine pressurizada de avião, Surt e os outros gigantes do fogo foram sugados aos berros para a abertura, que se fechou quando eles passaram.

— Tchauzinho! — gritou Jacques. — Até outra hora!

Não fosse pelo rosnado ultrajado do Lobo, a ilha estaria em silêncio.

Cambaleei pelo campo e caí de joelhos na frente de Gunilla. Na mesma hora vi que a capitã das valquírias estava morta. Os olhos azuis miravam a escuridão. A cartucheira estava vazia, sem martelos. A lança branca jazia quebrada sobre o peito.

Meus olhos arderam.

— Me desculpe.

Por quinhentos anos, ela ficou em Valhala, colhendo as almas dos mortos, se preparando para a batalha final. Lembrei de como ela me repreendeu: *Mesmo olhando para Asgard, você não tem senso de reverência.*

Na morte, o rosto tinha um ar de surpresa e admiração. Eu torcia para que ela estivesse vendo Asgard do jeito que desejava, cheia de aesires, com todas as luzes acesas na mansão do pai dela.

— Magnus — chamou T.J. —, temos que ir.

Ele e Mallory estavam lutando para carregar Mestiço Gunderson. X conseguiu sair de debaixo da pilha de cadáveres de gigantes do fogo e estava agora carregando as duas outras valquírias mortas. Blitz e Hearthstone se aproximaram, cambaleando juntos, com Sam logo atrás.

Peguei o corpo da capitã valquíria. Ela não era leve, e minha força estava sumindo de novo.

— Temos que nos apressar — disse T.J. o mais delicadamente que conseguiu, mas ouvi a urgência no tom dele.

O chão estava se movendo sob meus pés. Percebi que minha aura cintilante havia feito mais do que cegar o Lobo. A luz do sol tinha afetado a textura da ilha. Ela devia desaparecer ao amanhecer. Minha magia acelerou o processo, fazendo o chão se dissolver na névoa esponjosa.

— Só temos alguns segundos — disse Sam, ofegante. — Vamos.

Naquele momento, eu não me sentia nem um pouco capaz de ter uma explosão de velocidade, mas, de alguma forma, carregando Gunilla, segui T.J. na direção da margem.

SESSENTA E SETE

Mais uma vez, por um amigo

— Nós temos um barco de Frey! — gritou T.J.

Eu não fazia ideia do que era um barco de Frey. Não vi nenhum barco na praia, mas estava exausto demais para perguntar. Parecia que os extremos de calor e frio que tolerei durante a vida inteira estavam agora se vingando. Minha testa ardia de febre. Meus olhos pareciam ferver. Meu peito era um bloco de gelo.

Saí andando. O chão ficou mais macio. A praia afundou. As ondas se aproximaram. Os músculos dos meus braços gritavam sob o peso da capitã das valquírias.

Comecei a tombar para o lado. Sam segurou meu braço.

— Só mais um pouco, Magnus. Fique comigo.

Chegamos à praia. T.J. pegou um pedaço de tecido que parecia um lenço e jogou no mar. Na mesma hora, o pano se abriu. Em uns dez segundos, um drácar viking de tamanho real oscilava nas ondas com dois remos enormes, um mastro com entalhe de javali e uma vela verde com o logo do Hotel Valhala. Na lateral da proa, em letras brancas, estava escrito: VEÍCULO DE CORTESIA DO HOTEL VALHALA.

— Entrem!

T.J. pulou a bordo primeiro e esticou os braços para pegar Gunilla.

A areia molhada prendia meus pés, mas acabei conseguindo subir pela amurada. Sam cuidou para que todos subissem em segurança. Em seguida, subiu também.

Um zumbido profundo reverberou pela ilha, como um amplificador de baixo no máximo. A Ilha das Urzes afundou debaixo das ondas pretas. A vela da embarcação se armou sozinha. Os remos entraram em ação, e o navio virou para oeste.

Blitzen e Hearthstone desabaram na proa. Começaram a discutir sobre qual dos dois tinha corrido mais riscos idiotas, mas estavam tão cansados que o debate virou uma competição de cutucadas sem entusiasmo, como dois alunos de segundo ano.

Sam ficou de joelhos ao lado de Gunilla. Cruzou os braços da capitã das valquírias sobre o peito e fechou delicadamente os olhos azuis.

— E as outras? — perguntei.

X baixou a cabeça.

Ele havia colocado as duas valquírias perto do leme, mas ficou claro que estavam mortas. Dobrou os braços delas como Sam fez com Gunilla.

— Guerreiras corajosas.

Ele tocou na testa delas com carinho.

— Eu não as conhecia — falei.

— Margaret e Irene. — A voz de Sam falhou. — Elas... elas nunca gostaram muito de mim, mas... eram boas valquírias.

— Magnus — chamou T.J. do meio do navio —, precisamos de você.

Ele e Mallory estavam ajoelhados ao lado de Mestiço Gunderson, cuja força berserker falhava agora. O peito era uma colcha de retalhos horrorosa, cheia de cortes e queimaduras. O braço esquerdo estava em um ângulo nada natural. A barba e o cabelo estavam manchados de sangue e com pedacinhos de urze.

— Boa... luta — disse ele, ofegando.

— Não fale, seu idiota! — disse Mallory, chorando. — Como *ousa* se machucar assim?

Ele deu um sorriso sonolento.

— Desculpe... Mãe.

— Aguente firme — disse T.J. — Podemos levar você de volta a Valhala. E então, se... se alguma coisa acontecer, você pode renascer.

Coloquei a mão no ombro de Mestiço. Senti um dano tão severo que quase me afastei. Era como enfiar a mão em uma tigela cheia de estilhaços de vidro.

— Não temos tempo — falei. — Ele está morrendo.

Mallory engasgou com as lágrimas.

— Você não pode. Não. Mestiço Gunderson, eu odeio tanto você.

Ele tossiu. Os lábios dele ficaram manchados de sangue.

— Também odeio você, Mallory Keen.

— Segurem-no para que fique parado — pedi. — Vou fazer o possível.

— Garoto, pense bem — disse Blitz. — Você já está fraco.

— Tenho que fazer isso.

Projetei meus sentidos e avaliei os ossos quebrados de Mestiço, a hemorragia interna, os órgãos feridos. O medo tomou conta de mim. Era muita coisa, ele estava próximo demais da morte. Eu precisava de ajuda.

— Jacques — chamei.

A espada pairou ao meu lado.

— Chefe?

— Mestiço está morrendo. Vou precisar da sua força para ajudar a curá-lo. Você pode fazer isso?

A espada zumbiu, nervosa.

— Posso. Mas, chefe, assim que você me segurar...

— Eu sei. Vou ficar ainda mais exausto.

— Não foi só amarrar o Lobo — avisou Jacques. — Eu também ajudei com a aura de luz dourada, que, se me permite dizer, foi bem legal. E houve também a Paz de Frey.

— A paz... — Percebi que ele estava falando do choque que desarmou todo mundo, mas não tinha tempo para me preocupar com isso. — Tudo bem. Sim. Temos que agir agora.

Peguei a espada. Minha visão ficou turva. Se já não estivesse sentado, teria caído. Lutei contra a náusea e a tontura e coloquei a espada com a parte achatada no peito de Mestiço.

Uma onda de calor se espalhou por mim. A luz transformou a barba de Mestiço em ouro vermelho. Enviei minhas últimas forças pelas veias dele, consertando os danos, fechando os ferimentos.

Depois disso, me lembro apenas de estar deitado de costas no convés, olhando uma vela verde tremendo ao vento enquanto meus amigos me sacudiam e gritavam meu nome.

Em seguida, estava de pé em uma campina ensolarada na beira de um lago, sob o céu azul. Uma brisa quente bagunçava meu cabelo.

Em algum lugar atrás de mim, uma voz masculina disse:

— Bem-vindo.

SESSENTA E OITO

Não seja um mané, cara

Ele parecia um viking de Hollywood. Parecia mais o Thor dos filmes do que o próprio Thor.

O cabelo louro batia nos ombros. O rosto bronzeado, os olhos azuis, o nariz adunco e a barba curta teriam combinado igualmente bem no tapete vermelho ou nas praias de Malibu.

Ele estava sentado em um trono feito de galhos de árvore, com o assento coberto de pele de cervo. No colo havia uma espécie de cetro, um chifre de cervo enrolado em tiras de couro.

Quando sorriu, vi meu sorrisinho tímido, meu queixo. Ele até tinha o mesmo redemoinho acima da orelha direita.

Entendi por que minha mãe se apaixonou por ele. Não foi só porque era bonito, nem porque a calça jeans surrada, a camisa de flanela e as botas de caminhada eram bem o estilo dela. Ele irradiava calor e tranquilidade. Cada vez que curei alguém, cada vez que invoquei o poder de Frey, eu capturei um fragmento da aura dele.

— Pai — falei.

— Magnus. — O deus se levantou. Seus olhos brilharam, mas ele não pareceu saber direito o que fazer com os braços. — Estou tão feliz de finalmente poder conhecê-lo. Eu... eu daria um grande abraço em você, mas imagino que não seria bem-vindo. Entendo que precise de mais tempo...

Corri até Frey e dei um abraço de urso nele.

Isso não era o tipo de coisa que eu fazia, principalmente com estranhos.

Mas ele não era um estranho. Eu o conhecia tão bem quanto conhecia minha mãe. Pela primeira vez, entendi por que ela insistiu tanto em me levar para caminhar no meio do mato e acampar. Cada vez que estávamos na floresta em um dia de verão, cada vez que o sol aparecia atrás das nuvens, Frey esteve presente.

Talvez eu devesse me ressentir dele, mas não o fiz. Depois de perder minha mãe, eu não tinha tempo para ressentimentos. Meus anos nas ruas me ensinaram que não adiantava choramingar e remoer o que se poderia ter tido, o que eu merecia, o que era justo. Só estava feliz de ter aquele momento.

Ele aninhou a mão com delicadeza na minha nuca. O cheiro dele era de fumaça de acampamento, agulhas de pinheiro e marshmallows torrados. Será que havia marshmallows em Vanaheim?

Pensei de repente no motivo de eu estar ali. Eu estava morto. Ou, pelo menos, morrendo.

Então eu me afastei.

— Meus amigos...

— Estão bem. Você ficou à beira da morte tentando curar um berserker, mas ele vai sobreviver. E você também. Você se saiu bem, Magnus.

O elogio de Frey me deixou desconfortável.

— Três valquírias morreram. Eu quase perdi todos os meus amigos. Tudo que fiz foi amarrar o Lobo com uma corda nova e enviar Surt de volta a Muspellheim, e Jacques cuidou de todo o trabalho pesado. Nada mudou de verdade.

Frey riu.

— Magnus, você mudou *tudo*. Você, o portador da espada, está moldando o destino dos nove mundos. Quanto às mortes das valquírias... foi um sacrifício que elas estavam dispostas a fazer. Não as desonre sentindo culpa. Você não pode impedir todas as mortes, tanto quanto eu não posso impedir que o verão vire outono... tanto quanto não posso impedir o *meu* destino no Ragnarök.

— Seu destino... — Segurei a runa, agora de volta à corrente. — Estou com sua espada. Você não...?

Frey balançou a cabeça.

— Não, filho. Como sua tia Freya falou, eu nunca mais poderei empunhar a Espada do Verão. Pergunte à própria espada se quiser ter certeza.

Puxei o pingente. Jacques ganhou vida e começou a destilar uma série de insultos que não posso repetir aqui.

— E mais! — gritou ele. — Me entregar para se casar com uma giganta! Cara, o que você estava pensando? Espadas primeiro, gatas depois, sabe como é?

Frey sorriu com tristeza.

— Oi, velho amigo.

— Ah, agora somos amigos de novo? — questionou a espada. — Não. Hã-hã. A gente terminou. — Jacques fez uma pausa. — Mas seu filho é legal. Gosto dele. Desde que não esteja planejando me trocar para se casar com uma giganta.

— Isso não está na minha lista de coisas a fazer — prometi.

— Então estamos bem. Mas, quanto a esse seu pai lamentável, esse mané traidor...

Fiz a espada voltar à forma de pingente.

— Mané?

Frey deu de ombros.

— Eu fiz minha escolha há muito tempo. Entreguei a espada por amor.

— Mas, no Ragnarök, você vai morrer porque não vai estar com ela.

Ele levantou o chifre de cervo.

— Vou lutar com isto.

— Um chifre?

— Saber seu destino é uma coisa. Aceitar é bem diferente. Vou fazer o que tiver que fazer. Com este chifre, vou matar muitos gigantes, até Beli, um dos grandes generais. Mas você está certo. Não vai ser o suficiente para derrotar Surt. No final, vou morrer.

— Como pode falar isso com tanta calma?

— Magnus... nem os deuses podem viver para sempre. Não gasto energia tentando lutar contra a mudança das estações. Eu me contento em cuidar para que os dias que tenho, a estação que superviciono, sejam os mais alegres, intensos e abundantes possível. — Ele tocou meu rosto. — Mas você já entende isso. Nenhum filho de Thor ou Odin ou mesmo do nobre Tyr poderia ter resistido às promessas de Hel. As palavras adocicadas de Loki. Você resistiu. Só um filho de Frey, com a Espada do Verão, poderia escolher se desprender do passado como você fez.

— Me desprender... Minha mãe...

— É. — Frey pegou uma coisa no trono, um jarro selado de cerâmica do tamanho de um coração. Ele o colocou em minhas mãos. — Sabe o que ela ia querer?

Eu não conseguia falar. Assenti, torcendo para que minha expressão deixasse claro o quanto estava agradecido.

— Você, meu filho, vai trazer esperança para os nove mundos. Já ouviu o termo veranico? Você vai ser nossa última estação assim, uma chance de calor, luz e crescimento antes do longo inverno do Ragnarök.

— Mas... — Eu pigarreei. — Mas sem pressão.

Frey mostrou um sorriso de dentes brancos brilhantes.

— Exatamente. Muita coisa precisa ser feita. Os aesires e vanires estão espalhados. Loki está ficando mais poderoso. Mesmo preso, ele nos jogou uns contra os outros, nos distraiu, nos fez perder o foco. Sou culpado também. Por tempo demais, fiquei afastado do mundo dos homens. Só sua mãe conseguiu... — Ele se concentrou no jarro nas minhas mãos. — Bem, depois de todo o meu discurso sobre não se prender ao passado... — Ele deu um sorriso pesaroso. — Ela era uma alma vibrante. Teria muito orgulho de você.

— Pai... — Eu não tinha mais o que dizer. Talvez só quisesse experimentar a palavra de novo. Nunca tive muita experiência em usá-la. — Não sei se sou capaz de fazer tudo isso.

Do bolso da camisa de flanela, ele tirou um pedaço de papel amassado, o panfleto que dizia DESAPARECIDO que Annabeth e o pai distribuíram no dia que eu morri. Frey o entregou para mim.

— Você não estará sozinho. Agora, descanse, meu filho. Prometo que não vai demorar mais dezesseis anos para nos encontrarmos de novo. Enquanto isso, você devia ligar para a sua prima. Deviam conversar. Você vai precisar da ajuda dela antes de tudo isso acabar.

Esse final pareceu um pouco ameaçador, mas não tive chance de perguntar nada. Pisquei, e Frey tinha sumido. Eu estava sentado no drácar de novo, segurando o panfleto e o jarro de cerâmica. Ao meu lado estava Mestiço Gunderson, tomando uma caneca de hidromel.

— Ah. — Ele me deu um sorriso sangrento. A maior parte das feridas dele já havia cicatrizado. — Devo minha vida a você. Que tal eu pagar o jantar?

Pisquei e olhei ao redor. Nosso navio tinha atracado em Valhala, em um dos rios que atravessavam o saguão. Eu não fazia ideia de como chegamos lá. Meus amigos estavam no píer, falando com Helgi, o gerente do hotel, com expressões sombrias, enquanto observavam desembarcarem os corpos das três valquírias mortas.

— O que está acontecendo?

Mestiço esvaziou a caneca.

— Fomos chamados ao Salão de Banquete para nos explicarmos perante os lordes e o restante dos einherjar. Espero que nos deixem comer antes de nos matarem de novo. Estou morrendo de fome.

SESSENTA E NOVE

Ah... Então foi *esse* o cheiro que Fenrir sentiu no capítulo sessenta e três

Acho que perdemos um dia inteiro voltando a Valhala, porque quando chegamos o jantar estava sendo servido no Salão de Banquete dos Mortos. Valquírias voavam com jarras de hidromel. Os einherjar jogavam pão e Saehrímir assado uns nos outros. Grupos de músicos tocavam espalhados pela sala.

A agitação foi parando conforme nosso grupo se encaminhou na direção da mesa dos lordes. Uma guarda honorária das valquírias carregava os corpos de Gunilla, Irene e Margaret, cobertos com linho branco, sobre macas. Eu tinha esperanças de que os mortos pudessem voltar à vida ao chegar em Valhala. As valquírias não podiam se tornar einherjar? Mas não aconteceu.

Mallory, X, T.J. e Mestiço seguiram as macas. Sam, Blitzen, Hearth e eu ficamos no final da fila.

Os guerreiros nos olhavam de cara feia conforme passávamos. As expressões das valquírias eram ainda piores. Fiquei surpreso de não sermos atacados antes de chegarmos aos lordes. Acho que as pessoas queriam nos ver humilhados publicamente. Elas não tinham noção do que havíamos feito. Sabiam apenas que éramos traidores que haviam fugido e foram trazidos de volta para julgamento, com o corpo de três valquírias. Não estávamos algemados, mas eu arrastava os pés como se a corda Andskoti estivesse enrolada nos meus tornozelos. O jarro de cerâmica estava aninhado no braço. Independente do que acontecesse, eu não podia perdê-lo.

Paramos na frente da mesa dos lordes. Erik, Helgi, Leif e todos os outros Eriks tinham uma expressão sombria. Até meu velho amigo Hunding, o porteiro, parecia em choque e decepcionado, como se eu tivesse roubado a barra de chocolate dele.

Helgi finalmente falou:

— Expliquem.

Não vi motivo para esconder nada. Não falei alto, mas minhas palavras ecoaram pelo salão. Quando cheguei na luta com Fenrir, minha voz falhou. Sam prosseguiu com a história.

Quando ela terminou, os lordes ficaram em silêncio. Não consegui interpretar o que estavam sentindo. Talvez estivessem mais inseguros do que enfurecidos, mas não importava. Apesar da minha conversa com meu pai, eu não sentia orgulho do que fizemos. Só estava vivo porque as três valquírias na minha frente impediram que os gigantes do fogo se aproximassem enquanto prendíamos o lobo. Nenhuma punição dos lordes podia me fazer sentir pior do que isso.

Finalmente, Helgi se levantou.

— Essa é a questão mais séria que chega a esta mesa em muitos anos. Se vocês falam a verdade, realizaram feitos dignos de guerreiros. Impediram que o lobo Fenrir se libertasse. Enviaram Surt de volta a Muspellheim. Mas agiram como desertores, sem permissão dos lordes e... em companhia questionável. — Ele olhou com desprezo para Hearth, Blitz e Sam. — A lealdade, Magnus Chase... a lealdade a Valhala é tudo. Os lordes precisam discutir isso em particular antes de chegarem a um veredito, a não ser que Odin deseje interceder.

Ele olhou para o trono de madeira, que obviamente estava vazio. Empoleirados no encosto, os corvos me observaram com os olhos pretos brilhantes.

— Muito bem — continuou Helgi, suspirando. — Nós...

À minha esquerda, alguém disse:

— Odin deseja interceder.

Murmúrios nervosos se espalharam pelo salão. X levantou o rosto cinza-pedra na direção dos lordes.

— X — sussurrou T. J. —, não é a hora para piadas.

— Odin deseja interceder — repetiu o meio troll com teimosia.

A aparência dele mudou. A forma enorme de troll sumiu como tecido de camuflagem. No lugar de X, havia um homem com aparência de sargento aposentado. Tinha o peito largo, braços enormes em uma camisa polo de mangas curtas do Hotel Valhala. O cabelo grisalho era bem curto, a barba quadrada acentuava o rosto endurecido e maltratado. Um tapa-olho preto cobria o olho esquerdo. O direito era azul-escuro, da cor de uma veia. Ao lado dele estava uma espada tão grande que fez Jacques, o pingente, tremer na corrente.

O crachá do homem dizia: ODIN, PAI DE TODOS, DONO E FUNDADOR.

— Odin.

Sam se curvou, apoiando-se em um joelho.

O deus sorriu para ela. Depois, me deu o que achei que fosse uma piscadela conspiratória, apesar de ser difícil dizer, pois ele só tinha um olho.

O nome dele se espalhou pelo salão. Os einherjar se levantaram. Os lordes se ergueram e fizeram uma reverência profunda.

Odin, antes o meio troll conhecido como X, andou até a mesa e tomou seu lugar no trono. Os dois corvos pousaram nos ombros dele e bicaram as orelhas dele com carinho.

— Bem! — disse Odin, sua voz reverberando. — O que um deus precisa fazer para ganhar uma caneca de hidromel por aqui?

SETENTA

Somos sujeitados ao PowerPoint dos infernos

ODIN CONSEGUIU SUA BEBIDA, fez alguns brindes e começou a andar de um lado para outro na frente do trono, falando sobre onde esteve e o que fez nas últimas décadas. Eu estava chocado demais para assimilar a maior parte do discurso. Acho que a maioria dos einherjar também.

As pessoas só voltaram ao normal quando Odin invocou as cintilantes telas da Visão das Valquírias. Os einherjar piscaram e se mexeram, como se saindo de uma hipnose em massa.

— Sou um caçador de conhecimento! — anunciou Odin. — Isso sempre foi verdade. Fiquei pendurado na Árvore do Mundo durante nove dias e nove noites, sentindo dores excruciantes, para descobrir o segredo das runas. Fiquei em uma fila durante seis dias no meio de uma nevasca para descobrir a bruxaria do smartphone.

— O quê? — murmurei.

Blitzen tossiu.

— Deixe pra lá.

— E, mais recentemente — anunciou Odin —, passei por sete semanas de treinamento intensivo de discurso motivacional em um hotel em Peoria para descobrir... isto!

Um controle remoto apareceu na mão dele. Em todas as telas, surgiu um slide de PowerPoint com o título: O PLANO DE ODIN — COMO TER UMA PÓS-VIDA ALTAMENTE BEM-SUCEDIDA!

— O que está acontecendo? — sussurrei para Sam.

— Odin gosta de experimentar coisas novas — disse ela. — Está sempre procurando conhecimento em novos lugares. Ele é muito sábio, mas...

Hearthstone sinalizou da forma mais discreta possível: *É por isso que trabalho para Mímir.*

— Como vocês podem ver — prosseguiu Odin, andando de um lado para outro, com os corvos batendo as asas para manterem o equilíbrio nos ombros do deus —, tudo que esses heróis fizeram foi com minha permissão. Eu os acompanhei o tempo todo, em pessoa ou espírito.

A tela mudou. Odin passou a falar a partir de uma lista de tópicos. Comecei a sonhar acordado, mas ele falou sobre o motivo de ter se escondido em Valhala como X, o meio troll:

— Para ver como vocês receberiam um guerreiro como esse e como cumpririam seus deveres quando achassem que eu não estava por perto. Todos vocês precisam trabalhar no seu empoderamento positivo e na sua autoatualização.

Ele explicou por que escolheu Samirah al-Abbas como valquíria:

— Se a filha de Loki é capaz de mostrar tanta bravura, por que não podemos também? Samirah demonstra as sete qualidades heroicas que estarei abordando no meu próximo livro, *Sete qualidades heroicas*, que estará disponível na loja de presentes de Valhala.

Ele explicou por que a profecia das Nornas não significava o que pensávamos:

— *Escolhido por engano, não era sua hora* — recitou ele. — Magnus Chase foi escolhido por engano por *Loki*, que achou que o garoto poderia ser facilmente influenciável. Mas Magnus Chase se mostrou um verdadeiro herói!

Apesar do elogio, eu gostava mais de Odin como um meio troll taciturno do que como palestrante motivacional. As pessoas no jantar também pareciam não saber como lidar com aquilo, apesar de alguns lordes estarem fazendo anotações.

— O que nos leva à sessão das *afirmações* desta apresentação.

Odin prosseguiu com os slides. Uma foto de Blitzen apareceu. Foi tirada durante a competição com Júnior. Suor escorria pelo rosto dele. A expressão era de agonia, como se alguém tivesse deixado um martelo cair no seu pé.

— Blitzen, filho de Freya! — disse Odin. — Esse nobre anão conquistou a corda Andskoti, que confinou o lobo Fenrir. Ele seguiu seu coração, dominou os medos e serviu com fidelidade ao meu velho amigo, Mímir. Por seu heroísmo, Blitzen, você será libertado da servidão a Mímir e receberá fundos para abrir a loja que sempre quis. Porque tenho que dizer... — Odin passou a mão pela camisa polo do hotel. De repente, ele estava vestindo um colete de cota de malha. — Peguei seu protótipo depois da competição, e é uma peça excelente. Qualquer guerreiro sábio compraria um desses!

Os einherjar murmuraram com aprovação. Alguns fizeram "ohh" e outros fizeram "ahh".

Blitzen fez uma reverência profunda.

— Obrigado, lorde Odin. Estou... Nem consigo expressar... Posso usar essa declaração na minha linha de produtos?

Odin deu um sorriso benevolente.

— Claro. E agora, temos Hearthstone, o elfo!

A foto de Hearth apareceu nas telas. Ele estava caído na janela do palácio de Geirröd. Tinha um sorriso bobo no rosto. As mãos estavam fazendo o sinal de *máquina de lavar*.

— Essa nobre criatura arriscou tudo para redescobrir a magia das runas. É o primeiro verdadeiro feiticeiro a aparecer nos reinos mortais em séculos. Sem ele, a missão de prender o Lobo teria falhado muitas vezes. — Odin sorriu para o elfo. — Meu amigo, você também será libertado da servidão a Mímir. E está convidado a permanecer em Asgard, onde vamos ensinar sobre o mistério das runas em uma aula particular de noventa minutos, acompanhada de um DVD e um exemplar autografado do meu livro *Magia de runas com o Pai de Todos*.

Aplausos educados.

Hearthstone parecia em choque. Ele conseguiu sinalizar um *Obrigado*.

A tela mudou. Na foto de Sam, ela estava de pé parecendo nervosa no balcão do Falafel do Fadlan, desviando o olhar e corando intensamente enquanto Amir se inclinava na direção dela, sorrindo.

— Oooooooo — disse a multidão de einherjar, seguido de uma boa quantidade de risinhos.

— Quero morrer — murmurou Sam. — Por favor, me mate.

— Samirah al-Abbas! — disse Odin. — Escolhi você pessoalmente para ser uma valquíria devido à sua coragem, à sua resiliência e ao seu grandioso potencial.

Muitos não confiaram em você, mas você não desistiu. Seguiu minhas ordens. Cumpriu seu dever mesmo quando foi insultada e exilada. A você, ofereço uma escolha.

Odin olhou para as valquírias mortas deitadas em frente à mesa dos lordes. Ele permitiu que um silêncio respeitoso se espalhasse pelo salão.

— Gunilla, Margaret e Irene, as três sabiam os riscos de serem valquírias. Todas deram a vida para tornar possível a vitória de hoje. No fim, viram seu verdadeiro valor e lutaram ao seu lado. Acredito que elas concordariam que você deve ser readmitida como valquíria.

Os joelhos de Sam quase cederam. Ela precisou se apoiar em Mallory Keen para não cair.

— Ofereço a você uma escolha — repetiu Odin. — As valquírias precisam de uma capitã. Não consigo pensar em ninguém melhor do que você. Isso permitiria que você passasse mais tempo no mundo mortal, talvez uma chance de descansar depois desta missão difícil. *Ou* — o olho azul dele brilhou — você pode escolher uma tarefa bem mais perigosa, trabalhar diretamente para mim conforme a necessidade surgir em outras, como posso dizer, missões de alto risco e altamente recompensadoras.

Sam fez uma reverência.

— Pai de Todos, você me honra. Eu jamais conseguiria substituir Gunilla. Só peço a chance de me provar, quantas vezes forem necessárias, até que ninguém aqui tenha dúvidas de minha lealdade a Valhala. Aceito a tarefa mais perigosa. Me dê qualquer ordem, e não falharei.

Isso foi muito bem recebido pela multidão. Os einherjar aplaudiram. Alguns gritaram em aprovação. Até as outras valquírias olharam para Sam com expressões menos hostis.

— Muito bem — disse Odin. — Mais uma vez, Samirah, você mostra sua sabedoria. Vamos conversar sobre seus deveres mais tarde. E agora... Magnus Chase.

As telas mudaram. Ali estava eu: paralisado no meio de um grito enquanto caía da ponte Longfellow.

— Filho de Frey, você recuperou a Espada do Verão. Impediu que Surt a tomasse. Você se mostrou... bem, talvez não um grande guerreiro...

— Valeu — murmurei.

— ... mas certamente um grande einherji. Acho que concordamos, todos nós aqui da mesa dos lordes, que você também merece uma recompensa.

Odin olhou para os dois lados. Os lordes se remexeram, murmurando, apressadamente:

— Sim. Hã. Claro.

— Não ofereço isso a qualquer um — continuou Odin. — Mas, se você ainda achar que Valhala não é o seu lugar, o enviarei para Fólkvangr, onde sua tia mora. Como filho de um vanir, talvez seja mais do seu agrado. Ou — seu olho azul pareceu me perfurar —, se desejar, posso permitir que volte ao mundo mortal e seja libertado de seus deveres como einherji.

O salão foi tomado por murmúrios e tensão. Pela expressão das pessoas, consegui perceber que era uma oferta incomum. Odin estava correndo um risco. Se ele abrisse um precedente de deixar que einherjar voltassem ao mundo mortal, outros também não poderiam querer?

Olhei para Sam, Blitzen e Hearthstone. Olhei para os meus companheiros do andar dezenove, T.J., Mestiço, Mallory. Pela primeira vez em anos, senti que estava onde deveria. Fiz uma reverência a Odin.

— Obrigado, Pai de Todos. Mas meu lar é onde meus amigos estiverem. Sou um dos einherjar. Sou um dos seus guerreiros. Isso já é recompensa suficiente.

O salão inteiro explodiu em comemoração. Canecas foram batidas nas mesas. Espadas estalaram contra escudos. Meus amigos me cercaram, me abraçaram e deram tapinhas nas minhas costas. Mallory beijou minha bochecha.

— Você é um *imenso* idiota. — Então sussurrou no meu ouvido: — Obrigada.

Mestiço bagunçou meu cabelo.

— Ainda vamos transformá-lo em um guerreiro, filho de Frey.

Quando a comemoração parou, Odin levantou a mão. O controle remoto se alongou e virou uma lança branca cintilante.

— Por Gungnir, a arma sagrada do Pai de Todos, declaro que esses sete heróis terão direito total de passagem pelos nove mundos, incluindo Valhala. Para onde quer que eles forem, vão em meu nome, servindo a vontade de Asgard. Que ninguém interfira, sob pena de morte! — Ele baixou a lança. — Hoje, comemoramos em homenagem a eles. Amanhã, nossas companheiras mortas serão entregues às águas e às chamas!

SETENTA E UM

Queimamos um pedalinho, e tenho certeza de que isso é ilegal

O FUNERAL ACONTECEU NO LAGO do parque Public Garden. De alguma forma, os einherjar conseguiram um pedalinho de cisne, do tipo que normalmente não vai para a água no inverno. Eles modificaram o barquinho, transformando-o em uma pira funerária para as três valquírias. Os corpos estavam envoltos em branco e deitados em uma base de madeira, com armas, armaduras e ouro empilhados ao redor.

O lago estava congelado. Não devia haver nenhum jeito de empurrar o barco para a água, mas os einherjar levaram uma amiga, uma giganta de quatro metros e meio chamada Hyrokkin.

Apesar do frio, Hyrokkin estava usando apenas um short curto e uma camiseta tamanho GGGGG do Clube de Remo de Boston. Antes da cerimônia, ela andou descalça por todo o lago, quebrando o gelo e assustando os patos. Depois, voltou e esperou respeitosamente na margem, a água gelada na altura dos tornozelos, enquanto os einherjar se adiantavam para se despedirem das valquírias mortas. Muitos deixaram armas, moedas ou outros souvenires nas piras funerárias. Alguns falaram que Gunilla, Margaret e Irene foram responsáveis por levá-los a Valhala.

Finalmente, Helgi acendeu o fogo. Hyrokkin empurrou o barco no lago.

Não havia pedestres no Public Garden. Talvez magia estivesse mantendo-os longe. Se havia alguém por perto, talvez algum *glamour* o impedisse de ver a multidão de guerreiros mortos-vivos observando um barco pegar fogo.

Meus olhos seguiram para o local embaixo da ponte onde, duas semanas antes, eu estava vivo, sem-teto e infeliz. Só nesse momento eu consegui admitir quanto me sentia apavorado o tempo todo.

O barco seguiu em uma coluna de fogo, obscurecendo os corpos das valquírias. Depois, as chamas sumiram, como se alguém tivesse desligado o gás, acabando com qualquer rastro do barco, a não ser por um círculo fumegante no lago.

Pranteadores se viraram e andaram pelo parque, na direção do Hotel Valhala na rua Beacon.

T.J. segurou meu ombro.

— Você vem, Magnus?

— Em um segundo.

Quando meus vizinhos de corredor estavam voltando para casa, fiquei feliz de ver Mestiço Gunderson passar o braço pela cintura de Mallory Keen. E ela nem cortou a mão dele.

Blitzen, Hearth, Sam e eu ficamos para trás, vendo o vapor subir do lago.

Finalmente, Hearth sinalizou: *Eu vou para Asgard. Obrigado, Magnus.*

Vi os olhares de inveja que alguns einherjar lançaram para ele. Durante décadas, talvez séculos, nenhum mortal pôde visitar a cidade dos deuses. Agora, Odin aceitou dar aulas para um elfo.

— Isso é incrível, cara — falei. — Mas, escute só, não se esqueça de voltar e nos visitar, hein? Você tem uma família agora.

Hearthstone sorriu e disse: *Pode deixar.*

— Ah, ele vai nos visitar sim — afirmou Blitzen. — Ele prometeu me ajudar na mudança para a loja nova. Não vou arrastar todas aquelas caixas sem um pouco de mágica!

Fiquei feliz por Blitz, apesar de ser difícil pensar em mais um amigo meu indo embora.

— Tenho certeza de que você vai ter a melhor loja de Nídavellir.

Blitzen deu uma risadinha debochada.

— Nídavellir? Pff. Os anões não merecem meu bom gosto. Aquele ouro vermelho de Odin vai me comprar uma boa loja na rua Newbury. *O melhor de Blitzen* vai abrir na primavera, então você não tem desculpa para não ir e experimentar um desses.

Ele empurrou o sobretudo para o lado e revelou um colete brilhante e estiloso à prova de balas.

Não consegui evitar. Dei um abraço em Blitzen.

— Tudo bem, garoto, tudo bem. — Ele me deu um tapinha nas costas. — Não vamos amarrotar o tecido.

Sam abriu um sorriso.

— Talvez você possa fazer um hijab novo para mim. O velho ficou meio que todo rasgado.

— Faço pelo preço de custo, com mais propriedades mágicas! — prometeu Blitzen. — E tenho algumas ideias de cores.

— Você é o especialista — disse Sam. — Mas tenho que ir para casa. Estou de castigo. Tenho uma pilha de dever de casa atrasados para fazer.

— E tem um namorado com quem se entender — observei.

Ela ficou vermelha, o que foi meio fofo.

— Ele não é... Tudo bem, certo. Acho que tenho mesmo que resolver isso, seja lá o que for. — Ela me cutucou no peito. — Graças a você, posso voar de novo. Isso é o mais importante. Tente não morrer com muita frequência até nos vermos de novo.

— Quando vai ser isso?

— Em breve — prometeu Sam. — Odin não estava brincando quando falou em missões de alto risco. A boa notícia é — ela levou um dedo aos lábios — que posso escolher minha própria força de combate. Então, todos vocês... se considerem avisados.

Eu queria abraçá-la, dizer o quanto agradecia tudo o que ela fez, mas sabia que Sam não ficaria à vontade com isso. Então, apenas sorri.

— Quando quiser, al-Abbas. Agora que Odin nos deu permissão de viajar pelos mundos, talvez eu vá visitar você em Dorchester.

— Isso — disse ela — é uma ideia verdadeiramente apavorante. Meus avós me matariam. Amir...

— Tudo bem, caramba — falei. — Mas não se esqueça: você não está nessa sozinha.

— Pode deixar. — Ela me cutucou com o cotovelo. — E você, Magnus? Vai voltar a Valhala para o banquete? Seus colegas de corredor andam cantando elogios. Até ouvi algumas valquírias especulando se você vai acabar virando lorde em um século desses.

Eu sorri, mas não estava pronto para pensar em *um século desses*. Olhei para o Public Garden. Um táxi estava parando na frente do bar Cheers, na esquina da Beacon com a Brimmer. O jarro de cerâmica pesava dentro do meu casaco.

— Tenho um compromisso antes — falei. — Preciso cumprir uma promessa.

Eu me despedi dos meus amigos e fui me encontrar com minha prima.

SETENTA E DOIS

Eu perco uma aposta

— Isso é bem melhor do que o último velório em que fui — disse Annabeth. — O seu.

Estávamos em uma colina em Blue Hills, vendo as cinzas da minha mãe flutuarem pelas árvores cheias de neve. Bem abaixo, o sol brilhava no lago Houghton. Era um dia frio, mas eu não estava incomodado. Eu me sentia quente e calmo; havia anos que não me sentia tão *certo*.

Coloquei o jarro de cerâmica vazio debaixo do braço.

— Obrigado por vir comigo — falei.

Os olhos cinzentos de Annabeth me observaram, do mesmo jeito que ela parecia observar tudo; não só minha aparência, mas minha composição, meus pontos fortes, meu potencial. Afinal, ela era a garota que fez modelos do Parthenon com runas quando tinha seis anos.

— Estou feliz de estar aqui — disse ela. — Sua mãe... pelo que lembro, era ótima.

— Ela gostaria que você estivesse presente.

Annabeth olhou pela linha da copa das árvores. O vento frio agredia seu rosto.

— Também cremaram você, sabe. Quer dizer, aquele outro corpo... ou o que quer que fosse. Suas cinzas foram colocadas no mausoléu da família. Eu nem sabia que *tínhamos* um mausoléu.

Senti um arrepio imaginando as cinzas em uma urna de porcelana em um buraco frio de pedra. Era bem melhor ficar ali, no ar fresco e na luz gelada do sol.

— Fingir que eu estava morto não deve ter sido fácil para você.

Ela tirou uma mecha de cabelo do rosto.

— O velório foi mais difícil para Randolph, eu acho. Ele pareceu bem abalado, considerando, você sabe...

— Que ele nunca ligou para mim?

— Para nenhum de nós. Mas meu pai... Magnus, foi difícil. Ele e eu temos um histórico complicado, mas estou tentando ser sincera com ele agora. Não gosto de esconder coisas.

— Me desculpe. — Abri as mãos. — Achei melhor não arrastar você para os meus problemas. Nos últimos dias, eu não sabia se me sairia bem. Algumas... algumas coisas perigosas estavam acontecendo. Tinha a ver com o lado hã, da família do meu pai.

— Magnus, eu talvez entenda mais do que você imagina.

Refleti sobre isso. Annabeth *parecia* mais ajustada, mais pé no chão do que a maioria das pessoas que eu conhecia, até a maior parte das pessoas de Valhala. Por outro lado, eu não queria colocá-la em risco e nem ameaçar o relacionamento tênue que estávamos começando a reconstruir.

— Estou bem agora — garanti a ela. — Estou com amigos. É um bom lugar, mas nem todo mundo entenderia. Tio Randolph não pode saber. Eu agradeceria se você não contasse para ninguém, nem mesmo para o seu pai.

— Humm — disse ela. — E não vou poder saber os detalhes?

Pensei no que Frey tinha me dito: *Vocês deviam conversar. Você vai precisar da ajuda dela antes de tudo isso acabar.* Também me lembrei do que Sam disse sobre a família dela, que eles atraíam a atenção dos deuses havia muitas gerações. Randolph deu a entender que nossa família também era assim.

— Só não quero colocar você em perigo — falei. — Eu esperava que você pudesse ser minha ligação com o mundo normal.

Annabeth ficou me olhando. Então deu uma gargalhada debochada e começou a rir.

— Uau. Você não faz ideia de como isso é engraçado. — Ela respirou fundo. — Magnus, se você tivesse ideia de como minha vida é esquisita...

— Tudo bem, mas estar aqui com você, sabe como é? É a sensação mais *normal* que tenho em anos. Depois de todas as brigas malucas entre nossos pais, dos ressentimentos idiotas e de perder o contato por anos, eu esperava que pudéssemos fazer nossa geração não ser tão desajustada.

A expressão de Annabeth ficou séria.

— *Desse* tipo de normal eu gosto. — Ela esticou a mão. — A nós, os primos Chase. A sermos menos desajustados.

Nós apertamos as mãos.

— Agora, desembuche — ordenou ela. — Conte o que está acontecendo. Prometo que não vou falar para ninguém. Eu talvez até possa ajudar. Também juro que, por mais estranho que sua vida possa estar parecendo nesse momento, a minha é ainda mais. Faria a sua parecer pacata.

Considerei tudo pelo que passei, morte e ressurreição, a busca pela Serpente do Mundo, a luta com gigantes, fugir de esquilos monstruosos, amarrar um lobo em uma ilha que desaparecia no mar.

— Quer apostar? — perguntei.

— Manda ver, primo.

— Almoço? — sugeri. — Conheço um lugar ótimo que vende falafel.

— Feito. Quero ouvir o que você anda fazendo.

— Ah, não — falei. — A sua história não é tão incrível? Então conte você primeiro.

EPÍLOGO

Randolph não dormia desde o funeral do sobrinho.

Todos os dias, ele ia ao mausoléu da família, torcendo por algum sinal, por algum tipo de milagre. Chorou lágrimas de verdade, mas não pelo jovem Magnus. Chorou por tudo que havia perdido, tudo que talvez não pudesse ser mais recuperado.

Ele entrou pela porta dos fundos da casa, as mãos tão trêmulas que mal conseguiu colocar a chave na fechadura. Tirou as botas e o casaco pesado, depois subiu a escada, repassando o que disse para Magnus na ponte pela milionésima vez, perguntando-se o que podia ter feito diferente.

Parou na porta do escritório. Um homem usando uma batina de padre estava sentado em sua mesa, os pés balançando.

— Foi visitar o túmulo de novo? — Loki sorriu. — Sinceramente, achei que o velório foi um excelente ponto final.

— Você era o padre? — Randolph suspirou. — É claro que era.

Loki riu.

— *Uma vida jovem interrompida, mas vamos recordar os dons e o impacto que teve sobre nós...* É claro que improvisei. Mas isso é o que faço melhor.

Randolph tinha visto o deus das mentiras mais de dez vezes antes, quando Loki escolhera enviar sua essência a Midgard, mas era sempre um choque: os olhos brilhantes, o cabelo feito chamas, os lábios destruídos e as cicatrizes no nariz. Ele era igualmente belo e apavorante de um jeito nada natural.

— Você veio me matar, imagino. — Randolph tentou ficar calmo, mas os batimentos pulsavam em seus ouvidos. — Por que esperou tanto tempo?

Loki abriu os braços, magnânimo.

— Eu não queria me apressar. Precisava ver como as coisas seriam. É verdade que você fracassou. Eu deveria matá-lo, mas você ainda pode ser útil. Afinal, ainda tenho uma coisa que você quer.

O deus se levantou da mesa e abriu a mão. Na palma, chamas arderam, consolidando-se nas formas em miniatura de uma mulher e duas garotas. Elas se contorceram no fogo, esticando as mãos para Randolph, suplicando em silêncio.

Só a bengala de Randolph o impediu de desabar.

— Por favor. Eu tentei. Eu não... Não contava com o anão e o elfo. Nem aquela maldita valquíria. Você não me disse...

— Randolph, meu amigo querido... — Loki fechou a mão, apagando o fogo. — Espero que você não esteja inventando desculpas.

— Não, mas...

— Eu sou o *mestre* das desculpas. Você teria que se esforçar muito para me impressionar. Só me diga, você ainda quer sua família de volta?

— C-Claro.

— Ah, que bom. Que bacana. Porque ainda não terminei com você. E nem com aquele garotinho, Magnus.

— Mas ele está com a espada. Ele atrapalhou seu plano.

— Ele atrapalhou *uma faceta* do meu plano. É, foi muito educativo. — Loki deu um passo à frente. Colocou a mão em concha na bochecha de Randolph, quase um gesto de carinho. — Devo dizer que seu sobrinho é impressionante. Não vejo nenhuma semelhança familiar.

Randolph inspirou o veneno antes de senti-lo. Um vapor acre entrou por suas narinas. O lado do rosto explodiu em dor branca e quente. Ele caiu de joelhos, a garganta se fechando de choque. Tentou se afastar, mas a mão de Loki ficou no mesmo lugar.

— Pronto, pronto — disse Loki com voz tranquilizadora. — É só um gostinho da minha vida, o veneno de cobra que é jogado no *meu* rosto todos os dias. Talvez você consiga compreender por que fico um pouquinho mal-humorado.

Randolph gritou até a garganta arder.

— Não vou matar você, velho amigo — garantiu Loki. — Mas vou punir seu fracasso. Sem dúvida!

Ele afastou a mão. Randolph desmoronou, chorando, o cheiro de carne queimada impregnando seu nariz.

— Por que... — gemeu ele. — Por quê...?

Loki ergueu as sobrancelhas, fingindo surpresa.

— Por que o quê? Por que torturar você? Continuar a usar você? Lutar contra os deuses? É minha natureza, Randolph! Agora, não reclame. Tenho certeza de que vai encontrar um jeito de explicar a terrível cicatriz em forma de mão no seu rosto. Acho que dá a você certo... *ar solene*. Os vikings vão ficar impressionados.

Loki andou até os armários de Randolph com porta de vidro. Passou os dedos pela coleção de bugigangas e talismãs.

— O Ragnarök tem muitos gatilhos, meu amigo. A Espada do Verão não é a única arma nesse jogo.

Ele tirou um colar de uma das vitrines. Os olhos de Loki brilharam quando o pequeno pingente de martelo de prata se balançou entre seus dedos.

— Ah, sim, Randolph. — Ele sorriu. — Você e eu vamos nos divertir muito.

GLOSSÁRIO

Aegir — deus das ondas

Aesir (pl.: Aesires) — deuses da guerra; semelhante aos humanos

álfar seidr — magia élfica

Andskoti — o Adversário, a nova corda mágica que prende o lobo Fenrir

Árvore de Laeradr — árvore localizada no centro do Salão de Banquete dos Mortos, em Valhala, com animais imortais que têm funções especiais

Balder — deus da luz; o segundo filho de Odin e Frigga, irmão gêmeo de Hod. Frigga fez todas as coisas jurarem nunca machucar o filho dela, mas se esqueceu do visgo. Loki fez Hod matar Balder com um dardo feito de visgo

Bifrost — a ponte arco-íris que liga Asgard a Midgard

Draugr — zumbis nórdicos

Eikthrymir — cervo da Árvore de Laeradr cujos chifres não param de jogar água, que alimenta todos os rios de todos os mundos

einherjar (sing.: einherji) — grandes heróis que morreram com bravura na Terra; soldados do exército eterno de Odin; treinam em Valhala para o Ragnarök, quando os mais corajosos se juntarão a Odin na batalha contra Loki e os gigantes no fim do mundo

Fenrir — lobo invulnerável nascido do caso de Loki com uma giganta; sua força incrível causa medo até nos deuses, que o mantêm amarrado a uma pedra em uma ilha. Ele está destinado a se soltar no dia do Ragnarök

Fólkvangr — a pós-vida dos vanires para os heróis mortos em batalha, governada pela deusa Freya

Frey — deus da primavera e do verão; do sol, da chuva e da colheita; da abundância e da fertilidade, do crescimento e da vitalidade. Frey é irmão gêmeo de Freya e, como a irmã, tem grande beleza. Ele é o lorde de Álfaheim

Freya — deusa do amor; irmã gêmea de Frey; governante de Fólkvangr

Frigga — deusa do casamento e da maternidade; esposa de Odin e rainha de Asgard; mãe de Balder e Hod

Ginnungagap — o abismo primordial; a névoa que obscurece as aparências

Gleipnir — corda feita por anões para prender o lobo Fenrir

Heidrún — a cabra da Árvore de Laeradr cujo leite é fermentado para fazer o hidromel mágico de Valhala

Heimdall — deus da vigilância e guardião do Bifrost, a entrada para Asgard

Hel — deusa da morte desonrosa; nascida do caso de Loki com uma giganta

Helheim — o submundo nórdico, governado por Hel e habitado pelos que morreram fazendo maldades, de velhice ou devido a doenças

Hlidskjalf — o Alto Trono de Odin

Hod — irmão cego de Balder

Honir — deus aesir que, ao lado de Mímir, trocou de lugar com os deuses vanires, Frey e Njord, no fim da guerra entre os dois clãs

Idun — deusa que distribui as maçãs da imortalidade, que mantêm os deuses jovens e alertas

Jörmungand — a Serpente do Mundo, monstro nascido do caso de Loki com uma giganta; o corpo dele é tão grande que envolve a Terra

jötunn — gigante

Loki — deus da lábia, da magia e dos artifícios; filho de dois gigantes; adepto da magia e da metamorfose. Ele é alternadamente maldoso e heroico para os deuses de Asgard e para a humanidade. Por causa do papel na morte de Balder, Loki foi acorrentado por Odin a três pedras gigantescas com uma serpente venenosa enrolada acima da cabeça. O veneno da cobra de tempos em tempos queima o rosto do deus, e quando ele se debate seus movimentos causam os terremotos

Lyngvi — a Ilha das Urzes, onde Fenrir está acorrentado; a localização da ilha muda todos os anos, conforme os galhos da Yggdrasill se balançam nos ventos do abismo. A ilha só aparece durante a primeira noite de lua cheia de cada ano

Magni e Módi — os filhos favoritos de Thor, destinados a sobreviver ao Ragnarök

Mímir — deus aesir que, ao lado de Honir, trocou de lugar com os deuses vanires, Frey e Njord, no final da guerra entre os dois clãs. Como os vanires não gostaram dos conselhos dele, cortaram sua cabeça e a mandaram para Odin. Odin depositou a cabeça em um poço mágico, onde a água o trouxe de volta à vida, e Mímir absorveu todo o conhecimento da Árvore do Mundo

Mjölnir — o martelo de Thor

Muspell — fogo

Naglfar — o Navio das Unhas

Narvi — um dos filhos de Loki, estripado pelo irmão, Vali, que foi transformado em lobo como punição por Loki ter matado Balder

Nidhogg — dragão que vive na base da Árvore do Mundo e rói suas raízes

Njord — deus dos navios, marinheiros e pescadores; pai de Frey e Freya

Nornas — três irmãs que controlam o destino dos deuses e dos humanos

Norumbega — um assentamento nórdico perdido no ponto mais distante que eles exploraram

Odin — o "Pai de Todos" e rei dos deuses; deus da guerra e da morte, mas também da poesia e da sabedoria. Ao trocar um olho por um gole do Poço da Sabedoria, Odin ganhou conhecimentos inigualáveis. Ele pode observar os nove mundos de seu trono em Asgard; além de seu grande salão, também vive em Valhala com os mais corajosos dentre os mortos em batalha

ouro vermelho — moeda de Asgard e Valhala

Ragnarök — o Dia do Juízo Final, quando os mais corajosos dentre os einherjar vão se juntar a Odin na batalha contra Loki e os gigantes no fim do mundo

Ran — deusa do mar; esposa de Aegir

Ratatosk — esquilo imortal que percorre a Árvore do Mundo carregando insultos entre a águia, que mora na copa, e Nidhogg, o dragão que mora nas raízes

Saehrímir — o animal mágico de Valhala; todos os dias ele é morto e assado para o jantar, e todas as manhãs ele ressuscita; tem o gosto que quem o come desejar

Sessrúmnir — o Salão dos Muitos Assentos, a mansão de Freya em Fólkvangr

Skírnir — um deus; servo e mensageiro de Frey

Sleipnir — o corcel de oito patas de Odin; só Odin pode invocá-lo; um dos filhos de Loki

Sumarbrander — a Espada do Verão

Surt — lorde de Muspellheim

svartalfar — elfo negro, um subgrupo dos anões

Thor — deus do trovão; filho de Odin. As tempestades são o efeito de quando a carruagem poderosa de Thor atravessa o céu, e os relâmpagos são provocados quando ele usa seu grande martelo, Mjölnir

Tyr — deus da coragem, da lei e do julgamento por combate; ele teve a mão arrancada por uma mordida de Fenrir, quando o Lobo foi amarrado pelos deuses

Uller — deus dos sapatos de neve e da arquearia

Utgard-Loki — o feiticeiro mais poderoso de Jötunheim; rei dos gigantes das montanhas

Valhala — paraíso para os guerreiros a serviço de Odin

Vali — filho de Loki; foi transformado em lobo como punição por Loki ter matado Balder. Na forma de lobo, ele estripou o irmão, Navi, antes de ser estripado também

valquíria — servas de Odin que escolhem os heróis mortos que serão levados para Valhala

Vanir (pl.: Vanires) — deuses da natureza; semelhantes aos elfos

völva — vidente

Yggdrasill — a Árvore do Mundo

Ymir — o maior dos gigantes; pai de todos os gigantes e deuses. Ele foi morto por Odin e pelos irmãos, que usaram sua carne para criar Midgard. Esse ato foi a gênese do ódio cósmico entre os deuses e os gigantes

OS NOVE MUNDOS

Asgard — reino dos aesires
Vanaheim — reino dos vanires
Álfaheim — reino dos elfos
Midgard — reino dos humanos
Jötunheim — reino dos gigantes
Nídavellir — reino dos anões
Niflheim — mundo primordial do gelo, da névoa e da neblina
Muspellheim — reino dos gigantes do fogo e dos demônios
Helheim — reino de Hel e dos mortos desonrados

RUNAS (EM ORDEM DE APARIÇÃO)

Dagaz — novos começos, transformações

ᛞ

Thurisaz — a runa de Thor

ᚦ

Fehu — a runa de Frey

ᚠ

Raidho — a roda, a viagem

ᚱ

Perthro — o cálice vazio

ᛈ

Ehwaz — cavalo, transporte

ᛖ

Algiz — proteção

ᛉ

Tiwaz — a runa de Tyr

↑

NÃO PERCA A SEQUÊNCIA DA NOVA SÉRIE DE

RICK RIORDAN

MAGNUS CHASE
e os DEUSES de ASGARD

2

O MARTELO DE THOR

1ª edição	OUTUBRO DE 2015
reimpressão	OUTUBRO DE 2024
impressão	IMPRENSA DA FÉ
papel de miolo	PÓLEN NATURAL 70 G/M²
papel de capa	CARTÃO SUPREMO ALTA ALVURA 250G/M²
tipografia	ADOBE CASLON PRO